D0542001

COLLECTION
2 CONTINENTS
SÉRIE BEST-SELLERS

La Clé de Fa

De la même auteure, chez le même éditeur

Le Matin de la fête triste, Collection Santé-Idées, 1985.

Les Médecines douces au Québec, Collection Santé-Alternatives, 1986.

425, rue Saint-Jean-Baptiste
Montréal (Québec)
H2Y 2Z7
Tél. (514) 393-1450

Données de catalogage avant publication (Canada)

Gramont, Monique de

La Clé de Fa
(Collection Deux Continents)
ISBN 2-89037-387-8

I. Titre. II. Collection

PS8563.R35C53 1988 C843'.54 C88-096143-0
PS9563.R35C53 1988
PQ3919.2.G72C53 1988

Ce livre a été produit avec un ordinateur Macintosh de Apple Computer Inc.

DÉPÔT LÉGAL:
BIBLIOTHÈQUE NATIONALE DU QUÉBEC
2e TRIMESTRE 1988
ISBN 2-89037-387-8

L'auteure remercie Marie-Thérèse Duval
pour sa relecture et son soutien amical;
et le docteur Michel Odent, pour ses
commentaires sur la naissance de Fa.

Ce livre est un roman. L'action et les personnages qui y sont décrits sont purement fictifs.

À Yan senior, Fabrice, Yan junior, Lili et Ninon,
qui m'ont permis, chacun à leur manière,
de prendre le temps d'écrire ce livre.

Personne ne s'aperçoit de ce dont un enfant souffre moralement. Car on soigne le corps, l'être à grandir, mais pas l'être humain qui a toute une histoire et qui aurait besoin de le dire mais il n'a pas de mots pour ça. Il s'empêche de grandir jusqu'à ce que cela soit exprimé.

Françoise Dolto, *La Cause des enfants.*

1

L'enfant souffle doucement sur le rideau de son théâtre de fortune. Elle invente dans sa tête une réplique d'entrée en scène à la mesure de son désir. «Je suis. Je suis moi. Je suis le présent. Comme ma mère. Mon père, lui, est à l'imparfait. Parfaitement imparfait.»

Elle jongle avec la formule. Comme sur les planches l'acteur fait rouler hors de lui la vie de son personnage. Elle est contente d'avoir compris une des règles du temps des verbes. Et le deuxième sens du mot imparfait.

Cachée sous la vieille table en pin habillée d'une jupe en toile écrue, son repaire des matins de congé, l'enfant regarde sa mère en train de s'habiller.

Aujourd'hui, la couleur prune est à l'honneur. Aujourd'hui, 21 novembre 1976, il fait neige dehors, comme elle dit, et doux dedans. Et aujourd'hui, sa mère ne travaille pas.

– Le présent, c'est moi. J'aime le présent, mais je n'aime pas l'imparfait, se chuchote-t-elle.

Avec ses lèvres ramassées en O, elle imite le bruit du vent. Elle gonfle si fort les joues que la force de l'air agace et fait vibrer les chairs tendres de sa bouche.

– Tiens... on dirait qu'un zéphyr mutin veut jouer avec moi, dit la mère, d'un ton faussement étonné, en enfilant ses collants couleur de prune mûre.

La longue et noire chevelure d'Amanda glisse en cascade à la rencontre du pied gauche. Les mains, avec des gestes précis, ajustent le fin tissu transparent sur la peau et, avec le prune, elles font lentement l'ascension de la jambe. Les cheveux suivent le mouvement. En remontant, ils libèrent le gracieux profil de la jeune femme.

Chaque fois qu'elle regarde ce profil, l'enfant sait qu'elle est laide. Elle a hérité des traits anguleux et de la frêle ossature de son père. Sa seule richesse est son abondante chevelure noire, lourde et soyeuse, en tout point semblable à celle de sa mère.

Elle en est fière, même si son père a murmuré dimanche dernier en la regardant jouer, et croyant bien sûr qu'elle ne l'entendait pas: «Cette chevelure, avec ce visage et ce corps, on dirait une erreur de la nature...»

Jambe droite. Mollement, la crinière d'Amanda effleure le pied, légèrement cambré, puis la cheville, puis le mollet, puis le genou, tandis que les mains accomplissent minutieusement leur besogne et se reposent, l'espace de quelques secondes, paumes contre cuisses.

Soupir de satisfaction. Amanda se lève et, tout en se contorsionnant, elle ajuste la culotte satinée sur ses fesses et son ventre blancs. Puis elle fait quelques pas en direction de la psyché de son aïeule et là, elle contemple complaisamment ses jambes parfaites, tout en esquissant quelques exercices. Pointé devant, de côté, chassé croisé.

Chaque fois qu'elle regarde sa mère interroger son image dans le miroir, l'enfant sait qu'à défaut d'être belle, elle est au moins intelligente. Autant et peut-être même plus que sa mère, et certainement plus que son père.

À cet instant précis, les mains de la petite fille se joignent, s'étreignent dans un geste d'intense jubilation.

À cet instant précis, l'enfant oublie la mélancolie de ses traits. Elle sait qu'elle réussira à surmonter le handicap de sa laideur, à se libérer de l'étau qui comprime certains soirs son petit torse malingre. Comme une douleur collée à sa peau qui, chaque jour, essaie d'entrer en elle. Comme une plante vicieuse qui tente chaque nuit d'enfouir ses racines pointues dans ses os. Elle sait qu'un jour elle parviendra à vaincre la grande ombre maléfique qui la menace. Elle espère trouver très bientôt la force de regarder en face le visage de l'ombre, les yeux de la bête. Alors elle saura...

Et bien sûr l'ombre se dissoudra lentement, comme le petit carré de sucre blanc qu'elle laisse fondre chaque matin dans sa tasse de chocolat.

2

Edgar Paris était le plus brillant élève de sa classe. Ses professeurs eurent tôt fait de remarquer l'impressionnante qualité de ses discours. Edgar était né pour parler. Il pouvait neutraliser, séduire ou anéantir, rien qu'avec la magie de sa voix.

Ce don le vengeait de ne pouvoir attaquer avec ses poings, avec son corps. Malgré les cours de culture physique de l'école et l'huile de foie de morue quotidienne, la silhouette étriquée du jeune Edgar ne s'était guère étoffée au moment de son adolescence.

Le jeune garçon comprit vite qu'il était né avec des épaules étroites et qu'il mourrait avec des épaules étroites. Pire, probablement voûtées, comme l'étaient celles de son père, Charles, célèbre avocat de Québec, dont la silhouette ressemblait de plus en plus, en vieillissant, à celle d'une noix d'acajou anorexique.

«Les mots peuvent assassiner tout autant que les armes, mon petit Edgar, souviens-toi de ça», avait-il coutume de dire à son fils.

Et d'enchaîner avec: «Comme je t'ai légué le don de la parole, tu es armé jusqu'aux dents.»

Edgar, malgré sa chétive apparence, avait de l'énergie à revendre. Il tenait cette heureuse disposition de sa mère, née Hortense Morin. Pendant que son époux palabrait, madame Paris, elle, agissait. C'était une femme essentiellement pratique, les deux pieds vissés à la terre. Au nom de son mari, elle achetait et revendait des terrains avec un flair remarquable. Présidente de trois comités de bienfaisance, auteure d'une chronique de bienséance dans une revue pour dames, *Idéal féminin*, elle enseignait aussi le chant aux orphelins de l'Hôpital de la Miséricorde de Sainte-Foy une fois par semaine; elle entretenait enfin une correspondance assidue avec l'épouse d'un illustre avocat lyonnais qu'elle avait rencontrée au cours d'un voyage en Suisse.

Madame Paris avait eu trois enfants, trois garçons. Malheureusement, aucun de ses fils n'avait pu réveiller chez elle la fibre maternelle. Elle les avait mis au monde sans plaisir et sans douleur, et avait farouchement refusé de les allaiter. L'acte de donner le sein lui apparaissait d'une grossière indécence, et d'une grande inutilité étant donné l'existence du biberon. Elle avait regardé pousser ses trois fils avec une certaine curiosité, mais sans ressentir d'émotion véritable.

Alain, son aîné, une fois devenu adulte, avait néanmoins fini par toucher quelque chose en elle. Ce grand colosse aux cheveux blonds et aux yeux gris galet la troublait par moments. Quelque part, il lui ressemblait, croyait-elle. Alain parlait peu, mais il agissait. Comme elle. À 20 ans, il avait déniché un emploi d'apprenti dans une boulangerie de la rue Cartier. En deux ans, il était devenu le bras droit du propriétaire et comptait succéder à ce dernier, au grand dam de Me Paris qui jugeait le métier de boulanger passablement insignifiant.

Paul, le cadet, la gênait sans qu'elle sache exactement pourquoi. À ses yeux, il était l'étranger de la famille. Physiquement, il avait l'air d'un gitan: teint olive, tignasse noire et yeux de braise. En tout cas, il ne ressemblait à personne de la famille, tous les Paris et tous les Morin s'entendaient là-dessus. Le plus exaspérant est qu'il ne faisait rien comme tout le monde. Il donnait constamment l'impression de s'amuser de tout et de tous, et il avait une façon de dévisager les gens qui, selon elle, était choquante: comme s'il essayait d'entrer à l'intérieur d'eux, par effraction. Son comportement et ses initiatives irritaient systématiquement Me Paris.

Le jour où Paul choisit – il était alors en Philo I –, de traiter, en dissertation française, du sens de la provocation des grands magasins dont les tactiques de marketing incitent au vol à l'étalage, il estima que son fils était un gauchiste dangereux et qu'il fallait le mater à tout prix. Paul prit donc, avec un étrange sourire sur les lèvres, le chemin du Séminaire. C'est là qu'il terminerait ses études classiques. Nul doute que la discipline austère des Jésuites casserait les idées saugrenues du jeune révolutionnaire.

Quand, à la fin du mois de mai suivant, le père Hamel, supérieur du Séminaire, téléphona chez les Paris pour annoncer sa disparition, Me Paris, aussi étonné qu'indigné, répudia purement et simplement son fils.

– Quand il aura faim, il sera bien obligé de revenir. Et alors, nous réglerons nos comptes. D'ici là, je ne veux plus entendre parler de lui.

Pendant six mois, la police, discrètement informée de la fugue du jeune collégien, effectua des recherches, mais elle ne retrouva aucune trace de Paul Paris. Charles, blessé par le geste de rébellion inattendu de son fils, l'effaça de son souvenir et refit son testament en conséquence.

La vérité était que Paul s'était enfui aux États-Unis où il finit par se trouver un emploi qui lui permit un jour de faire le saut en Europe. Là, il poursuivit de brillantes études en anthropologie et il épousa une Nigérienne. Tout cela, Me Paris l'apprendrait quinze ans plus tard, un certain vendredi saint, au retour de la célébration des Saints Offices, dans une lettre tendrement ironique signée «votre fils, Paul, assez prodige mais nullement prodigue».

Lorsque Hortense Paris regardait Edgar, le dernier de ses fils, elle avait l'impression de voir un duplicata de son mari, tant la ressemblance physique était frappante. Même corps étroit et longiligne, peu musclé, mêmes yeux en amande, même nez long, même bouche bien ourlée mais triste, mêmes cheveux châtains, légèrement bouclés. Le rêve de Charles Paris était de voir Edgar faire comme lui: devenir un brillant avocat, un orateur imbattable. Hortense Paris estimait que la voie d'Edgar était toute tracée...

Quand le jeune homme, fortement encouragé et guidé par son père, entama son cours de droit à l'Université Laval, il évalua froidement le gabarit intellectuel de ses camarades. Pas un ne lui arrivait à la cheville. L'année serait facile. Décidément, les choses allaient bien pour lui. Son père pouvait dormir tranquille, Edgar serait son digne successeur. Il ferait de brillantes études, et il réussirait. Paul et Alain avaient tous deux déçu Me Paris. Lui le consolerait.

Décidément les événements le favorisaient. Alain avait hérité d'une indéniable beauté plastique, il en convenait. Mais cet atout ne le servirait guère dans le métier qu'il avait choisi. Ce n'était pas en travaillant caché dans l'arrière-boutique d'une boulangerie qu'il ferait parler de lui! Tant pis pour lui.

Paul, lui, possédait indéniablement une personnalité riche et originale. Mais en fuguant, il s'était mis son père à dos. Pour longtemps. Peut-être même pour toujours. Edgar, quant à lui, n'avait ni la beauté d'Alain, ni le charme et le charisme troublants de Paul. Mais il savait exactement ce qu'il voulait. Suivre les traces de Charles Paris, son père, un homme physiquement petit mais intellectuellement redoutable, un avocat respecté et craint par les habitants de Québec. Edgar sentait peser sur lui le regard paternel. Il en était secrètement fier. Cela signifiait qu'il était l'héritier...

C'était compter sans Éros. Au cours d'une danse organisée par l'association des étudiants de l'université, il tomba littéralement dans les bras d'une ravissante Asiatique, étudiante en art dentaire.

Fumio était petite, elle aussi, sensuelle et sensible aux beaux discours. Edgar lui en débita, sucrés comme des loukoums, et chacun succomba rapidement aux charmes de l'autre.

Par commodité économique et par besoin physique, Fumio et Edgar décidèrent d'habiter ensemble, sans toutefois le crier sur les toits. Pas question de se faire couper leurs vivres paternels respectifs. En 1964, les jeunes gens avaient nettement plus de liberté que ceux nés quelques décennies plus tôt, mais la bonne société estimait que les unions libres ne pouvaient mener qu'à de navrantes conclusions; sans compter que des enfants innocents pouvaient naître de ces expériences...

Fumio et Edgar emménagèrent donc discrètement dans un minuscule logement, un deux et demie situé rue Saint-Cyrille, non loin de l'Université Laval. Il annonça à ses parents qu'il avait trouvé un compagnon d'appartement: un jeune Japonais inscrit en art dentaire; et elle avertit sa famille qu'elle avait trouvé une colocataire, québécoise de bonne famille, et future avocate.

Jusqu'à ce que Fumio partage la vie et le lit d'Edgar, ce dernier avait fait l'amour deux fois, à la sauvette, dans une chambre de l'hôtel Beauport avec des jeunes femmes très délurées qui aimaient arrondir leurs fins de mois en «instruisant» de jeunes Québécois en mal d'apprendre les choses de la vie autrement que dans les livres.

Fumio enseigna au jeune homme des gestes qu'il ignorait. Il apprit à caresser lentement, savamment, à s'abandonner à son tour aux mains de sa maîtresse.

En quelques semaines, curieusement, les traits de son visage s'adoucirent et sa démarche s'assouplit. Ses yeux gris acier acquirent enfin une certaine sérénité en même temps qu'un éclat particulier. Et il découvrit qu'il pouvait désormais troubler les femmes en les regardant d'une certaine manière, peut-être justement parce qu'il avait expérimenté l'amour physique.

Pendant seize mois, Edgar connut avec Fumio la démesure de la passion, au détriment de ses études. Le jour où il la trouva au lit avec un grand blond moustachu au corps athlétique – le président de la faculté de droit –, il ne comprit pas ce qui lui arrivait, mais il eut l'impression d'avoir été frappé en plein ventre par la flèche d'un

Cupidon sadique. Il prit conscience que les mots les plus violents ne parviendraient pas à exprimer sa fureur et sa peine. Restaient les poings ou la fuite. Edgar retrouva vite sa lucidité et il choisit la fuite.

Il fut bien obligé d'avouer à son père sa défaite amoureuse et sa décision de s'exiler. Tout recommencer. Quitter Québec pour Montréal où, inconnu, il éviterait les moqueries au sujet de sa mésaventure. Le père d'Edgar eut beau tempêter, menacer, supplier, ruser, il ne réussit pas à convaincre son fils de s'inscrire à la faculté de droit de l'Université de Montréal... Edgar avait très peur que le milieu étudiant finisse par tout savoir. Mieux valait attendre.

– Attendre et perdre du temps! Te laisser damer le pion par le fils de Me Dupré, ce *poodle* grassouillet au cerveau de hamster! clama son père indigné. Qu'est-ce que tu imagines? Les gens ont autre chose à faire qu'à se délecter de malheureuses petites histoires d'étudiants en rut. Réagis! Pourquoi risquer de gâcher ton avenir pour une coquine infidèle? Fonce! Défends-toi! Tu as eu le meilleur d'une femme. Celui qui est passé dans son lit après toi n'a eu que les restes. C'est toi qui as décidé de passer la main... si j'ose dire. Fais-le donc savoir autour de toi! Ton rival sera le seul dindon de la farce. Avec ta force de persuasion, tu peux le tourner en ridicule de telle manière que c'est lui qui devra quitter le campus pour un temps. Oublie toute cette histoire, Edgar, et poursuis tes études! Je ne veux pas que Jérémie Dupré fasse son Barreau avant toi!

– Non. Je m'en vais aller vivre à Montréal. Et je n'ai pas l'intention de reprendre mes cours de droit. Pas cette année... Je suis prêt à faire n'importe quoi pour gagner ma vie en attendant de retourner à l'université. Et sache que je me fous complètement du *poodle*! répondit Edgar. Avec sa petite cervelle, comme tu dis, il lui faudra bien dix ans avant de devenir avocat... Dans dix ans, je serai loin devant lui, quoi que je fasse.

Le quotidien *La Petite Patrie* cherchait depuis quatre mois un journaliste débutant. Edgar Paris, en dix minutes, séduisit Roland Garneau, le rédacteur en chef, et il obtint le poste.

Lorsqu'il s'asseyait devant sa machine à écrire, une vieille Olivetti qui avait vu passer deux générations de journalistes dont certains étaient devenus députés, Edgar donnait à ses collègues de la salle de rédaction un fascinant spectacle. Ramassé sur lui-même, le dos droit néanmoins, les pieds joints, les mains d'abord immobiles sur le clavier, il semblait à l'écoute de voix intérieures qui allaient lui dicter son texte.

Au bout de quelques secondes, ses doigts martelaient les touches avec une étonnante énergie. C'était parti...

Quand le solo bruyant et saccadé de sa machine s'arrêtait, tout le monde savait que le texte était terminé. Les premiers jets d'Edgar étaient pratiquement toujours bons. Parfois une petite rature. Parfois un moment d'hésitation, le temps de choisir entre deux formulations.

L'actualité, la politique, l'économie, la science, tout intéressait Edgar. Le rédacteur en chef, subjugué par un tel talent, se félicitait d'avoir engagé le jeune homme.

– Décidément, tu as de la patte, mon jeune ami, lui dit-il quand Edgar lui remit son premier vrai reportage. Sacré bordel, tu es rapide, précis, et... caustique. Si tu ne gaffes pas, tu iras loin...

Gaffer? Pas question. Enthousiasmé par le métier, Edgar se donnait trois ans pour accéder au poste de rédacteur en chef adjoint, occupé par Gaston Lamothe, un maigre Trifluvien de 52 ans, qui nourrissait une splendide cirrhose en avalant religieusement, à chaque repas, une quantité effarante de gin. Une fois le plein fait, ledit Gaston commençait à penser à travailler. Cela signifiait que, jusqu'à deux heures de l'après-midi, il se contentait de faire semblant d'être présent. Edgar avait pris l'habitude de manger avec lui, deux ou trois fois par semaine, histoire de «travailler» celui qu'il entendait remplacer. En doublant la ration liquide de Gaston, trois ans devraient suffire pour le mettre hors circuit. Une fois nommé adjoint, Edgar se donnait quatre ans pour «liquider» le rédacteur en chef en personne.

Il s'était trouvé un logement, rue de La Roche, à deux pas de l'église Saint-Étienne et à cinq minutes à peine des locaux de *La Petite Patrie,* situés rue Christophe-Colomb. Cela lui permettait de commencer à travailler tôt, et de voir arriver ses collègues de travail, trois citrons et deux cerises. C'est ainsi qu'il percevait les trois hommes et les deux femmes qui occupaient des postes de rédacteurs et chroniqueurs permanents au quotidien. Les deux femmes l'attiraient, pour des raisons différentes, toutefois. La première, Christine de Guise, fille de juge, devait son poste à sa famille et à son nom à particule. Elle avait néanmoins du talent, de la classe, de l'esprit et elle était la maîtresse en titre d'un avocat montréalais en vue, Jean-Robert Gauthier, spécialisé dans les causes criminelles.

Christine connaissait l'élite littéraire et artistique du Québec et aussi celle de la France. Elle fréquentait les bonnes tables, Holt Renfrew, le chic Salon de l'Ensemble chez Eaton et la boutique Lily Simon, rue Beaubien. Elle avait des contacts étonnamment efficaces avec Air France et Air Canada. Il était important d'être vu avec cette jeune femme si on voulait faire parler de soi, si on voulait être accepté par un certain milieu.

Quand il regardait évoluer mademoiselle de Guise, Edgar se sentait rustre, «colon», primitif. Il se rendait compte qu'il avait beaucoup à apprendre. Aussi entreprit-il de lui faire une cour discrète, pour des fins professionnelles, cela s'entend. La première fois que Christine accepta d'aller manger avec lui, elle lui fit connaître ses conditions:

– Je ne mange pas n'importe où, mon chéri. Je suis une fleur qui coûte cher... Tu es prêt à flamber ton fric? Remarque... je ne te demanderai pas de payer mon addition... Et pour ta première sortie avec moi, je vais être bonne fille. Je suggère un petit déjeuner au Ritz. *Okaydokai?*

Edgar accepta. Le lendemain matin, lui et Christine firent une entrée remarquée dans le chic hôtel de la rue

Sherbrooke. Tout le monde semblait connaître Christine. Avec des gestes nonchalants, blasés, un rien sensuels, elle se débarrassa de sa pelisse et jeta un regard étonné sur Edgar.

– Franchement, tu aurais pu me dire que tu n'avais pas de costume convenable... tu es sapé comme un pompier qui va marier sa fille!

Edgar rougit sous la remarque. Ainsi donc, son beau complet marine, tout laine, coupé par le tailleur de Me Paris – on ne pouvait trouver mieux dans toute la haute ville de Québec –, sa chemise blanche et sa cravate en soie rouge n'étaient pas dans le ton...

– Il faudra songer sérieusement à te nipper, mon petit. Quand tu seras prêt, fais-moi signe, je t'emmènerai à la boutique Adam, chez Eaton. Genest Carpentier, le maître des lieux, s'occupera de toi, des pieds à la tête. Quand tu sortiras de là, tu ne te reconnaîtras pas.

D'une main familière, Christine ébouriffa les cheveux d'Edgar.

– Il y a du potentiel, pourtant... Il faudra styler tout ça, chéri. Le jeu en vaut la chandelle...

Se sentant petit, dans tous les sens du terme, Edgar emboîta le pas à la jeune femme, superbement moulée dans un fourreau anthracite qui mettait en valeur sa taille mince et ses jambes, et il entra dans la salle à manger du Ritz. Christine commanda du champagne, du jus d'orange, des croissants avec de la gelée de framboise et un plat de fraises fraîches.

– Des fraises en novembre! s'exclama-t-il, incrédule.

Mordillant le bout d'un long fume-cigarette, Christine le regarda en souriant et elle lui tapota la main.

– Mon petit Edgar, tu as la candeur et l'innocence de l'agneau qui vient de naître. C'est touchant, mais il faudrait bien songer à grandir. Il faudrait aussi que tu décides dans quel camp tu veux vivre: avec ceux qui se font tondre ou avec ceux qui tondent. Moi, j'ai eu de la chance. Je suis née dans la bonne équipe. Malgré tout, je dois jouer du coude pour garder ma place. Derrière moi, il y a plein de péquenots qui poussent. Des petits ambitieux qui ont juré de changer de camp. Les plus chanceux y arriveront. Les plus malchanceux retourneront dans leur pacage. Toi, tu as un beau jeu de cartes. Du talent, beaucoup de talent, paraît-il. Tu n'es pas vraiment beau, physiquement, mais tu as des yeux comme des aimants... tu magnétises à distance.

La deuxième femme de l'équipe de rédaction de *La Petite Patrie,* Fabienne Marcotte, originaire de La Malbaie, avait commencé à travailler au journal comme réceptionniste. Sa beauté plastique, remarquable, quoique un brin vulgaire, sa vivacité d'esprit, son ambition lui firent accéder rapidement au poste de secrétaire particulière du rédacteur en chef, puis à celui de rédactrice, après un certain congrès de journalistes au cours duquel elle devint la «petite amie de corps» d'un des propriétaires du journal. Quand les autres rédacteurs apprirent cette nomination, ils s'esclaffèrent bruyamment. Mais lorsque Fabienne remit à Roland Garneau son premier texte, une entrevue avec la comédienne Denise Pelletier, ils comprirent que la nouvelle «rédactrice en fesse», comme ils disaient, avait du talent et que désormais il faudrait compter avec elle.

Selon Edgar, Christine et Fabienne étaient deux femmes pleines de ressources; deux talents mal exploités puisque la rédaction en chef s'obstinait à les cantonner dans les pages féminines et les arts. Quant à ses trois collègues masculins, des suce-crayons minables et sans envergure chargés de remplir les pages sportives du quotidien, Edgar avait déjà pris la décision de les foutre à la porte dès qu'il serait nommé rédacteur en chef adjoint.

Son avenir, donc, était tout tracé, libre d'embûches et exempt d'adversaires. Il lui restait à faire ses preuves. Il écrirait, il enquêterait comme jamais personne ne l'avait encore fait. Son père serait fier de lui et il verrait qu'il n'y a pas que le droit qui permette d'accéder à la réussite.

3

Cachée sous la table, l'enfant frémit soudain. Des pas dans l'escalier la font se tasser sur elle-même et enfouir ses mains entre ses cuisses tièdes, couleur de crème douce, comme dit Amanda. Quelqu'un entre dans la chambre de sa mère. Quelqu'un écrase le zéphyr mutin en train de batifoler autour de sa mère. Quelqu'un s'adresse à elle, d'une voix sèche et menaçante:

– Freudia, sors de là tout de suite. Je n'aime pas que tu espionnes ce que fait ta mère. Freudia, je te parle!

Une main d'homme relève la jupe de la table tandis qu'un pied impatient frappe le sol en cadence.

L'enfant se cramponne aux pattes arrière du meuble. Chaque fois, elle craint de voir s'avancer la main qui ne souhaite qu'une chose: l'agripper par la nuque comme on ferait d'un vilain chaton, l'élever à bout de bras, la secouer, la regarder dans les yeux, lui vriller au cœur le message que n'ose lancer la bouche. «J'aimerais bien pouvoir me débarrasser de toi!»

Heureusement, la voix paisible de sa mère empêche la main d'agir.

– Fa ne fait rien de mal, Edgar. Si je ne voulais pas qu'elle soit là, je le lui dirais moi-même.

– Je n'aime pas que tu encourages sa manie de se cacher sous les meubles comme un animal sauvage, tu le sais pourtant...

– Pour elle et pour moi, c'est un jeu, une sorte de petit cérémonial. Elle sait que je sais.

Les pieds de l'homme s'éloignent de la table et se rapprochent de ceux d'Amanda. L'enfant en profite pour sortir de sa cachette. Elle détale aussitôt comme un jeune lapin poursuivi par une meute de chiens d'arrêt et regagne sa chambre, au bout du couloir, en retenant son souffle et en serrant, au creux de ses mains crispées, le malheureux zéphyr évanoui...

À cause de l'homme, aujourd'hui elle n'aura pas droit aux bras, au corps, à la bouche de sa mère. S'il n'était pas venu faire sa scène, Amanda, après avoir enfilé sa combinaison, après avoir parfumé son cou, ses bras et la naissance de ses seins, serait venue tirer sa fille de son poste d'observation avec des roucoulades:

«Ma fadette, ma filiforme, ma fifine, ma filloutiède, ma farouche, ma folle, ma coucoulina, viens là, dans mes bras, viens que je te goûte, que je te mange, que je te morde, que je te chatouille, que je te fasse rire jusqu'à demain...»

Elle et Amanda, serrées l'une contre l'autre, roulant par terre en gloussant. Elle, dans les bras de sa mère, bercée à même le sol. Elle, dans l'odeur captivante de la peau de sa mère. Et le doux zéphyr, étourdi par tant de cajoleries, les aurait couvertes de son souffle...

À cause de l'homme parfaitement imparfait, aujourd'hui, il n'y aura rien de tout cela. L'enfant martèle son oreiller avec ses poings, pleure et retient des petits cris de rage. Elle ne veut surtout pas que l'imparfait l'entende.

4

Le jour où Alain Paris annonça à ses parents qu'il allait se marier avec Angèle Dubuc, la jeune commis de la boulangerie, et donc quitter le toit familial, Hortense et Charles comprirent qu'ils se retrouveraient seuls dans leur demeure de la rue Bougainville. Me Paris était mortifié et promenait sa colère dans toutes les pièces de la maison.

– Épouser une vulgaire commis! La pauvre fille a l'air d'un caille tombée dans une «canisse» de jus de citrouille!

Tu as remarqué? Elle lui arrive à peine au nombril! Et le bouquet, c'est qu'elle est pauvre! Ah! pour faire la paire, ils la font! Un géant blond avec une naine rousse!

En 43 ans de mariage, Hortense Paris avait fini par apprendre à taire le peu d'émotions qu'elle se permettait et à vivre dans sa tête. Son époux ne tolérait pas qu'on lui réplique, encore moins qu'on lui résiste. Mais cette fois, c'en était trop. Il s'attaquait à Alain, son favori.

– Toi et ton orgueil! Toi et ta méchanceté! Je me demande si tu es conscient de ta mesquinerie, des fois, Charles Paris! Tout le monde n'est pas obligé de courir après le pouvoir et l'argent comme tu l'as fait. Alain exerce un métier parfaitement honorable. Il a choisi Angèle parce qu'il l'aime. C'est une amélioration par rapport à nous... Toi, tu m'as choisie parce que mon père était riche. Rappelle-toi... Mes parents m'exhibaient dans les salons quand je t'ai rencontré. J'étais jeune, plutôt godiche, mais... coussinée du portefeuille! C'est seulement pour mon argent que tu m'as proposé le mariage. Je n'ai jamais été dupe, tu sais. Remarque... moi aussi, ça m'arrangeait. J'allais enfin pouvoir quitter mes parents! Mais nos enfants, vois-tu, ont été plus fins que nous. Ton ambition démesurée, ta folie des grandeurs, ils n'en ont rien à faire, figure-toi. Même Edgar t'a échappé. Et j'en suis bien contente!

Dans la grande maison de douze pièces, le silence s'installa entre les deux époux. Hortense Paris connut une période de profonde dépression qui coïncida avec un hiver particulièrement rigoureux. Elle profita d'une bronchite attrapée en attendant l'autobus pour faire chambre à part. Heureusement, l'arrivée du printemps agit sur elle à la façon d'un coup de fouet. Elle se mit à sortir et à marcher interminablement dans les rues, sans but précis. À regarder les jeunes femmes qui poussaient fièrement des landaus en évitant les dernières galettes de neige en train de fondre au soleil d'avril. À rôder au rayon de la layette chez Pollack. À admirer les cabrioles des enfants sur les plaines d'Abraham. Elle écrivit à son amie suisse:

Je suis comme une vieille poule qui vient seulement de comprendre que le temps des poussins est révolu. Je n'ai pas vu passer ni le temps, ni les poussins. Je n'ai rien senti. Quel gâchis, mon Dieu! Mon compte en banque est certainement une réussite mais mon compte en affection est dans le rouge. Et maintenant que puis-je faire, dis-moi?

Peu à peu, le comportement d'Hortense changea. Elle se mit à parler, à traquer les silences de la maison, à réagir au moindre discours de son mari. Charles, estomaqué par ses attaques verbales chargées d'ironie, prit l'habitude de rentrer à la maison le plus tard possible pour éviter les algarades, lui qui les avait toujours recherchées. Pendant six mois, Hortense se vida le cœur, abreuvant les oreilles de son mari de complaintes amères et de remarques cyniques. Elle n'en finissait plus de faire le ménage de ses chambres intérieures, comme elle disait.

– Désormais, tu vas devoir compter avec moi. J'ai décidé de vivre, Charles. C'est trop tard pour les enfants, mais pas pour toi... et surtout pas pour moi! Demain matin, je commence à suivre des cours de conduite automobile manuelle. J'en ai marre de devoir compter sur ta foutue grosse Buick automatique. Je m'achète une Volvo... Et je te prierais de laisser l'entrée du garage libre pour mon auto. Toi, tu sors tous les jours. Moi, ça dépendra.

Me Paris accepta, de mauvais gré, de donner à Hortense l'espace physique et mental qu'elle réclamait. Et, finalement, il ne le regretta pas. Hortense, allégée de ses peines, se mit à voyager, seule. Elle devint gaie, charmante avec son époux et pleine de prévenances pour son arthrite, son ulcère et son hypertension.

5

Grâce à Christine de Guise, Edgar apprit rapidement les règles subtiles du *jet set* montréalais qui s'éclatait rue Crescent, chez Bourgetel et aux Beaux Jeudis. Il laissa pousser ses cheveux et ses favoris et il investit quelques mois de salaire dans l'achat de luxueux complets importés d'Italie et de France. Christine l'emmena à l'atelier d'un jeune créateur québécois, Jean-Claude Poitras, qui coupait de magnifiques chemises pour hommes.

Physiquement transformé, se sentant pour la première fois de sa vie sûr de lui, Edgar devint un journaliste à la mode, qu'on citait à gauche et à droite. Il réussit quelques jolis coups: une entrevue éclair avec l'insaisissable romancier Réjean Ducharme; un dossier percutant sur les hippies, «ces romantiques expatriés de la vie»; et aussi une série de trois reportages sur les réserves d'Amérindiens qui fit de la vague en haut lieu. Edgar, dans son analyse de la situation, accusa carrément la direction des Affaires amérindiennes et ses huit bureaux régionaux d'incompétence crasse. Son nom fut prononcé à la Chambre des communes d'Ottawa, et les échos du «scandale» retentirent jusqu'à l'Assemblée nationale, à Québec.

Le rédacteur en chef de *La Petite Patrie* était aux anges. Son quotidien, déjà lu par tous les sportifs du Québec, intéressait désormais les intellectuels et les politiciens...

•

Edgar menait sa carrière avec beaucoup de prudence. Il découvrit que le journaliste qui travaille dans un quotidien, petit ou grand, est un cheval qui doit galoper et brouter à l'intérieur d'un certain enclos. Faute de quoi, il peut se retrouver confiné par son maître aux plus plates besognes ou, pis, être envoyé à l'abattoir. Il apprit à écrire exactement ce que souhaitait lire la rédaction, à connaître les mots et les sujets à éviter, les noms des gens à ignorer, quoi qu'ils fassent, et ceux qu'il était de bon ton d'encenser ou de supporter, quoi qu'ils disent. Les avis de la rédaction en chef, les assignations, les éditoriaux même pouvaient servir de consignes. Ils donnaient la note juste, la bonne fréquence à utiliser pour rédiger et commenter l'actualité. La rédaction en chef était elle-même branchée sur le conseil d'administration qui façonnait et retouchait à distance l'image de son produit, afin de plaire aux commanditaires par qui la manne arrivait.

Edgar était fasciné par cet immense pouvoir occulte dont il ne soupçonnait même pas l'existence à son entrée à *La Petite Patrie*. Plus que jamais, il était déterminé à détrôner Gaston Lamothe et Roland Garneau. Le rôle de simple exécutant, même prestigieux, ne l'intéressait plus. Ce qu'il voulait désormais, c'était faire partie de l'élite dominante. Christine lui avait parlé du clan des gagnants et de celui des perdants. Ce qu'elle n'avait pas encore saisi, c'est qu'il existait, au-dessus de ces clans, la confrérie des meneurs de jeux: une sorte d'Olympe secret composé de «dieux» de chair habilement masqués...

Roland Garneau observait le comportement de son nouveau reporter. Ce jeune homme silencieux, talentueux, si assoiffé d'apprendre, si soucieux de son image, si désireux de «performer», l'intriguait. Gaston lui avait fait des confidences:

– Il a un front de bœuf, le jeune! Figure-toi qu'il n'arrête pas de me faire parler de la cuisine interne du quotidien en essayant de me saouler! Au fait, il me pose beaucoup de questions sur toi... Tes amitiés, tes ennemis, tes ambitions, tes options politiques. Je parie qu'il s'est mis en tête de se caler les fesses dans ton fauteuil... Je le regarde aller et j'ai l'impression qu'il nous manipule tous comme si nous étions les pions de son jeu d'échecs...

6

À quatre pattes sur le gravier, Fa dirige sa flotte d'autos de course, ses deux ambulances et son car de touristes. De petits cris aigus interrompent son jeu. Instinctivement, elle lève la tête vers les trois lucarnes de la maison. Rien. Pourtant le son vient d'en haut, elle en est sûre. Attentive au bruit, Fa s'approche de la façade qu'elle examine avec attention et elle voit.

Entre les tuiles du toit et la grande poutre du coin, quelque chose de vaguement gris remue. Quelque chose de vivant.

– Maman, maman, y a une petite bête qui a peur de tomber on dirait...

La fenêtre du centre s'ouvre et son père paraît, un doigt sur la bouche.

– Chhh... Je t'ai déjà demandé de ne pas crier, Freudia!

– Oui mais c'est la bête qui crie... Je crois qu'elle pleure.

– Je viens. Ne bouge pas.

Fa étire son cou tant qu'elle peut. Elle essaie d'évaluer la distance qui la sépare de la chose remuante et poilue qui continue à couiner bizarrement. Edgar arrive et, les mains en visière, il scrute lui aussi l'endroit que lui désigne sa fille.

– C'est un mulot, ta bête! Apporte-moi ton seau, je vais essayer de le faire tomber dedans.

S'emparant d'une bêche, Edgar réussit à faire basculer l'animal qui rate le seau et tombe sur le gravier avec un petit plouc! mou. Fa se penche.

– On dirait un bébé cochon qui a perdu ses yeux... tu crois qu'il est malade?

– Je te défends de toucher à ça, c'est sale! Recule-toi! Tiens, donne-moi la petite pelle. Je vais mettre la bestiole dans le seau.

De nouveaux petits cris se font entendre. Fa lève la tête.

– Un autre! Un autre petit mulot!

Edgar s'empare à nouveau de la bêche et cette fois la bête atterrit dans le seau, suivie à quelques secondes d'intervalle par une troisième.

Fa veut voir les bébés mais Edgar s'y oppose.

– Non. Je te répète que c'est plein de microbes. On va les brûler. Ça tombe bien, je m'apprêtais à faire un feu dans la cheminée. Toi, tu ferais mieux de rentrer et d'aller te laver les mains, et deux fois plutôt qu'une. Il commence à faire frisquet. Ramasse tes jouets...

Edgar dépose le seau par terre et regarde Fa sautiller vers la porte. Le regard qu'il pose sur sa fille est sans complaisance. À cinq ans, Fa a l'air d'en avoir trois. Elle est petite et malingre. Son visage pointu et blanc paraît malade. Peut-être que ces vacances en Normandie lui feront du bien...

Les mains dans les poches de sa veste, Edgar s'avance sur le chemin de gravier. En prenant une profonde inspiration, il s'éloigne pour mieux admirer le paysage.

Son regard se porte sur les buissons de genêt, le vieux séquoia, le grand jardin, le petit étang. Il est content qu'Amanda ait accepté d'échanger, pour trois semaines, leur maison de la rue Jeanne-Mance contre celle de ce psychiatre français rencontré lors du VIe congrès international de médecine psychosomatique.

Situé en Normandie, le pays de ses ancêtres, le domaine du docteur Marty est un pur chef-d'œuvre d'architecture et de bon goût. Grâce à des portes-fenêtres, la nature entre généreusement dans la maison, devant et derrière. L'effet est étonnant et accentué par une profusion de plantes d'intérieur massées de chaque côté des portes-fenêtres. Edgar se dit qu'un jour il faudra qu'il se mette en chasse pour dénicher, lui aussi, un domaine à retaper. Il en fera son refuge, sa tanière, sa chapelle. Il viendra peut-être y finir ses jours, y écrire ses mémoires.

Fa profite de l'éloignement de son père pour s'emparer du seau. Elle sait quoi faire avec les trois bébés mulots; mais il lui faut attendre que la voie soit libre. Pour l'instant, mieux vaut cacher les petits. Elle rentre dans la maison, jette un regard circulaire et avise une bonbonnière en argent qui sera parfaite pour abriter ses protégés.

Penchée au-dessus de l'étang, Fa regarde les petites bêtes s'éloigner sur le bateau-feuille qu'elle leur a confectionné. De l'autre côté, leur mère les attend, c'est probable. Pour favoriser leur départ, l'enfant souffle de toutes ses forces sur la fragile nacelle en même temps qu'elle fait des vagues dans l'eau avec ses mains.

Le nez dans ses crudités, Fa avale avec appétit, tout en balançant ses jambes sous la table, ce qui, chez elle, est un signe de grand contentement.

– Fa, où sont les mulots?

– Je ne sais pas, répond l'enfant en enfourchant une cuillerée de céleri rave.

– Tu ne sais pas, vraiment? Moi je sais. Là où tu as laissé la bonbonnière du docteur Marty. Au bord de l'étang. Quelle sale petite menteuse tu es!

Amanda sursaute.

– Qu'est-ce que c'est que cette histoire de mulot, d'étang et de bonbonnière?

– Il y avait trois petits bébés perdus sans mère. Ils *sontaient* réfugiés dans le toit et ils *sontaient* plus capables de redescendre...

Edgar dépose brutalement sa fourchette et heurte son verre.

– Il y avait une petite fille désobéissante, hypocrite et voleuse qui a profité d'un moment d'inattention de son père et du sommeil de sa mère pour jouer dans l'étang, lieu dont il avait été convenu qu'elle ne s'approcherait pas, et pour tripoter des animaux ré-pu-gnants!

La voix d'Edgar scande et détache le dernier mot, puis elle repart et éclate en imprécations indignées:

– Tu es une voleuse, une menteuse, une malpropre! Et en plus, tu fais des fautes de français inacceptables!

Fa, les mains crispées sur son verre, lance d'une voix sonore:

– Non! C'est toi le menteur et le méchant!

La parole ne lui suffisant pas, elle lance aussi son verre qui heurte le grand plat de hors-d'œuvre, se renverse et se brise.

Amanda repousse son assiette. L'attitude de son mari l'attriste et l'étonne. La façon qu'il a de jouer les justiciers avec une enfant de cinq ans, le ton cinglant qu'il prend pour décrire le comportement de Fa lui déplaisent. Elle est sidérée et se demande comment intervenir et désamorcer la crise entre son mari et sa fille. La voix stridente de Fa la fait sursauter.

– Je ne voulais pas que tu les tues comme tu as voulu le faire avec moi quand je suis née... Va-t'en, tu es méchant! Tu n'aimes pas les bébés, je le sais!

Edgar se lève, marche jusqu'à sa fille et la gifle si fort que l'enfant tombe par terre et se met à hurler.

Amanda berce Fa, encore toute secouée de hoquets. Le repas, pourtant si bien commencé, face à un odorant feu de bois, s'est mal terminé. Personne n'a touché au clafoutis aux cerises et au grand pot de crème du pays. Edgar est parti en claquant la grande porte-fenêtre. Fredelle, la cuisinière du docteur Marty, atterrée par la scène entre Edgar et sa fille, s'est retirée dans la cuisine en ramassant devant elle sa grosse jupe de laine à rayures bayadères, et Amanda a pris sa fille hurlante dans ses bras.

De la scène, elle a retenu deux éléments: l'accusation de Fa et le comportement d'Edgar.

– Comment peux-tu croire que ton père a voulu ta mort, Fa? C'est insensé. Pourquoi avoir dit ça?

L'enfant se tait d'abord. Puis elle répond tout bas, si bas que sa voix est un filet qui ne passerait pas sous la porte de la chambre:

– Je sais. Je sais. Et j'ai peur et je le hais! Mais un jour, c'est moi, c'est moi qui vas lui faire peur...

Amanda lisse de son pouce le front contracté et livide de sa petite fille. Elle enfouit son nez dans son cou. Fa sent l'épice ce soir, comme lorsqu'elle était bébé. Amanda prend brutalement conscience que Fa n'aime pas son père. Mais une autre réalité la trouble encore davantage. Elle comprend qu'Edgar n'aime pas Fa.

Longuement, elle regarde l'enfant couchée, calmée enfin. Ses joues sont encore rouges et humides. Ses paupières, gonflées et bleues. Amanda serre très fort la main de sa fille. Fa murmure, sans ouvrir les yeux:

– Est-ce qu'il faut absolument que j'aie un père, maman? À la maternelle, il y a des petits enfants qui n'en ont pas. Est-ce que toi et moi, on ne pourrait pas se passer de lui?

7

La journée tirait à sa fin. Dehors, il tombait des clous et le ciel ressemblait à un paillasson usé. De temps à autre, le vent poussait la pluie contre les vitres qui émettaient une plainte liquide discrète. Edgar jeta un coup d'œil blasé sur son agenda. Il devait se rendre au lancement d'une nouvelle revue «pour femmes seulement». «*La première, oui*», dit le carton d'invitation, «*qui s'engage à faire réfléchir les femmes tout en les faisant rigoler.*»

Roland Garneau le lui avait remis ce matin:

– Tu vas t'amuser! Si tu n'as jamais vu des lesbiennes en action, autrement que sur un lit, un cheval, ou un phallus de doberman, ah! ah! ah! tu seras servi. Je connais la rédactrice en chef. Dans le milieu, on l'appelle la Millet des pauvres. Un beau modèle, *tabarnak*! 40 partout! Elle est laide, intelligente, forte en gueule, et gluante comme un gallon de colle à bateau. Je me demande bien où elle est allée chercher son fric. Tu vas enfin avoir l'occasion de faire un papier croustillant – comme tu les aimes – sur le passage d'une grosse comète féministe qui voudrait bien avoir une queue pour se la masturber. Sa revue ne devrait pas tenir plus d'un an... Pas d'expérience, pas de gens connus dans son équipe de rédaction, la grosse Raymonde va toucher le matelas après nous avoir éclaboussés de ses sermons vulvaires.

Edgar enfouit son magnétophone dans sa poche et attrapa son imperméable au passage.

– Le restaurant La Dame blanche, rue Saint-Denis, vous connaissez? demanda-t-il au chauffeur de taxi Diamond qu'il parvint à héler.

– C'est quoi l'adresse?

Edgar extirpa le carton d'invitation de sa poche. Évidemment, l'endroit avait toutes les chances d'être un malheureux boui-boui spécialisé dans le jus de carottes aux herbes et le *roast beef* végétarien... Exaspéré d'avoir à couvrir un événement somme toute banal de militantes malades d'écriture et de publicité, il tendit le carton au chauffeur.

– C'est passé la rue Jarry, votre restaurant. Ça va vous faire une bonne trotte. Va falloir être patient. C'est congestionné tout partout, à cette heure. Le trafic est lourd. Vous êtes pas pressé, j'espère?

Il ne manquait plus que ça! Résigné, Edgar se rencogna dans un coin de la banquette et ferma les yeux:

– Allons-y, vous me réveillerez quand on y sera...

Le taxi s'arrêta devant une belle vieille maison à deux étages, récemment rénovée.

– La conférence a lieu en haut, monsieur, lui dit un jeune homme aux manières efféminées. Voici *Isis*, la revue qui va changer la face du Québec...

Bien décidé à rester cinq minutes et à bâcler son entrevue avec la rédactrice en chef, Edgar roula le magazine, le glissa dans la poche de son veston sans même le regarder, et monta rapidement l'escalier qui menait à l'étage.

Radieuse et volubile dans un chandail bleu royal et une longue jupe en denim, une grande et forte femme entourée d'une grappe d'invitées haranguait son auditoire à la façon d'un ministre du culte. «La grosse Raymonde et son troupeau», se dit Edgar. Tout au fond de la pièce, un petit groupe attira son attention. Trois hommes faisaient des ronds de jambe discrets à une jeune femme dont il ne voyait que le dos et la chevelure, longue et noire. Lentement, il se dirigea vers le groupe principal qui entourait la rédactrice en chef de la nouvelle revue. Quelques invitées lui jetèrent un coup d'œil discret.

– Notre but est d'aider les femmes du Québec à se libérer de toutes les oppressions, de tous les ostracismes. Nous allons donner la parole à toutes celles qui voudront faire l'effort d'enlever leur bâillon. Et c'est pour être en mesure de pouvoir dire tout ce qu'on veut qu'on refuse d'être commanditées. On ne veut pas de censure, ni d'en haut, ni d'en bas!

– On ne veut pas de censure parce qu'on est la censure en personne! chuchota une voix masculine à son oreille. Je suis Benoît Couture, du *Journal de Montréal*. Tu es de *La Petite Patrie*, je pense?

Edgar hocha la tête, regarda son collègue et tendit machinalement la main droite.

– Y a pas grand-chose de comestible ici, ce soir, tu trouves pas? Des adolescentes boutonneuses, des mémés en ménopause, quelques trésors oubliés, des anciennes bonnes sœurs, un exceptionnel laideron et... la grosse Raymonde, championne toutes catégories! Mais là-bas, il y a une sucrée de belle fille, t'as vu?

Il n'aurait pas fallu qu'Edgar regarde la belle fille. Il n'aurait pas fallu que la belle fille se retourne au même moment. Lorsqu'il vit son visage, il eut l'impression qu'une boule de feu lui entrait dans les tripes. Il se dirigea vers elle et se présenta, ignorant son compagnon.

– Edgar Paris, reporter à *La Petite Patrie*.

La jeune femme lui tendit la main:

– Amanda Doré.

Le jeune homme efféminé qui avait accueilli Edgar au rez-de-chaussée – et qui en fait était une femme habillée en homme, Edgar en prit finalement conscience – surgit brusquement et fit son boniment de présentation:

– La docteure Doré a accepté d'écrire dans le premier numéro de notre magazine une chronique sur l'oppression religieuse qu'elle a subie... Elle possède indubitablement un don pour l'écriture... Vous avez lu, j'espère...

Edgar aurait voulu que la trop bavarde attachée de presse se taise et s'évapore afin qu'il soit seul avec la jeune femme.

8

Une fois bien calé dans ses oreillers, Edgar ouvrit le magazine *Isis*. Il voulait lire l'article écrit par la belle Amanda Doré. Le sommaire le renvoya à la page 21: **Une cage cousue de fils noirs, par la docteure Amanda Doré.**

Au dehors, la cage est grise. Ses fenêtres, toujours fermées, bâillent d'ennui. Au dedans, la cage a la couleur du bois. Les couloirs recèlent des odeurs qui montent insidieusement à l'assaut des nez les plus insensibles. Au rez-de-chaussée, l'automne, cela sent la pomme, la compote, le blé d'Inde trop longtemps bouilli et la feuille morte gorgée d'eau de pluie; l'hiver, cela sent la neige; la neige écrasée, la neige fondue, la neige bourrée de frimas. Le printemps, cela sent la sueur de jouvencelle, le savon de Marseille, l'encaustique et le lilas, le lilas, le lilas...

Au deuxième étage, en toute saison, cela sent la cire, l'encens de chapelle et l'eau de Cologne du monsignore de l'église Saint-Jean-Baptiste qui traverse la rue chaque matin pour venir chambouler le cœur des bonnes sœurs, et cela sent aussi les litanies jamais finies. Ora pro nobis.

Au troisième, cela sent la poussière de craie et le jupon de bonne sœur.

Ô saint couvent et vous, super-vierges à cornettes blanches et crucifix dorés, décidées à faire de nous des jeunes filles parfaites, tout juste bonnes à marier, comme je vous ai haïes dans ma tête...

Entre vous et moi, très tôt, ce fut la bagarre. À 12 ans, elle battait son plein. Retranchée derrière mon pupitre et mes cheveux noirs que je m'obstinais à porter libres sur mes épaules, je vous ai résisté, à ma façon. Avec les moyens du bord. Je ne voulais tout simplement pas ce que vous vouliez.

«Une jeune fille comme il faut doit porter un jupon, un soutien-gorge dur (tiens, il y en a donc des mous?), une médaille scapulaire bien en vue sur son corsage (la marque de fabrique de l'époque), des robes avec des manches et des encolures dont le décolleté ne dépasse pas de deux doigts (à l'horizontale) la base du cou.

«Une jeune fille sérieuse doit très tôt se préparer à sa vocation: la vie religieuse (la plus belle entre toutes) ou le mariage (nettement moins bonne... mais hélas, c'est le lot de la majorité). Dieu choisit ses "fiancées" avec une divine circonspection.

«Une jeune fille pure ne doit pas lire de mauvais livres, ni voir de mauvais films, ni fréquenter de mauvaises familles (celles qui osent ne pas réciter le chapelet du soir, le Benedicite et les Grâces et l'acte de contrition nocturne), ni aller dans des endroits de perdition (les grill(e)s de l'enfer), ni regarder les mauvais garçons (comme le diable, ils portent une queue).

«La cuisine, le tricot, les exercices de plein air (pas trop violents et placés sous surveillance, à cause des loups qui rôdent) doivent être les passe-temps favoris de la jeune fille qui se respecte.

«Une bonne jeune fille doit aller à confesse une fois la semaine, prier Dieu pour le mari qu'elle aura (qu'il soit bon), les enfants qu'elle concevra dans la douleur (qu'ils soient nombreux pour la gloire de Dieu) et préparer ainsi, dès sa jeunesse, la vocation de ses futurs enfants.»

Ma mère Babette souriait quand je lui rapportais tous vos

discours angéliques. Et puis elle les balayait d'un geste gracieux de ses jolies mains. «Basta, ma fille. La vie est dans le plaisir. Celui du cœur et celui du corps. Le reste, ma foi... c'est du vent.»

Avec le consentement tacite de ma mère, je vous ai résisté, mes sœurs, et je vous ai contestées, surtout par mes écrits. Je ne voulais pas être sérieuse, bonne, pure, chaste et douce. Je ne voulais pas me marier, ni avoir des enfants à la tonne. Et je ne voulais surtout pas que Dieu me choisisse comme fiancée... Basta, comme disait ma mère.

Je voulais apprendre la vie, celle que j'avais découverte dans les livres empruntés à la bibliothèque municipale de la rue Sherbrooke; celle qui se prélassait langoureusement dans la boutique de Babette. Je voulais apprendre à boire le vin, à jouir à ma guise, à conduire un camion, comme celui de mon père, à piloter un avion, à danser les diableries des tziganes. J'adorais Cocteau, je vénérais Colette et son rosier cuisse de nymphe (ah! ce n'est pas dans vos dortoirs qu'il aurait pu fleurir!). J'aimais Rimbaud, Camus, Lorca, Aragon, Vian. Je voulais aller en France, à Milly-la-Forêt, rendre visite au père de l'ange Heurtebise...

Je ne portais ni soutien-gorge (on ne soutient pas ce qu'on n'a pas... Babette disait: «Sois patiente, ma biche, les plus jolis nichons prennent leur temps pour éclore»), ni médaille scapulaire (quand Jos, mon père, a vu cet objet pour la première fois, il a dit: «Petiote, ôte-ça de ma vue... mon sucre à la crème va tourner!»).

Je n'aimais pas les garçons. Ce qui me ravissait et m'attirait et me troublait, c'était les hommes de quarante ans, portant tempes grisonnantes et belles rides au coin des yeux. Il en venait parfois à la boutique de ma mère. Des metteurs en scène, des peintres, des comédiens. Je les regardais, je les écoutais, et, s'ils restaient assez longtemps, je m'enhardissais jusqu'à les frôler, comme une chatte qui veut qu'on la remarque.

Vous m'avez appris les bonnes manières, l'art de servir à table, en attendant de pouvoir servir un homme (vous ne m'avez pas crue quand je vous ai dit que chez moi, c'était mon père qui faisait la cuisine), les encycliques (votre par cœur m'a donné mal au cœur), l'histoire de France (version très épurée, sans Versailles et ses orgies), la littérature française (ah... madame de Sévigné... ah Bossuet). Et puis vous avez, année après année, distillé votre poison suprême dans mes veines: la peur des hommes et du sexe, le mépris du corps et la crainte du bonheur. Ce que vous ne saviez pas, c'est que Jos et Babette me servaient d'antidote. Semaine après semaine, ils déprogrammaient patiemment, sans rancune, ce que vous «tissiez».

Que de temps vous m'avez fait perdre: ces heures vendues à une religion qui m'horripilait, à des simagrées de séances pour les fêtes du monsignore, à la confession hebdomadaire, aux cérémonies asphyxiantes du mois du Rosaire, du mois des morts, de l'Avent, de la semaine sainte et du mois de Marie.

J'ai souvent pensé à me sauver de votre maudit couvent. Mais comme me disait Babette: «Pour apprendre le français, la grammaire, l'histoire et le latin, les bonnes sœurs sont imbattables. Donne-leur au moins ce crédit. À l'école de la paroisse, tu ne ferais rien de bon et en plus, tu te ferais battre par les chenapans du quartier.»

Je ne voulais pas peiner Babette. Alors je continuais à jouer consciencieusement mon rôle de couventine. À quoi bon changer de lieu? Si j'étais allée ailleurs, dans un autre couvent, ça aurait été probablement la même chanson opprimante et, en plus, j'aurais eu moins d'heures à passer dans la boutique de l'ange Heurtebise. J'économisais le temps du transport. Ça, c'était précieux!

Année après année, pendant onze ans, vous avez tout fait pour m'obliger à entrer dans votre moule. Pour censurer les beautés de la vie.

«Ma sœur, qu'est-ce que ça veut dire sevrer?» J'avais eu le tort, voyez-vous, de poser la question pendant la classe d'anglais (le texte disait: «...et Tarcisius, sa mère l'ayant sevré...»), alors que le menuisier, un vieil homme aux cheveux blancs, posait les doubles fenêtres dans la classe. Scandalisée par ma curiosité, pourtant bien saine, vous n'avez pas répondu à ma question. Vous m'avez punie en affirmant que j'avais voulu troubler le vieux menuisier, en posant délibérément devant lui une question osée. Vous m'avez enfin envoyée chez l'aumônier, le Père Irénée, pour un grand savonnage.

Vous m'avez enseigné bien des mensonges: l'orgueil a perdu Camus. L'impureté a rongé Gide jusqu'aux os. Les femmes qui osent embrasser leur nouveau-né avant qu'il n'ait été baptisé iront en enfer, car elle tiennent dans leurs bras des païens sans âme. Heureusement que Babette et Jos ont rectifié le tir.

Ah! le jour où j'ai osé vous traiter de menteuses et de scrupuleuses, vous en avez échappé vos chapelets.

«Vous êtes une pauvre fille perdue. En conséquence, vous n'avez plus rien à faire au sein des Enfants de Marie. Remettez-nous votre insigne.» Vous m'avez laissé la prière et les sacrements, en m'avertissant: «Hâtez-vous, ma fille, pendant qu'il en est encore temps. Votre ange gardien doit être bien las de pleurer pour vous.»

Après cette «excommunication» prononcée dans le bureau de la directrice, je suis retournée dans ma classe en serrant les poings et les dents: soit, je serais une fille perdue. Mais certainement pas la première! C'est ainsi qu'est né mon premier vrai mépris. Désormais, j'apprendrais la vie avec Jos, Babette et l'Édith, mon adorable grand-mère.

C'est ainsi que je me coupai définitivement de vous, et même de mes compagnes. J'avais si peur de la contamination...

Cela s'est d'abord traduit par une allergie de type alimentaire. Ah, mes sœurs, vos vilaines pommes de terre, vos infectes tartes aux raisins, vos vieux foies tout secs, votre morue déshydratée, votre soupe aux pois grouillante de blé d'Inde lessivé... Alors que vous dégustiez à notre nez des steaks bien juteux, des fruits frais et du lait à volonté.

Un jour, n'en pouvant plus de votre impudeur, j'ai mis du sel dans votre soupe et j'ai vomi consciencieusement, régulièrement, votre nourriture de chantier. Vous m'avez traitée de capricieuse. Alors j'ai décidé de passer à la grève sur le tas. Vous vous êtes mises à quatre pour me faire avaler mes pommes de terre. Vous m'avez tordu les bras. J'avais 14 ans. Je n'oublierai jamais votre regard. J'espère que vous n'avez pas oublié le mien, à cet instant... Encore aujourd'hui, à 30 ans, la vue d'un grand plat de pommes de terre me donne des sueurs froides.

Un jour de mai, je me suis évanouie sur le sol de votre chapelle. J'en avais assez des litanies du mois de Marie, des fenêtres toujours fermées (il ne fallait pas qu'on entende les cris joyeux des enfants qui s'amusaient dans la ruelle et dans la rue).

Le lendemain, j'ai eu mes premières règles. Babette se doutait bien que quelque chose se préparait. Elle pressentait aussi qu'il était temps que je vous quitte... avant que vous ne m'abîmiez encore davantage.

J'étais devenue silencieuse et sauvage. Qu'est-ce qui se passait donc en moi qui faisait que je me sentais tout à coup si différente, si grave, si facilement émue? Ce n'était évidemment pas vous qui pouviez me l'apprendre. Je me suis mise à lire la mythologie. Vous m'avez confisqué douze livres. Au treizième, vous avez compris qu'il n'y avait absolument rien à faire, d'autant plus que j'avais la bénédiction de mes parents. Aussi bien, l'année s'achevait. J'étais une sale intellectuelle, à éloigner du troupeau: le goût de la vie et du plaisir, ça s'attrape, c'est très contagieux... Vous m'avez tenue à l'œil pendant toute l'année de ma versification. Bonne tenue, bonnes notes, mais... grosse tête. À ne pas contrarier. Caractère individualiste, mère artiste, père agnostique.

Quand j'ai quitté votre cloître, à la fin de la dernière année, intérieurement, j'ai pleuré sur moi-même et sur vous. J'aurais tant voulu que vous me compreniez. Il aurait fallu si peu de choses pour que je vous aime un peu...

Je n'ai pas voulu, à l'instar de mes camarades, déposer à la chapelle les fleurs de ma graduation. Je les ai emportées avec moi. Parce qu'elles sentaient la liberté. À la maison, Babette m'a donné un ravissant vase que j'avais toujours admiré dans sa boutique. J'y ai déposé mon bouquet et j'ai laissé la liberté envahir ma chambre... Mon bagne était fini, et vous, mes bourrelles, vous n'auriez plus jamais prise sur moi.

9

Le cadran marquait sept heures moins dix. Edgar repoussa ses couvertures. Dehors, il pleuvait encore. Le murmure des gouttes d'eau qui tombaient sur le sol avait quelque chose de triste et de calmant tout à la fois. Une chanson molle, tiède et engourdissante. Une partie de la nuit, Edgar avait été visité, en rêve, par une petite fille à corps de femme, toute de noir vêtue. C'était très érotique. Elle le regardait, lui faisait des petits signes de la main. Plus il essayait de s'approcher d'elle, plus elle s'éloignait en retroussant impudiquement sa robe et son jupon blanc sur ses cuisses. Les poils de son pubis, longs et brillants, dansaient comme des algues agitées par un courant marin. Le moindre mouvement de la robe et du jupon dégageait une vapeur rose qui sentait la terre mouillée et le coquillage frais ouvert. C'était certainement un piège mais il ne se sentait pas capable d'y résister. Il avançait, de plus en plus lentement, de peur de voir l'apparition disparaître.

Lui, qui rêvait rarement, était encore tout imprégné par le charme de l'étrange apparition. Ce rêve, il le devait sûrement à cette femme rencontrée hier soir, cette Amanda Doré... En lisant son article, juste avant de se mettre au lit, il avait été subjugué par le ton intimiste du récit. Plus intéressé par la forme que par le fond. Parce que, très franchement, les histoires de bonnes femmes ne l'intéressaient pas du tout. Et il ne comprenait pas la raison pour laquelle cette femme médecin, qui paraissait intelligente, s'était laissée aller à une sorte de confession publique de ses années de couventine. Cela le ramena à sa propre enfance et à ses rapports avec la religion. Il se souvint de certains détails, dont l'examen de conscience du vendredi. La grand-messe du dimanche où il était servant, le corps perdu dans une soutane et un surplis toujours trop grands pour lui. Les terrifiants sermons d'un certain père missionnaire à propos de la masturbation nocturne, sous les couvertures...

Edgar n'aimait pas regarder derrière lui. Son enfance et son adolescence ne lui avaient pas laissé de souvenirs particulièrement agréables, ni réellement désagréables d'ailleurs. Et voilà que les propos d'une étrangère, à peine entrevue quelques minutes, semaient l'émoi dans sa mémoire et son sommeil. Seulement, comment aurait-il pu en vouloir à une aussi belle fille? Il fallait qu'il trouve un moyen de la revoir.

Depuis son arrivée à Montréal, Edgar n'avait eu aucune liaison sérieuse. Il avait investi toutes ses énergies dans son travail. Pendant trois ans, il avait suivi des cours du soir en sciences politiques et en administration, sur les conseil de son patron. Roland Garneau lui avait laissé entendre que le quotidien allait prendre de l'expansion et que lui, Edgar, deviendrait son adjoint. À l'université, il avait rencontré quelques jolies filles et eu avec certaines des séances de ramonage d'épiderme, comme disait son père. Mais jamais de coup de passion, d'élan du cœur. Rien qui ne lui ait laissé de souvenir. Peut-être était-il temps qu'il s'offre une bonne aventure sentimentale...

Retracer les coordonnées du docteur Amanda Doré fut pour lui un jeu d'enfant. La secrétaire de rédaction d'*Isis*, dès qu'il eut décliné son identité, lui transmit deux numéros téléphoniques: celui où travaillait la jeune femme et celui où elle habitait.

La voix, au bout du fil, était claire et ferme. La voix d'une femme d'affaires. Edgar décida d'attaquer aussi directement que possible.

– Je regrette de vous déranger à votre travail, docteur Doré... J'ai lu votre article dans *Isis*, hier soir, et je voudrais vous en parler. Je dois rédiger un compte rendu, vous comprenez? Puis-je vous inviter à souper? Nous joindrions l'utile à l'agréable...

Il y eut un silence de quelques secondes, puis la voix répondit par un «Oui» laconique.

– Demain soir?

– Non. Pas avant vendredi. Je ne suis pas libre avant.

– D'accord pour vendredi alors. Voulez-vous que nous nous rencontrions au Ritz à dix-neuf heures?

– Franchement, non. Je serai crevée. Et je n'aurai pas le goût de jouer à la bourgeoise endimanchée. Vous n'auriez pas un petit restaurant tranquille et sans prétention à proposer?

Ils se mirent d'accord pour le Mazot suisse, rue Saint-Denis. Tout de suite après, elle raccrocha sur un «Au revoir» qu'il trouva un peu sec. La conversation n'avait pas duré cinq minutes. Edgar ne savait pas quoi penser. Mais le désir grandissant qu'il avait de la jeune femme balaya ses appréhensions. Elle avait répondu oui à son invitation. D'autres oui suivraient peut-être. Plus gratifiants.

10

Le désir jaillit alors qu'elle regardait machinalement une petite fille endormie dans les bras de son père, assis sur une chaise inconfortable, au service des urgences. Un enfant. Avoir un enfant... C'était ça, la solution. Elle n'allait tout de même pas finir ses jours dans la solitude à cause d'une histoire d'amour ratée. Amanda était lasse de se retrouver seule en face de son ombre, soir après soir, dans son luxueux dix pièces tout frais rénové. Sa maison était belle et silencieuse. Et elle, était belle et vide. Être habitées par un enfant les transformeraient toutes les deux...

Comment n'y avait-elle pas pensé plus tôt? Était-ce le temps ou elle qui n'était pas mûr? Elle se rappela subitement la remarque de l'agent immobilier qui lui avait vendu la maison. Il lui avait baragouiné dans un franglais amusant: «Tu seras *toute parfaite* avec tes enfants *inside*!» Sur le coup, elle n'avait pas fait attention.

Avoir un bébé. Au fond, rien de plus facile, de plus agréable, de plus normal aussi. Elle était une femme jeune, en santé, en puissance de maternité. Sur le plan financier, elle était autonome, propriétaire d'une maison et d'une voiture, et elle n'avait pas de dettes. Elle avait réellement tout ce qu'il fallait. Un métier, un bel avenir professionnel et un ventre certainement fécond. Il ne lui manquait qu'un géniteur. Là, il y avait un problème.

Amanda aurait voulu pouvoir former, avec un homme, un couple en tout point ressemblant à celui de ses parents,

Jos et Babette. Un homme et une femme qui s'aiment, c'est, bien sûr, l'idéal pour un enfant. Mais elle se sentait incapable d'aimer désormais. Elle avait essayé. Elle n'avait réussi qu'à se faire mal et qu'à décevoir ses partenaires. Comment faire alors? Amanda ne voulait pas priver son enfant de la présence d'un père, de la chaleur d'une vraie famille, mais en même temps, elle ne voulait pas s'embarrasser de la présence d'un homme dans son intimité. Un couple pouvait-il exister, durer dans le temps, sans qu'il y ait de sentiment amoureux profond?

Elle réfléchit un certain temps. Vivre seule avec un enfant lui paraissait possible mais trop difficile. Elle aurait à lutter constamment contre une foule de préjugés. La société reconnaissait spontanément les enfants conçus à l'intérieur du mariage et les orphelins. Mais elle avait la dent dure avec les mères célibataires et les enfants naturels. Il valait mieux pour elle et pour son enfant qu'elle se marie, à ses conditions toutefois. Son couple serait une affaire régie par un contrat, et non une histoire d'amour. Il lui faudrait choisir un homme prêt à signer avec elle un pacte de bonne entente. Chacun aurait son territoire, ses droits et ses responsabilités.

Amanda savait ce qu'elle ne voulait pas. Elle se méfiait des hommes attachants. Elle ne voulait pas être tentée par la tendresse, par le confort de l'accoutumance sentimentale et charnelle que peut procurer la proximité physique du mariage. Et elle savait exactement ce qu'elle cherchait: un homme intelligent, sérieux, équilibré, qui n'essaierait pas de se faire materner. Un homme intéressé à partager sa maison, mais pas son lit. La vie de son enfant, mais pas la sienne. Un homme stable, avec un plan de carrière et beaucoup d'ambition. L'ambition occupe... Un homme capable de créer avec elle un rôle inédit de conjoint paternant et indépendant. Les mariages de raison rapportés par l'Histoire n'avaient certainement pas tous été des catastrophes. Certains avaient duré bien plus longtemps que les mariages d'amour.

11

La première fois qu'Edgar l'invita à souper, elle ne pensa pas à lui comme à un candidat possible. Elle croyait simplement faire face à un journaliste curieux, intrigué par ce nouveau magazine féministe auquel elle avait accepté de participer. Mais en l'écoutant raconter sa vie, elle comprit assez vite qu'elle était en face d'un homme lui aussi à la recherche d'une femme-alibi. Edgar lui expliqua que, dans le monde des affaires, les cadres masculins avaient intérêt à être mariés pour être pris vraiment au sérieux. Une union stable était la preuve la plus tangible de la «solvabilité morale» du futur cadre supérieur.

Edgar n'avait encore jamais rencontré une femme capable d'une aussi grande capacité d'écoute. Amanda se montrait extrêmement réceptive à ses confidences. Elle n'avait pas l'air absent de ces filles qui attendent que leur escorte ait fini de débiter leur disque. Elle posait discrètement des questions intelligentes, parfois même gênantes. Elle s'était intéressée à sa famille. Elle avait beaucoup ri quand il lui avait raconté la visite inopinée de son frère Paul, le fugueur, enfin de retour au Québec avec sa femme. Me Paris n'en était pas revenu. Le couple était resté à peine une heure. Son père, à qui sa mère avait demandé instamment de ne pas provoquer de scène désagréable, avait choisi de se taire totalement. Un rôle auquel il n'était pas du tout habitué. L'exceptionnelle réunion de famille lui avait fait penser à un dessin animé.

– Mon père était assis, les mains dans ses poches. Il transpirait comme une motte de beurre exposée au soleil. Le soleil, c'était mon frère, bien sûr. Après son départ, il n'avait pas sitôt fermé la porte derrière lui que mon père éclatait. Il éructait, crachait, râlait: «Il a marié une négresse! Il porte les cheveux longs, un collier, des bracelets et il se promène nu-pieds dans ses souliers! Il lui manque seulement un anneau dans le nez à ton imbécile de frère!» Son indignation a été si forte qu'il a fait une grosse crise d'angine...

Ils se revirent à cinq reprises, toujours au restaurant. Edgar n'osait pas inviter Amanda chez lui. C'était trop petit, trop ordinaire. Depuis qu'il savait qu'elle possédait une maison, il attendait d'elle le geste décisif, celui qui indiquerait qu'elle était prête à passer au stade deux de leurs fréquentations, précurseur d'échanges physiques significatifs.

Amanda, de son côté, sentait que le journaliste était solidement accroché. Il voulait coucher avec elle, oui, mais il souhaitait aussi en faire sa maîtresse pour une autre raison. Elle était consciente que son statut professionnel de médecin jouait en sa faveur. Elle était presque sûre qu'Edgar était à la recherche d'une femme qui lui permettrait d'acquérir du prestige. Cela ne la choquait nullement.

En fait, cela l'arrangeait. Edgar paraissait être exactement l'homme qu'il lui fallait. Elle ne tomberait jamais amoureuse de lui. Mais elle était sûre aussi qu'elle pourrait lui faire aveuglément confiance si d'aventure il répondait affirmativement à sa proposition. C'était foncièrement un garçon honnête. Elle décida de hâter le dénouement de leur aventure.

Edgar n'en revenait pas. Il avait une chance inouïe. Amanda correspondait exactement à ses attentes. Elle était attirante, intelligente, vouée à une belle carrière et elle semblait s'intéresser à lui. Roland Garneau, qu'il avait mis au courant de son idylle, lui avait conseillé de précipiter les choses. «Si tu étais marié et même père de famille, ce serait excellent pour ton avenir... Pourquoi tu ne lui proposerais pas le mariage à ta doctoresse, hein?»

Edgar n'avait pas encore songé à se marier. Pour lui, un coup de foudre, un mariage devaient être traités exactement comme une affaire et s'avérer rentables, d'une manière ou d'une autre. Sinon, l'aventure était trop dangereuse. Son idylle avec Fumio lui avait servi de leçon. À cause d'elle, il avait perdu la face et aussi la chance de devenir avocat, comme son père. Il était tombé dans les bras d'une femme serpent qui l'avait fait dégringoler à la case de départ, comme dans le jeu de société *Échelles et serpents*. Amanda lui paraissait être une femme échelle. Grâce à elle, il pourrait gagner plusieurs cases, tout en satisfaisant agréablement des instincts éminemment terrestres. Amanda l'avait sexuellement allumé. Comme Fumio. Mais cette fois, il aurait le contrôle de la situation. En l'épousant, elle serait à lui, au su et vu de tous. Edgar décida que son patron avait raison. Il allait donc demander à Amanda de devenir sa femme.

12

Amanda était arrivée la première à leur rendez-vous. Avec sa robe de laine à col flou et ses cheveux noirs simplement retenus par deux peignes, elle ressemblait à une fleur mauve et noire, s'épanouissant sans contrainte, dans un coin de jardin. Elle n'avait pas encore vu Edgar et ce dernier prenait tout son temps pour aller vers elle. Il savourait l'image que lui offrait cette femme aussi insolite qu'attirante. La tête penchée, elle feuilletait avec une mine soucieuse un carnet noir à couverture glacée. À mi-chemin de sa table, il s'immobilisa. Il avait toujours aimé observer les gens à leur insu. Il aimait tout particulièrement l'instant précis où ils prenaient conscience du regard qu'il portait sur eux. Une partie de leur corps, la bouche ou ses commissures, les mains, les yeux, les sourcils, le front, les épaules, quelque chose frémissait imperceptiblement, accusait le coup d'œil indiscret.

Lorsqu'il tira la chaise pour s'asseoir, elle leva les yeux et sourit.

– Bonsoir, Amanda, je suis un peu en retard. Ce n'est guère facile de se garer près d'ici...

– Le Caveau est un restaurant qui vaut bien ce léger inconvénient. J'ai commandé une bouteille de Chablis. C'est mon apéritif préféré. Vous en prendrez?

Edgar ne savait pas ce qu'était un Chablis. Christine de Guise, qu'il avait accompagnée à quelques reprises dans des restaurants et des hôtels chic, ne buvait que du champagne ou du Perrier-citron. L'arrivée du garçon de table le tira d'embarras. Un coup d'œil discret sur la bouteille le renseigna.

– J'adore le vin blanc. Vous avez eu une excellente idée. Ce machin-là m'a l'air rempli de choses tristes, ajouta-t-il en pointant de l'index le petit cahier noir.

Il voulait savoir ce qu'il contenait. Il voulait tout apprendre de cette femme qui était entrée dans sa vie telle une saison imprévue et providentielle. Amanda répondit brièvement à sa question.

– Un de mes patients m'inquiète. Il insiste pour quitter l'hôpital. Il affirme qu'il va tout à fait bien. Objectivement, il a raison. Pourtant quelque chose me dit que je risque de commettre une erreur si j'accède à sa demande. Mais je ne veux pas vous importuner avec mon travail. Ce n'est pas pour m'entendre vous raconter des histoires de malades que vous m'avez fixé de nouveau rendez-vous...

Edgar leva son verre vers elle:

– À notre sixième rencontre... qui sera très spéciale, marquante peut-être. Je voudrais...

Amanda lui coupa la parole.

– Et si je vous demandais en mariage, que me répondriez-vous?

Le visage d'Edgar se figea, comme si on l'avait aspergé avec un gel paralysant. Amanda sourit et saisit doucement la main libre de son compagnon.

– Je sais, je transgresse l'ordre de votre programme, je bouleverse les coutumes... mais je n'ai pas fini de vous étonner ce soir. Écoutez-moi bien: je vous propose le mariage parce que je veux un enfant. Mais je veux aussi que cet enfant ait un père: vous. Le contrat que je vous offre est particulier. Je me fiche éperdument de votre fidélité ou de votre infidélité à mon égard. J'exige toutefois une présence stable jusqu'à la majorité de notre enfant. Autrement dit, vous aurez droit à vos aventures et moi aux miennes, à la condition que nous ne quittions pas notre port d'attache.

Edgar plissa les lèvres, ce qui, chez lui, était un signe de forte émotion. Il était abasourdi par le culot de la jeune femme. Sa proposition lui faisait l'effet d'un direct au menton. Lui qui avait passé la journée à fignoler sa demande venait de se faire coiffer au poteau.

– Je suis le taureau élu, si je comprends bien!

– J'ai bien peur de vous avoir choqué avec ma franchise... Depuis trois mois, je cherche un compagnon de route, un homme honnête, énergique, capable de stabilité, la première chose dont les enfants ont besoin. Au fil de nos rencontres, j'ai été frappée par votre personnalité, votre vitalité, votre ambition. Vous êtes un bâtisseur. Vous avez un but dans la vie: vous voulez réussir, être le meilleur. Vous n'êtes pas du tout du genre éparpillé... Généralement, les gens qui investissent autant que vous sont capables de fiabilité. Et puis... je crois que je ne vous suis pas tout à fait indifférente... Alors, accepteriez-vous de partager ma vie... pendant dix-huit ans?

– Et moi, qu'est-ce que je vous inspire?

Amanda battit des paupières. La question, visiblement, l'embarrassait.

– Il ne faut pas attendre de moi que je vous aime. Je suis incapable d'aimer. Sur le plan sentimental, je suis... disons dans une sorte de coma profond... Un jour j'ai tout donné à un homme, et en quelques minutes j'ai tout perdu. J'ai failli en mourir. Et puis j'ai eu la chance de rencontrer une femme exceptionnelle qui m'a repêchée, au sens propre comme au figuré. Pour comprendre ce qui m'est arrivé, je suis devenue psychiatre... Un jour je vous raconterai. Mais pas ce soir...

13

Edgar rentra chez lui dans un état d'énervement qu'il n'avait encore jamais connu. Amanda semait la pagaille dans sa vie, jusqu'ici soigneusement planifiée. Il n'avait plus le contrôle des événements. Alors qu'il s'apprêtait à lui proposer le mariage sans condition, elle l'avait devancé en lui mettant sous le nez un invraisemblable marché: elle cherchait un géniteur et un père à demeure. Pas un mari. Pas même un amant. Elle avait jeté son dévolu sur lui après l'avoir évalué, soupesé, comme s'il avait été un melon. Elle avait compris qu'il était mûr, prêt à être consommé.

La fureur qui grondait en lui n'arrivait pas à remonter à la surface. Une petite voix intérieure, jubilante, lui barrait la route. «Tu veux cette femme, à n'importe quel prix, avoue-le. Tu la veux parce qu'elle te plaît, oui, mais aussi parce que ton union avec elle te permettra de continuer ton ascension sociale. Un homme marié et père de famille est mieux perçu qu'un célibataire par son employeur. Et une alliance avec une femme médecin, spécialiste de surcroît, serait flatteuse et pratique. Ton patron te l'a laissé entendre.»

Edgar prit une douche froide dans l'espoir de retrouver son calme. Il était ravi, excité et choqué tout à la fois. Il eut soudain l'idée d'appeler la jeune femme afin de lui dire ce qu'il pensait de sa proposition: il n'était pas une marchandise, un vulgaire producteur de spermatozoïdes qu'on utilise pour satisfaire un désir. Mais il se ravisa. Puisqu'il avait l'intention de dire oui, il valait mieux ravaler son indignation et se conduire en «seigneur» qui consent à conclure une alliance.

En enfilant son pyjama, il se rendit compte que son sexe aussi était excité. Il se pinça furieusement les couilles jusqu'à ce que la douleur devienne insupportable. Puis il se coucha en grimaçant.

Amanda voulait faire de lui un père modèle. Lui, père? L'idée le fit frissonner. Il n'aimait pas les enfants. Il ne comprenait pas qu'une femme intelligente devienne si obsédée par le désir d'enfanter qu'elle en perde toute dignité. Au-delà des apparences, Amanda s'offrait à lui. Une prostituée l'aurait fait pour de l'argent. Elle était prête à le faire pour un bébé, crûment, sans même chercher à cacher son jeu.

Soit. Il répondrait oui. Ou bien le plan réussirait, ou bien il échouerait et ils n'auraient pas d'enfant. Mais dans les deux cas, il faudrait qu'Amanda accepte de partager son lit pendant un certain temps et d'être vue à ses côtés. Le temps que lui puisse faire avantageusement sa niche dans sa vie. Le grand détachement sentimental d'Amanda agissait sur lui comme une provocation. Peut-être pourrait-il arriver à la séduire, à la rendre follement amoureuse de lui? Le défi l'intéressait.

Il attendit tout de même deux jours avant de rappeler la jeune femme. Puisqu'elle présentait la chose comme un contrat, il fallait qu'il donne l'impression de peser soigneusement le pour et le contre, tout comme elle l'avait fait.

– Si votre proposition tient toujours, je suis d'accord. Je pose seulement une condition: notre entente devra rester secrète. Elle ne concerne strictement que nous. Si nous avons un enfant, je tiens énormément à ce qu'il ignore tout. À ses yeux et, bien sûr, aux yeux de ma famille, nous devrons être un couple normal, un couple amoureux et uni. Et je vous avoue que personnellement je n'aurai aucun mal à paraître amoureux. Ça sera... un très grand plaisir.

Il y eut un silence à l'autre bout. Puis...

– Je suis d'accord, sauf pour la cohabitation nocturne. Je tiens énormément à dormir seule. Nous ne serons pas le premier ni le dernier couple à faire chambre à part. Il y a d'ailleurs dans cette attitude une question d'hygiène mentale, vous ne croyez pas?

Edgar ne répondit rien. La voix d'Amanda reprit:

– Je pense qu'il est temps qu'on se dise tu... Si on allait souper ensemble demain soir? C'est moi qui invite cette fois... On a pas mal de choses à se dire. Je veux être aussi franche que possible avec vous... pardon, avec toi. Tu as tout de même le droit de connaître les antécédents de la mère de ton futur enfant...

14

– Mon père tenait un petit restaurant, Chez Jos, rue Saint-Denis, tout près de Rachel. Au début, il paraît que c'est lui, et lui seul, qui faisait la cuisine. Il avait été initié à cet art par sa mère, l'Édith à Tonio – natif de Sainte-Marie-de-Beauce. Le menu de l'époque était plutôt costaud: œufs dans le sirop, fèves au lard, tourtière du chef, pâté chinois, bouilli, ragoût de pattes de cochon, club sandwich du chef et, dans la liste des desserts, pas de choix possible: la tarte au sucre du pays... Un certain vendredi de décembre, l'Édith – ma grand-mère – était en ville, justement. Elle avait quitté son Matane natal pour venir passer les Fêtes à Montréal, avec nous. Mon père fut incapable de se lever. Il traînait depuis quinze jours une forte grippe qui avait fini par dégénérer en bronchite. Il était furieux contre lui et il se lamentait: «Mes clients, batèche! Leur faire ça en plein temps des Fêtes! C'est pas permis! Il ne me reste plus qu'à fermer boutique, saint Cimonaque!» Alors l'Édith a pris les choses en main. «Je m'en vais cuisiner pour tes clients, moi... Tu vas voir ce que tu vas voir! Là-dessus, elle a sorti de sa valise un grand cabas en tricot rouge et elle a demandé à ma mère de la conduire chez Waldman, le marchand de poissons de la rue Roy. Un de ses cousins y travaillait, affirma-t-elle. Ce jour-là, les habitués de Chez Jos ont eu droit à un menu étonnant: morue en jupe rose (la jupe, c'était la sauce, bien sûr), cachotterie au saumon (le poisson était enfermé dans une sorte de pâte brisée de sa composition) et... gâteau au chocolat trois étages! Les clients ont adoré et ils en ont redemandé! Alors mon père, sitôt guéri, n'a fait ni une ni deux et il a engagé sa mère comme chef. L'Édith, ravie – elle s'ennuyait ferme depuis la mort de son Tonio, un juteux Beauceron emporté en 24 heures après avoir bu une méchante «bagosse» –, a déménagé ses pénates de Matane à Montréal en moins de deux. Contente d'avoir eu tant de succès avec ses poissons, l'Édith s'est alors mise dans la tête de convertir les Montréalais à sa cuisine maritime. – Tu veux que je te dise? Les gens n'aiment pas le poisson parce qu'ils ne savent pas le faire cuire. Écoute! Une demi-heure pour des filets de sole, c'est insensé, bonne sainte Anne-des-Prés! qu'elle dit à son fils. Et c'est ainsi que le petit restaurant de mon père, rebaptisé Lédith de la mer, est devenu le repaire des amateurs de poisson. Quatre fois par année, mon père se rendait en Gaspésie à bord d'une grosse camionnette munie d'un congélateur. Il en revenait avec une belle provision de poissons et de fruits de mer que je l'aidais à étiqueter. Je venais d'avoir six ans et j'étais tout heureuse de lui montrer que je savais écrire. Pendant ce temps-là, ma mère – elle s'appelait Odette mais mon père l'appelait Babette – gérait une minuscule boutique d'objets rares et farfelus, rue Saint-Denis, pas très loin de notre logement. Elle l'avait appelée *L'ange Heurtebise*, en souvenir d'un poème de Cocteau... Tu connais?

Edgar, subjugué, fit signe que non, puis précisa:

– Je veux dire... je connais Cocteau, mais pas le poème.

Amanda se pencha vers lui et récita:

– C'est beau et curieux. Je me souviens d'un extrait que maman avait mis en musique:

L'ange Heurtebise, rue d'Anjou
Le dimanche, joue au faux pas
Sur le toit, boîte marelle
À cloche-pied, voletant comme pie
Ou merle, ses joue en feu.
Attention, dites-moi tu
Heurtebise, mon bel
Estropié, on nous épie à droite.
Cache tes perles, tes ciseaux
Il ne faut pas qu'on te tue...

Dans la vitrine de sa boutique, ma mère avait placé un autre extrait du poème:

Heurtebise, ô mon cygne, ouvre
Ta cachette peu sûre. Une feuille
De vigne mise sur l'âme
Impudique, je t'achète
Au nom du Louvre, que l'Amérique
Le veuille ou non.

Je me souviens que je ne comprenais pas l'histoire de la feuille de vigne. Pour moi, à cette époque, la feuille de vigne, c'est ce qu'on mettait sur les zizis des statues. Mais une feuille de vigne sur l'âme... Elle est donc si petite que ça, l'âme, pour qu'une simple feuille arrive à la recouvrir? Alors ma mère riait et, rejetant ses beaux cheveux en arrière, elle me disait: «Allons, ma buse... mais le zizi de l'âme n'est pas plus gros que celui du corps... on aurait l'air fin si le dedans était plus gros que le dehors. Tu sais bien, je t'ai déjà expliqué: le corps est une enveloppe de chair. Et dedans, l'âme joue au noyau.»

Troublé par les confidences d'Amanda, Edgar lui prit les mains. Il espérait très fort que la jeune femme lui raconterait tout... surtout cette dramatique histoire d'amour qui l'avait tant marquée.

– Tu racontes bien. Continue... tu allais souvent à la boutique de ta mère?

– J'adorais! Je fouinais partout. C'était plein d'angelots

joufflus, d'éventails, de coqs de clocher, de coquillages, de miroirs à main, de boîtes à musique, de petits bibelots en argent, en ivoire. La boutique n'était pas très loin du couvent. J'allais au Pensionnat Marie-Rose. Alors, à quatre heures, quand la cloche sonnait et qu'il faisait beau, je courais jusqu'à la boutique. Je m'installais devant le petit secrétaire Sheraton de ma mère et je faisais mes devoirs. Quand un client entrait, je faisais semblant de l'ignorer. Mais en réalité je le suivais des yeux et, surtout, j'écoutais ce qu'il disait. Il y avait souvent des décorateurs de Radio-Canada. Ils racontaient toutes sortes d'histoires à ma mère et ils lui faisaient le baisemain en partant... C'était le bon temps. Babette aimait Jos. Jos aimait Babette. Tous les deux m'avaient fabriquée pour se donner un souvenir à faire grandir doucement.

– Et tu as certainement été pour eux un somptueux cadeau. Tu as finalement eu une enfance heureuse...

Machinalement, Amanda retira ses mains de celles d'Edgar et, du bout des doigts, elle ramassa en petits tas les miettes de pain qui s'y trouvaient.

– Heureuse, oui, jusqu'à ce que je fasse la rencontre des bonnes sœurs et... de la peur. C'est au couvent que j'ai connu la peur. À cause d'une religieuse, sœur Gilles Bertine, la préfète de discipline. J'avais 5 ans. Je commençais ma première année. Elle, elle devait avoir dans les 50 ans. Elle avait l'air d'une naine et pourtant... J'ai très vite pensé qu'elle allait être l'ogresse de la Petite Poucette que j'étais. Sa spécialité était le cri. Une sorte de cri strident, qui vrille l'émail des dents et hérisse le poil jusqu'à le sortir de son bulbe. Comme j'étais petite, j'occupais toujours la première rangée, lors des réunions du petit cours du vendredi. Lentement, elle s'approchait de nous et lâchait sa meute de cris sauvages. Le son de sa voix la faisait littéralement lever de terre. Elle en sautillait de plaisir. Et ses bottines noires jouaient du piano sur nos pieds. Les petites de la première rangée apprenaient nettement plus vite que les autres l'origine du surnom de cette religieuse: Bottine!

– Pourquoi ne te plaignais-tu pas à tes parents?

– J'avais trop peur... quand le corps a peur, il réagit. Le

cœur bat plus vite et plus fort. Les jambes se raidissent. Elles sont prêtes à fuir, et tant pis si le reste ne suit pas. Mes petites jambes à moi étaient prisonnières. Elles ne pouvaient pas sortir du rang pour courir jusqu'à la maison. Alors elles se mettaient à trembler. Et ma tête avait fort à faire pour tenter de maîtriser la situation, pour repousser dans l'estomac le cri de terreur, l'appel au secours qui grossissait au rythme des sautillements de Bottine. Tout ça finissait par me donner mal au ventre et surtout mal à la gorge. Et ce sont ces maux que je rapportais à la maison. Jamais je n'aurais prononcé le nom de l'ogresse...

Après le pensionnat, je suis allée au Collège Jésus-Marie poursuivre mon cours classique. Je ne savais pas encore exactement ce que je voulais faire. Jos et Babette avaient décidé de s'offrir cette année-là – qui marquait la fin de ma Philo I – un mois entier de vacances aux États-Unis. Ils rêvaient de voir la Californie. Il avait donc été convenu que je passerais le mois de mai avec ma grand-mère, toujours gaillarde à 72 ans. Puis j'irais rejoindre mes parents pour passer avec eux quinze jours au bord du Pacifique. L'Édith, elle, devait aller rendre visite à une de ses amies françaises, Clara Séguy, critique gastronomique qui habitait Cassis.

Le joli programme a foiré. Le 26 mai, en pleine nuit, le téléphone a sonné. Moi, j'étais chez une copine. Nous avions congé le lendemain et prévu une journée de loisirs tous azimuts: tennis, natation et séance de cinéma. L'Édith a répondu. Une voix anonyme lui a débité un discours qu'elle n'a pas compris. Elle avait du mal à comprendre l'anglais, surtout lorsque les gens avaient un accent. Réalisant que ma grand-mère ne saisissait pas ce qu'il disait, le mystérieux interlocuteur a passé le combiné à une autre personne et là, malgré l'accent, ma grand-mère a compris: «*Ton fils et pouis son femme est morte dans une grosse accident d'auto en sortant de San Diego.*»

Le lendemain soir, lorsque je suis revenue de chez mon amie, j'ai vu des valises empilées le long du mur, dans le passage. L'Édith m'attendait. Elle avait une de ces têtes! J'ai pensé qu'elle était malade...

– N'enlève pas ta veste. Tu repars, dit-elle. Tu t'en vas chez mon amie Clara, à Cassis. Elle t'attendra à l'aéroport d'Orly. Ton avion décolle dans deux heures. Je t'appelle un taxi. Moi, je pars rejoindre tes parents qui ont un problème à régler. Je te rejoindrai aussi vite que je le pourrai.

À son air, j'ai compris que quelque chose de sérieux était arrivé à mes parents. Mais pas une minute je n'ai pensé à la mort... J'ai bien essayé de poser quelques questions mais je me suis heurtée au silence redoutable de l'Édith.

J'ai tout juste eu le temps de prendre mon passeport, de ranger dans mon sac la liasse de 500 francs et le billet d'avion que ma grand-mère s'était procurés. Là-dessus, elle m'a fait quelques recommandations. Encore une fois, j'ai essayé de la faire parler.

– Et mes cours? Que vont penser mes professeurs? Quelles raisons vas-tu leur donner?

– La directrice est déjà prévenue. Tes examens sont terminés et tu passes en Philo II. Tout est bien...

J'ai pris le taxi qu'elle avait fait venir. Quand elle m'a embrassée, l'Édith n'a pas pleuré. J'avais le sentiment qu'elle me regardait sans me voir. J'ai eu froid dans le dos. Manifestement, elle était ailleurs. Et là où elle était, c'était triste.

Une fois installée dans l'avion, mon imagination a commencé à faire des heures supplémentaires. J'ai échafaudé les hypothèses les plus folles. Et j'ai retenu celle qui me paraissait la plus plausible: mes parents avaient probablement décidé de divorcer. J'avais entendu parler de Reno. Or Reno était sur leur itinéraire...

– Pourtant tu m'as affirmé que tes parents s'entendaient admirablement bien...

– C'est vrai. Mais quelques mois avant qu'ils ne décident de partir en voyage, Babette avait eu un début d'aventure avec un beau et jeune comédien rencontré à sa boutique. Jos l'avait mal pris. Il en avait fait un début d'ulcère... Et puis un jour, au petit déjeuner, ma mère nous a lancé: «Hier soir, l'ange Heurtebise a chassé qui vous savez. On n'en parle plus. La page est tournée.»

Dans le petit restaurant français Le Caveau, il ne restait plus qu'Edgar et Amanda... Le garçon de table, impatient de les voir quitter les lieux, s'approcha du couple.

– Nous devons fermer, messieurs dames... Ça m'arrangerait bien si vous vouliez régler l'addition.

Dehors la nuit était bonne. Elle glissait sur la peau, légère, étonnamment tiède. Le couple descendit la rue University jusqu'à la rue Sainte-Catherine, illuminée comme un gâteau d'anniversaire. L'air sentait les frites et le bœuf fumé. Edgar prit la main gauche d'Amanda, la baisa et l'enfouit dans la poche de son veston.

– Comme ça, tu ne pourras pas me quitter. On marche jusqu'à la rue de la Montagne?

Amanda éclata de rire.

– Non... Allons plutôt chez moi. Je ferai du café viennois et des paresseux: c'est une recette de biscuits aux noix et au coco, qui me vient justement de cette fameuse Clara chez qui j'ai séjourné...

– J'ai une meilleure idée. Partons pour Vienne, sans avertir personne. On boira le café là-bas. Tout le monde croira à un enlèvement... Tu ne veux pas? Tant pis... je finirai bien par t'emmener quelque part, un beau jour, loin de ton hôpital et de tes malades... En attendant, si tu reprenais ton récit... L'amie de ta grand-mère, la dame aux biscuits... elle t'attendait à Orly?

– Oui. Évidemment, je n'ai pas eu le temps de voir Paris. Tout de suite, on a pris un autre avion et deux heures plus tard, je me suis retrouvée à Cassis, dans une superbe maison blanche avec des volets de bois et un toit rose. La maison de Clara possédait trois terrasses: la Mâtine, celle du matin, la Gaillarde, celle du midi, et la Mauve, celle du soir; celle-là était ma préférée, à cause des fleurs folles qui l'entouraient... Maintenant, je m'arrête. J'ai tellement parlé que j'en ai la gorge sèche... Je te raconterai le reste quand on sera chez moi, en même temps qu'on savourera le café...

15

Edgar était frustré. Il attendait l'ultime confidence depuis longtemps. Il lui importait de savoir pourquoi Amanda se disait victime d'un coma sentimental. Mais il comprit qu'il ne lui servirait à rien de la bousculer. Amanda parlerait à son heure. Lentement, le couple marcha jusqu'à la rue Jeanne-Mance, en savourant le délicieux plaisir d'être ensemble, complices de la nuit. Dès qu'il vit la maison de son amie, Edgar décida qu'elle serait sienne. Le lieu lui plut énormément et, quand Amanda lui fit faire le tour du propriétaire, il ne put qu'admirer les pièces nouvellement décorées. Tout sentait le neuf et Edgar se dit que cette maison cossue attendait un homme comme lui pour se mettre à vivre vraiment...

Elle tint promesse. Une fois installée par terre, dans la partie boudoir de sa chambre, Amanda reprit son récit:

– La maison voisine de celle de Clara appartenait à un acteur de cinéma. Surtout ne me demande pas son nom. Il s'agit d'un comédien archiconnu.

C'était un ami de Clara. Le soir de mon arrivée, il est venu chez elle avec une bouteille de vin. Nous étions assises sur la Mauve.

– Je suis allé à Bandol aujourd'hui. Comme promis je vous rapporte le vin que vous vouliez...

L'homme était vraiment très beau, très bronzé, très sûr de lui. Il avait des yeux que je n'oublierai jamais. Et une bouche étrange, gourmande, sensuelle, ouverte sur des dents étonnamment petites et acérées. Cela lui donnait l'air d'un renard affamé. Clara a pris la bouteille, puis elle m'a présentée:

– Voilà la petite-fille de mon amie l'Édith. Vous avez vu les jolis cheveux qu'elle a? On dirait une Arlésienne...

L'homme m'a regardée et j'ai compris que j'étais venue au monde pour l'instant précis de cette rencontre. J'ai vraiment eu l'impression d'être soudain transportée sur une autre planète, ou dans une autre dimension. J'ai pris lentement la main qu'il me tendait. La sensation d'étrangeté, au contact de sa peau, s'est encore accentuée. J'étais comme paralysée, envoûtée. Clara a bien vu mon trouble. Elle a cru que c'était la fatigue du décalage horaire.

– Ne restons pas ici. Cette petite nous vient du froid. Le soleil de la Côte, même si c'est celui du soir, va lui tourner les sangs!

L'homme a répondu:

– Rentrons. Vous avez raison. Il faut savoir doser le plaisir.

Moi, je ne voulais pas rentrer. Je me suis entendu dire:

– Madame Clara, j'aimerais tant voir le port. Vous m'en avez tellement parlé à bord de l'avion... Je ne me sens pas du tout fatiguée. Au contraire. J'ai besoin de marcher... Je vous en prie!

L'homme tenait toujours ma main. Il a répondu à ma demande comme si je m'étais adressée à lui et pas à Clara.

– Vos désirs sont des ordres, belle demoiselle. Clara, je vais faire un petit tour avec votre protégée et je l'invite à souper.

16

Mi-assis, mi-couché dans une mer de coussins, Edgar ne perdait pas un mot du récit de sa compagne. Il était excité. Il se sentait comme un jeune abbé sur le point d'entendre sa première confession. Cette fois était la bonne.

Amanda allait enfin lui livrer son secret. Concentrée, la jeune femme se recueillit. Elle semblait tenir beaucoup à trouver les mots justes pour traduire ce qu'elle avait vécu, douze ans auparavant.

– J'ai donc vu le port. L'homme n'arrêtait pas de me parler de Cassis. Ses yeux brillaient. Je sentais qu'il aimait cette ville avec passion et surtout qu'il en connaissait les moindres replis; sable, vagues, ruelles et calanques compris. Pour m'impressionner, il prit l'accent du Midi; il utilisa le patois que quelques vieux connaissent encore, paraît-il; il m'apprit le proverbe sacré de Cassis.

– *Qu'a vist Paris, a pas vist Cassis, a ren vist.* Traduction: Qui a vu Paris mais n'a pas vu Cassis n'a rien vu.

Il me fit visiter les trois petites plages, les deux premières en sable et la troisième en galets, puis il me ramena au vieux port de pêche. J'admirais les barques des pêcheurs; la plupart portaient des noms de femmes. L'homme dit:

– Mais c'est effrayant! Il n'y a aucune Amanda qui flotte! Tant pis. Nous allons en dessiner une sur le sable.

Moi, je l'écoutais. Je le regardais jouer, étonnée et ravie. L'homme me proposa ensuite d'aller manger une soupe de poisson chez la mère Paillasse, la meilleure de toute la Côte, selon lui. Je me rappelle encore de mon étonnement quand je découvris la prière qui précédait le menu: «*Seigneur, fais que je pêche assez de poissons aujourd'hui pour en manger, pour en vendre, pour en donner et pour m'en laisser dérober.*»

Le fou rire me prit. J'imaginais les bonnes sœurs de Marie-Rose aux prises avec cette prière. Je voyais des filets s'abattre sur leur tête, des poissons frétiller sous leurs jupes, des pêcheurs les harponner avec des exclamations joyeuses: «Ah, la belle rascasse!» «Une louve de mer aux flancs tout blancs!» «Peuchère, on n'a encore jamais vu ça!»

Amanda s'arrêta. Elle fit glisser ses doigts dans ses cheveux; elle agita sa crinière à gauche et à droite. Edgar, l'espace d'un instant, craignit qu'elle ne se dérobe encore une fois... Mais la jeune femme reprit son récit, péniblement.

– Je ne sais pas comment t'expliquer ce que furent pour moi ces dix jours qui précédèrent l'arrivée de ma grand-mère. J'avais très vite oublié le Québec. Je ne pensais même plus à mes parents. L'homme m'habitait tout entière. Quand je me couchais le soir, je me remémorais chaque minute passée avec lui... Nous nous étions mutuellement adoptés et Clara nous appelait ses «beaux enfants du Midi». L'homme, en vacances, attendait que commence le prochain film auquel il devait participer. Chaque jour, il m'emmenait en excursion. Il avait une Peugeot noire... Il conduisait très vite et très bien. Il parlait beaucoup, et tout à coup, brutalement, il se taisait; il semblait tomber dans une torpeur morose... Je ne comprenais pas pourquoi il s'intéressait tant à moi. Pourquoi il me racontait sa vie. Il me traitait en femme... J'en étais très flattée et très fière.

Rapidement, nous avons eu, lui et moi, des conversations intenses et crues. Il s'en étonnait d'ailleurs. Clara était évidemment au courant du ton de nos confidences. Il lui avait avoué sans détour qu'il se confessait à moi.

– Elle a 17 ans et elle écoute avec la concentration et le détachement d'une psychanalyste. Elle me fait faire du divan de sable, ta petite protégée du Canada! Et... ça me fait du bien!

Parfois il se demandait s'il avait le droit d'être aussi impudique. Je le rassurais, bien sûr. Et pour l'inciter à continuer, je lui racontais des choses très indécentes et très adultes que j'avais lues dans des livres. Je lui disais:

– Ne craignez rien. Je suis peut-être encore vierge, mais pas innocente!

Ça le faisait bien rire. Et quand il riait, je me sentais fondre à la petite cuillère. J'aurais voulu lui donner la galaxie enveloppée dans une gaine de cellophane...

17

Amanda racontait par petits bouts. Avec des pauses, pour reprendre son souffle.

– Il avait été marié pendant quatre ans à une très jolie comédienne, aussi connue que talentueuse. Ils voulaient un enfant. Lui surtout. Ça l'excitait de jouer à la loterie de la vie. Pendant deux ans, ils ont tout fait pour avoir un rejeton. Sans succès. Elle finit par se persuader que le problème était de son côté à lui. Plus les semaines passaient, plus elle lui en voulait. Ils avaient souvent des scènes, de plus en plus violentes, à ce propos. Blessé, humilié, angoissé, il s'est mis à batifoler avec tout ce qui ressemblait à un jupon.

Amanda eut un sourire mélancolique. Elle commença à jouer avec le contenu du sucrier. Ces petits grains blancs, glissants et rugueux entre ses doigts, lui en rappelaient d'autres. Ceux de sable qu'elle laissait couler sur la plage, en écoutant son ami. Elle avait encore l'impression d'entendre le son de sa voix, grave, triste et un peu râpée.

– Je ne sais pas si je baisais pour emmerder ma femme ou pour tenter de me donner la preuve de mes capacités en risquant d'engrosser la première venue... Évidemment, on a fini par divorcer. Six mois plus tard, elle était enceinte. D'un autre. Le jour où elle m'a appris la nouvelle, je me suis rendu dans un bordel de riches et j'ai tiré autant de coups que j'ai pu, sans éprouver le moindre plaisir, à ma grande stupeur. Alors a commencé pour moi la course au plaisir... Je faisais l'amour sans problème organique, mais je ne ressentais toujours rien. Je me suis décidé à aller voir un médecin. Il m'a fait passer des tests. Ma stérilité a été confirmée. Je ne ferais jamais d'enfant à une femme... Selon le médecin, mon plaisir reviendrait le jour où j'accepterais la réalité.

À partir de ce moment, ma vie sexuelle a changé de cap.

J'ai tout essayé. Les homosexuels, les partouzes, les drogues... Sans trouver ce que j'avais perdu. Une nuit, j'étais au lit, dans une magnifique maison parisienne – prêtée par un ami – avec une starlette américaine, et l'absurdité de ma situation s'est imposée à moi avec la force d'un bulldozer: j'étais un homme impuissant et vide. Belle écorce sans rien dedans. Une virilité de vitrine! J'avais dans mes bras une fille ravissante, intelligente, amoureuse, et je ne pouvais rien lui donner de durable. Seulement un certain morceau rigide de ma fameuse écorce, pendant quatre ou cinq minutes... Je me suis levé et je suis parti. J'ai roulé toute la nuit. Je me suis caché ici, dans cette maison où je ne venais jamais avant, et j'y suis resté trois mois. Mon agent râlait et menaçait de me laisser tomber. Quand j'ai refait surface, j'ai repris mon travail d'acteur, comme s'il n'y avait pas eu d'éclipse. Le cinéma était désormais la seule chose susceptible de me donner un certain plaisir... dans la tête.

«Et puis j'ai réfléchi à ma situation. Puisque ma vie sexuelle était une faillite monumentale, j'allais me venger en exploitant la sexualité et les faiblesses des autres. Je me suis associé avec une fille sympa, Josette, prostituée de son état. Ensemble, nous avons inventé des scénarios... Nous nous sommes follement amusés. Un jour, nous sommes allés faire l'amour, moi déguisé en Arabe avec une djellaba, et elle fagotée en minette avec des tresses et un grand jupon blanc sous une robe d'écolière, dans les jardins d'un certain ministre, réputé pour ses talents de voyeur. Nous lui en avons mis plein la vue. Josette criait: «Appelez la police, au viol!» Le type, immobile derrière ses rideaux, en bavait littéralement de plaisir. On l'entendait respirer...

«On a vraiment fait les quatre cents coups, Josette et moi. Une autre fois, on est allés manger chez Lapérouse, un restaurant très huppé. Moi en complet strict, elle en tailleur bon chic bon genre. J'ai commandé une bouteille de champagne. Et, devant le garçon de table, Josette a ouvert sa veste – évidemment, elle était nue dessous – et elle a trempé un bout de nichon en disant: «Non... ah non. Beaucoup trop jeune. Beaucoup trop froid!» Moi j'ai renchéri, en lorgnant la mine ahurie du garçon: «Apportez-nous une autre bouteille! Allez! Vous avez pris racine ou quoi?» Le garçon est revenu, avec le reste du personnel derrière lui, tous aussi discrets que des éléphants dans un magasin de porcelaine. Il a ouvert la bouteille, a rempli d'autres verres et attendu... la suite du spectacle. On a laissé passer quelques secondes, puis, à mon tour j'ai déboutonné ma veste et ma chemise et j'ai testé la température, avec un air compassé. «Celui-là est à point. Baisons maintenant.» Pendant quelques secondes, nos voyeurs ont eu peur que nous nous exécutions. Ils ont été déçus et soulagés en nous voyant boire nos coupes et pousser des gémissements de bêtes en rut.

«Aujourd'hui, c'est fini tout ça. Je me suis rangé comme on dit. Je mène une vie austère. Une jolie femme de temps en temps... Pour entretenir ma légende!»

Amanda, brusquement, fondit en larmes devant Edgar, ému comme il ne l'avait encore jamais été. Un flot d'images, d'odeurs et de sensations puissantes assaillaient la jeune femme. Elle se retrouvait dans les bras de l'homme, humant le parfum citronné de sa nuque, ce territoire duveté si émouvant, si peu mâle qu'elle préférait entre tout chez les hommes. Elle n'arrivait pas à trouver les mots justes pour décrire cette journée mémorable qui la fit basculer dans l'univers des adultes, dans le gouffre sans fond de la peine. Elle était arrivée à la frontière. Edgar n'en saurait pas davantage. Le reste, ce qui s'était passé entre elle et l'homme, faisait partie d'un chant initiatique douloureux qui ne regardait qu'elle...

18

Il faisait si beau ce jour-là. Avec l'homme, elle prit un grand bol de café au lait sur sa terrasse préférée, la Mauve.

Pour ne pas déranger Clara qui était encore couchée, ils se parlaient par signes, exagérant chacun de leurs gestes. Malicieusement, Amanda trempa son morceau de ficelle dans le bol de son ami, puis dans le pot de confiture, puis à nouveau dans le bol. Nullement choqué par cet enfantillage, l'homme saisit sa main, l'approcha de son visage et mordit dans le pain mouillé tout en la dévorant des yeux avec des grognements d'homme des cavernes.

– Le Midi te réussit. Tu es de plus en plus jolie. Et ces yeux... crédieu!

Prisonnière de son regard, Amanda en oublia son jeu. Il fallut que l'homme lui tende son propre pain, qu'il le mouille au préalable dans son bol et dans le pot de confiture, reprenant le jeu là où elle l'avait laissé, pour qu'elle se remette à manger. Puis ils partirent tous les deux, main dans la main, comme d'habitude.

Ce jour-là, l'homme l'emmena à Salerne, un minuscule village de Provence, situé à quelques kilomètres de Draguignan.

– Aujourd'hui, belle Amande, je te ferai déguster les meilleurs gâteaux de la terre. La maison de thé que je veux te faire découvrir est minuscule et peu fréquentée. Rien que des amis, des fidèles, des passionnés, des connaisseurs, des amants de l'amour sous toutes ses formes.

La maison s'appelait L'Hermaphrodite. Tout y était couleur de chair en émoi. Les tables étaient recouvertes de nappes de dentelle posées sur un fond de satin.

– Ici, lui chuchota l'homme, la patronne est un homme qui vit en femme. Il s'appelait Jean. Aujourd'hui, elle est Janou. Épilée, poudrée, corsetée, parfumée, la belle Janou vit avec un pâtissier qui a fait ses classes chez Lenôtre. Tous les deux passent leur temps à inventer des crèmes, des garnitures... Leur poésie, une fois cuite, est la plus étonnante, la plus délectable que je connaisse. On la déguste avec une coupe de champagne. Dans la coupe, il y a toujours une framboise qui flotte. C'est le sexe d'Hermaphrodite qui prend ses ébats, comme dit Janou...

L'homme fit asseoir Amanda à une petite table tout au fond de la maison de thé. De là, il se mit à lui décrire à sa façon les gâteaux exposés dans les vitrines réfrigérées qui décoraient le devant de la boutique. Des dizaines de desserts y faisaient la roue sur des plaques tournantes.

– Là, c'est un Président au chocolat ventru qui a godillé avec une merveilleuse eau-de-vie de poire. À droite, minaude un cake garni d'un front lisse comme une patinoire; mais... méfions-nous des apparences. Il est bourré de myrtilles qui saignent dès qu'on le chatouille. À gauche, tu peux voir ce qui arrive quand un régiment de belles fraises des bois deviennent captives d'une très sensuelle garniture de crème... le gâteau s'appelle un Délice du printemps.

L'homme se leva. Il marcha jusqu'aux vitrines et continua les présentations:

– Monsieur le maharajah en pâte d'amande, j'ai le très grand honneur de vous présenter mademoiselle Amande, dont les mains sont plus douces et plus lisses que votre très comestible turban, tout serti d'amandes; je ne voudrais pas vous offenser, mais sachez que vous êtes, malgré les apparences, bien moins appétissant que mon Amande du Canada. Tu rougis, Amandine, et ton teint rivalise maintenant avec celui de cette Framboisine au corsage frais et rose comme des seins de jeune fille, comme les tiens... si jolis sous la peau de ton maillot. Tu rougis encore... prends garde... Il y a un Moinillon tout brun, garni d'un ahurissant sexe en fleur qui te regarde... Bon d'accord, je change de registre. J'attire maintenant votre attention, douce demoiselle, sur la belle tête de *Sir* Moka Einstein, mathématiquement garnie de bâtonnets de chocolat poudrés comme des marquis...

Brutalement, l'homme revint s'asseoir en face d'elle. Son humeur avait changé. Il cacha son visage dans le creux de ses mains. Troublée, les sens en alerte, Amanda se pencha vers son ami.

– Tu ne te sens pas bien? Tu veux qu'on s'en aille?

L'homme laissa tomber ses mains sur la table, lourdement. Son visage semblait tourmenté, fripé comme un velours froissé. Ses paupières, obstinément closes, donnaient l'impression d'une frontière décidée à refouler la vie. De plus en plus troublée, Amanda s'agita sur sa chaise.

– Je ne comprends pas... Qu'est-ce que tu as?

– Je me fais l'effet d'un vieux chapeau melon qui cherche une tête à coiffer. J'ai trop vu, trop séduit, trop aimé, trop glandé pour rien. Je suis là à faire le pitre en face de toi, sidéré par ta beauté, étonné que tu daignes m'écouter.

Amanda retint sa respiration. Il y avait, dans la voix de son ami, une nébuleuse qui voulait la capturer. Elle était consentante, impatiente, et éblouie par la force de la chose qui cherchait son cœur et les canaux secrets de sa chair.

– Je suis amoureux de toi, Amanda, amoureux comme je ne l'ai jamais été! Quand je te frôle, je bande dans mon corps et dans ma tête... j'éclate, je me dilue et j'ai peur! Je ne sais pas ce qui m'arrive... Moi le séducteur, moi, habitué à prendre, je suis réduit à attendre l'aumône de tes yeux, de ta voix, de ce que j'ai le droit d'accepter... Et je sais que nos jours ensemble sont comptés. Ta grand-mère va arriver et...

Amanda prit les mains de l'homme. Elle y enfouit ses yeux qu'il aimait tant, sa bouche qu'il trouvait tellement sensuelle et son front qui contenait le siège privilégié de sa mémoire, le lieu où elle et lui vivaient ensemble depuis toujours. Puis, elle passa à l'aveu le plus essentiel.

– Je t'aime aussi.

Il se mit à pleurer. Amanda n'avait encore jamais vu d'homme pleurer.

– Allons-nous-en d'ici. Je vais te reconduire chez Clara. Les événements me dépassent et j'ai horreur de ne pas avoir le contrôle... Ça me donne les jetons.

19

Dans la Peugeot, l'homme garda le silence. Amanda aussi. Le principal avait été dit. Le reste n'avait plus guère d'importance. Lorsqu'ils entrèrent dans Cassis, Amanda mit sa main sur la cuisse de l'homme. Elle appuya, enfonçant délibérément ses petits ongles courts et durs dans sa chair.

– Emmène-moi chez toi.

Il répondit par un non.

Amanda répéta, avec dans la voix une force impérieuse qu'elle ne se connaissait pas.

– Je veux aller chez toi. Quand ma grand-mère arrivera ce soir, je lui dirai tout. Toi et moi. C'est même la première et la seule chose que je lui raconterai.

20

Ils entrèrent dans la maison. Ils n'osaient pas se regarder. L'homme commença par lui tourner le dos, par éplucher en aveugle le courrier que la femme de ménage avait déposé sur le petit meuble ovale qui décorait l'entrée. Il finit par se retourner et ses yeux furent happés par ceux d'Amanda. Elle se mit à avancer et l'homme à reculer, jusqu'au mur qui séparait la salle à manger de la cuisine. Chacun de ses pas résonnait sur les tomettes du plancher. Elle fut bientôt si près de lui qu'il pouvait sentir la chaleur dégagée par son corps. Elle s'appuya sur lui de tout son poids, le forçant à refermer ses mains sur elle, obligeant ses épaules, sa bouche, son ventre à la toucher partout où elle en sentait le besoin. Mais l'homme résistait. En même temps qu'elle luttait pour prendre possession du corps de l'homme, Amanda expérimentait des sensations toutes nouvelles. Dans ses poumons, l'air se raréfiait. Elle s'entendait haleter. Pendant que le haut de son corps s'essoufflait, son ventre prenait de l'ampleur. Son sexe était devenu humide. Quelque chose bougeait, là, au centre de son centre. Les parois de son vagin se conduisaient comme un estomac impoli et affamé. C'était donc ça le désir... Amanda avait lu beaucoup de choses dans des livres que ses amies faisaient circuler pendant les récréations...

Le voluptueux chant du désir, voilà donc ce qu'elle entendait se lever en elle.

– Tu seras mon premier amant. Je veux faire l'amour avec toi, chuchota-t-elle à l'oreille de l'homme.

Il répondit, apparemment aussi essoufflé qu'elle:

– Je ne peux pas. Tu es trop jeune! Je n'ai pas le droit... C'est trop grave...

Amanda l'agrippa par sa chemise et le secoua.

– Le corps n'a pas d'âge quand il aime! J'aurai bientôt 18 ans. Je pourrais mourir demain. Si la mort a le droit de me prendre, pourquoi pas toi? Je t'aime! Je veux être avec toi, toujours, tu comprends? Pourquoi on ne pourrait pas vivre ensemble? Si je dis à mes parents que je t'aime, ils vont comprendre!

Tu ne sais pas de quoi tu parles, lui répondit il dans un souffle. Tu es si neuve, si innocente... Tu ne me connais pas, malgré tout ce que je t'ai raconté. Je ne peux rien te donner. Va-t'en. Va-t'en vite. On ne peut pas faire l'amour. Je ne veux pas que tu aies mal à cause de moi.

Survoltée, Amanda s'attaqua à la chemise et au pantalon de l'homme. Son désir prenait des proportions qu'elle ne soupçonnait pas. Elle avait l'impression que son amour était une prodigieuse masse d'énergie en effervescence. Elle fit jouer cette formidable force et aussi cette voix mystérieuse qu'elle sentait gronder en elle. Elle était devenue un volcan en action et lui la vallée menacée par sa lave ardente. Pris dans un tourbillon fou, le couple se laissa choir par terre. Tout en pesant sur lui de tout son poids, elle ôta sa jupe et fit glisser, tant bien que mal, sa culotte.

– Je sais ce que je veux. Je sais ce que je fais. C'est moi qui décide pour moi! Il ne fallait pas me dire que tu m'aimes... Je te veux, à l'intérieur de moi, maintenant! Je n'aurai pas plus mal que les autres femmes...

Les cheveux d'Amanda glissaient comme des algues folles sur le torse à moitié nu de l'homme affolé. Cette toute jeune femme aux seins pointus qui le chevauchait, qui le déshabillait avec une ardeur sauvage lui faisait peur.

– Et si je parvenais à te redonner le plaisir? Et si j'étais l'antidote à ton poison? Tu ne peux pas me faire un enfant puisque tu es stérile, mais tu peux nous donner un souvenir! Serais-tu lâche au point de te dérober à ton propre plaisir? Je vois bien que tu me désires...

Tout en parlant, Amanda palpait le corps de l'homme, s'attardait avec curiosité à son ventre, effleurait son pénis. Ses connaissances, purement techniques, ne lui étaient pas d'un grand secours. Elle tenta maladroitement de libérer le sexe gonflé de l'homme et de l'enfouir en elle.

– Tu dis que tu m'aimes... alors prouve-le... prouve-le!

L'homme cessa de lutter. Il voulut la faire glisser sur le dos mais Amanda refusa et se cramponna à ses épaules, tout en serrant farouchement ses jambes autour des hanches de son partenaire. Alors il accepta de rester sous elle. Il posa enfin ses mains sur son sexe. Délicatement, il ouvrit ses lèvres gonflées et humides de tant de désir contenu et, avec le bout de ses doigts, il la caressa longtemps. Après seulement, il la pénétra. Il s'enfonça en elle à petits coups légers, guettant la moindre de ses réactions. Puis il la renversa sur le côté. Amanda, cette fois, se laissa faire, les yeux fermés. Elle avait perçu un certain tiraillement suivi d'une vague de plénitude. L'homme embrassa sa bouche, ses paupières, ses tempes. Il avait terriblement peur de ce qu'il commençait à ressentir. Trop peur pour continuer.

Tout son corps tremblait. Cette minute de vérité qui lui tombait dessus sans avertissement, il n'en voulait pas. Sans rien dire, en bougeant à peine, il se retira et roula sur le côté, cachant son visage, abritant son sexe.

– Je ne peux pas. J'ai peur de toi... et j'ai aussi peur de moi. Rhabille-toi, Amanda. Si tu me redonnais le plaisir, je m'accrocherais à toi comme un enfant. Et si je ne ressentais rien, pour moi, ce serait atroce. Je t'aime. Je n'oublierai jamais ni ton nom, ni tes yeux, ni tes mains... Ni cet instant.

Pendant deux ou trois minutes, Amanda ne bougea pas. Puis elle eut froid. Quelque chose d'impalpable, de morne et de triste s'était glissé entre elle et l'homme. Elle reboutonna sa blouse, remit sa culotte et sa petite jupe d'Arlésienne.

21

Amanda se leva, bouscula du bout de ses pieds nus la grappe dodue des coussins sur lesquels elle s'était affalée. Il fallait qu'elle bouge. Elle ramassa les tasses de café et l'assiette de biscuits et les déposa délicatement sur la vieille table en pin dénichée chez un antiquaire nain de Lanoraie. Puis, en prenant son temps, elle revint s'asseoir à côté d'Edgar.

– J'ai fait l'amour avec... mon bel amoureux français. Une fois. Une seule fois. J'aurais voulu qu'il me garde auprès de lui. J'aurais voulu vivre dans sa maison. Mais lui n'a pas voulu. Il a décidé de mettre un point final à notre étrange aventure... Ma grand-mère est arrivée le soir même de notre rupture. Je n'ai pas réagi quand elle m'a annoncé la mort de mes parents. Je portais déjà le deuil de mon amour repoussé et il n'y avait plus de place dans ma tête pour loger d'autres catastrophes. Je n'avais qu'une idée: l'homme allait partir sans moi et je ne pouvais rien faire pour le retenir. Et pourtant il disait m'aimer... Édith, désarçonnée par mon indifférence, entra dans les détails, pas par cruauté, mais dans l'espoir de me sortir de mon apparente torpeur physique et mentale. Elle me dit: «Ils sont morts sur le coup, écrasés par le poids lourd. Ils n'ont pas eu le temps de souffrir, d'après le médecin. Je suis allée identifier ce qui restait. J'ai pu les reconnaître à cause de leurs alliances... Depuis deux jours, tes parents reposent en paix au cimetière de la Côte-des-Neiges. Je n'aurais jamais cru qu'il fallait tant de papiers et d'autorisations pour avoir le droit de dormir sous la terre de son pays... Maintenant, nous allons nous reposer, toi et moi, et quand nous nous sentirons moins écorchées, nous pourrons parler de ton avenir.» J'ai regardé ma grand-mère sans broncher. J'ai seulement dit: «D'accord. Tout ce que tu voudras. Ça m'est égal. Excuse-moi, j'ai sommeil...» Je suis allée me coucher, complètement vidée, complètement brisée. Je me suis mise en boule, avec les mains serrées entre les deux jambes, là où je sentais une brûlure. J'ai imaginé que j'étais encore une petite fille et je me suis endormie en souhaitant ne jamais me réveiller. Édith et Clara ne comprenaient rien à mon étrange comportement. Plus tard, j'ai su que Clara, très inquiète, était allée rendre visite à son ami d'à côté. L'homme, effondré, désespéré, lui avait tout raconté. Qu'on s'aimait. Qu'on avait fait l'amour. Qu'il regrettait ce qui était arrivé et qu'il partait. Que je trouverais une lettre sur la table du jardin de la Mauve. Je me suis réveillée vers cinq heures. J'ai vu tout de suite le petit mot tendre et laconique glissé sous ma porte par ma grand-mère.

Je sais tout. Je t'embrasse très fort. Il y a une lettre pour toi sur la table de ta terrasse préférée.

N.B. Décidément, les femmes de notre famille ont l'amour précoce. J'avais exactement ton âge quand j'ai épousé ton grand-père.

Je me suis ruée dehors. J'ai lu la lettre. Ma première réaction a été de la déchirer et ma deuxième de tenter de la reconstituer en pleurant... Depuis, cette lettre ne m'a jamais quittée. La voici, dit Amanda en ouvrant un petit coffre en bois sculpté.

Edgar tendit la main mais la jeune femme esquiva son geste.

– Non. Je préfère te la lire.

Mon Amande, ma noire Cassis,

Maintenant, tu sais à propos de tes parents. Clara et moi étions au courant du terrible drame. Mais ta grand-mère tenait à l'annoncer elle-même la nouvelle. J'ai tâché, et Clara aussi, de te faire la vie douce et belle, de tisser autour de toi un molleton protecteur en prévision de l'inévitable choc. Et l'imprévisible est arrivé. Je me suis mis à t'aimer comme un fou, toi si neuve et pourtant déjà femme. Avant toi, j'étais tranquille. Un désert, comme celui du Nevada. Maintenant, tu es passée et le désert est en révolution. Je ne me reconnais plus. Le temps s'écoule en sécrétant dans mes veines bonheur et malheur intimement mêlés. Je mûris, je me bonifie... Il était temps qu'une femme fasse un homme de moi.

Après ton départ, je suis allé marcher sur notre plage. Et j'ai compris la dimension du cadeau que tu m'as fait. Hier soir, tu m'as donné l'exultation de l'espoir. En essayant de faire l'amour avec toi, j'ai éprouvé une diffuse sensation de plaisir. Le plaisir du Plaisir possible. Si je n'avais pas été lâche, je serais allé jusqu'au bout de moi-même et au bout de toi. Et après, je t'aurais gardée au creux de mes bras et au milieu de ma vie. C'est cela que tu demandais...

Ta jeunesse m'effraie. Et mes 40 ans me font me sentir vieux et misérable. Mais il n'y a pas que l'âge. Toute la question est: as-tu plus de chances d'être heureuse avec moi que sans moi? Je ne connais pas ce que la vie te réserve mais je me connais. Mes mains sont vides. Mon sperme est infertile. Mes souvenirs pourraient te ternir. Et ma vie mouvementée de comédien pourrait te meurtrir. Je choisis donc de te laisser à la vie.

Bientôt, tu auras moins mal. Bientôt tu feras l'amour avec d'autres hommes. Garde-moi longtemps une petite place dans ton cœur. Moi, je sais que je ne t'oublierai jamais. Je te fais l'offrande de toutes mes nuits en échange du somptueux cadeau que tu m'as fait: ton beau corps que je n'ai pas eu le temps d'explorer. Les diamants noirs de tes yeux qui ont osé fouiller l'écorce de ma chair et secouer mon vieux cœur blasé.

22

Amanda replia la lettre et la tint serrée entre ses mains, comme si elle avait craint qu'un coup de vent ne l'emporte.

– Mon amour parti, la vie n'avait plus aucun sens pour moi. Je suis descendue à la plage sans même prendre le temps de m'habiller, de me coiffer. En passant la grille, je me suis heurtée à une grande femme qui avait l'air de connaître la maison de Clara. Rendue sur la plage, je suis entrée résolument dans l'eau. J'allais marcher jusqu'à ce que je me noie. Chaque pas en avant allégeait ma peine. C'était simple, mourir. Et pour moi, c'était la seule solution. Soudain, deux bras solides m'ont encerclée. J'ai tourné la tête et j'ai vu un torse de femme dans la soixantaine, un collier de perles, des petites lunettes rondes et un chapeau de paille noir posé de travers sur une masse de cheveux gris, tout en vagues. J'ai reconnu la femme. C'est elle que j'avais heurtée en sortant de chez Clara. Elle m'a regardée et elle a dit: «L'eau est bonne ce matin. Mais un peu froide. Tu as besoin de chaleur. On va rentrer, toi et moi... tu veux bien?»

«Malgré sa robe mouillée, plaquée sur sa poitrine, son corps était chaud et doux. Je me suis abattue dans ses bras et j'ai fermé les yeux. Cette femme, c'était le professeur

Catherine Dubost, une grande amie de Clara. Appelée d'urgence, mise au courant du drame que je vivais, elle n'avait pas hésité à conduire une partie de la nuit pour venir à mon secours. Clara savait que je tenterais de me suicider. Selon elle, c'était écrit sur mon visage.

«Le professeur Dubost m'a traînée sur la plage et ramenée chez Clara. Pendant deux jours entiers, elle s'est occupée de moi comme si j'avais été son nourrisson. J'étais devenue muette, indifférente à tout ce qui m'entourait. Je flottais dans une sorte de brouillard ouaté. Je ne ressentais rien. Ni chaud, ni froid, ni faim, ni soif, ni sommeil, ni peur. Édith était très inquiète. Le professeur a parlé d'état de choc, de régression. "Trois morts à avaler d'un coup, c'est dur", a-t-elle dit. Après avoir longuement parlé de mon comportement avec ma grand-mère, elle a proposé de m'emmener avec elle à Paris. Ma grand-mère a accepté. Elle, elle resterait avec Clara un certain temps. Je suis donc partie pour Paris.

«Les lundis et mardis, le professeur Dubost travaillait dans un hôpital pour enfants. Les mercredis et jeudis, elle donnait des cours à Aix-en-Provence. Elle me demanda de m'occuper de son courrier et d'aller bercer les bébés abandonnés dont elle s'occupait chaque vendredi dans un centre d'éducation. Selon elle, m'adonner à des activités nouvelles dans un milieu inconnu m'aiderait à reprendre pied. Après, je serais en mesure de regarder l'avenir et, probablement, de prendre des décisions.

«Les choses se sont passées comme elle le prévoyait. Un jour, j'ai senti que j'étais remontée à la surface. Je faisais à nouveau partie du monde des vivants. Et le plus étonnant est que je savais exactement ce que je voulais faire: un médecin. Comme le professeur Dubost.»

Amanda ouvrit à nouveau son coffret. Elle y déposa sa lettre, précautionneusement, comme s'il s'était agi d'un grand blessé, et elle en ressortit un paquet de photos.

– Ça, c'est moi en première année de médecine. J'avais beaucoup maigri. Ici, je suis avec des copains de troisième année. Deux d'entre eux ont été mes amants. Je garde un merveilleux souvenir de mes années d'études à Paris. L'édifice de la faculté de médecine de Paris était un véritable monument historique entouré de petites cours intérieures. Les hivers, bien que moins froids qu'ici, étaient pénibles. L'humidité me transperçait la peau. Entre les cours, je me réfugiais dans les corridors du rez-de-chaussée. Il y avait là de grands radiateurs rhumatisants et bruyants qui dégageaient une chaleur inouïe. Je fermais les yeux et j'imaginais que j'étais au Québec, dans la boutique de Babette, en train de faire mes devoirs... Je m'étais trouvée une mascotte: un mannequin représentant le corps humain, en bois imputrescible, entièrement démontable, exécuté par Felice Fontana à Florence, en 1799. Je l'avais surnommé Gueule de bois. Quand j'avais le cafard, j'allais lui rendre visite, je collais mon nez contre sa vitrine et je lui parlais à voix basse... Au cours de la dernière année, j'ai quitté le professeur Dubost et je suis allée habiter avec un copain, dans un minuscule appartement situé rue des Casseaux. C'était un beau garçon, intelligent, qui travaillait d'arrache-pied. Il voulait devenir chirurgien. On est devenus amants, forcément, et le professeur Dubost était persuadée qu'on finirait par s'épouser. Mais on ne s'aimait pas. On s'estimait. On avait du plaisir à rire, à manger, à bosser, à dormir ensemble.

Amanda ne savait pas si elle devait confesser à Edgar le fait que sa pensée, chaque fois qu'elle se mettait au lit avec un homme, se tournait malgré elle vers celui qui avait été son premier amant. Elle hésita, puis préféra opter pour une conclusion générale de ses souvenirs.

– Tu peux comprendre maintenant ce que je veux dire quand je te parle de mon état comateux... Peut-être qu'un jour je rencontrerai un homme qui m'en sortira. Peut-être. Mais en attendant, je veux un enfant, avant qu'il ne soit trop tard. J'ignore si le professeur Dubost approuverait mon projet. Mais je sais exactement pourquoi je veux avoir un enfant. En devenant mère à mon tour, je pense que j'arriverai à conjurer le mauvais sort... Je veux surtout me donner une solide raison pour continuer à vivre, à travailler et à espérer aimer et être aimée... Mon métier ne me suffit plus.

Edgar, remué, lança un vibrant:

– Je te comprends... Je ne sais pas si ton idée d'enfant est bonne ou mauvaise, j'ignore ce qu'en dira ton amie spécialiste, mais je pense que tu as raison de vouloir essayer. Et si tu es toujours d'accord, j'accepte d'être le père...

Amanda ne répondit rien. Mais elle se lova dans les bras d'Edgar. Elle caressa sa nuque, ses oreilles, ses tempes, ses poignets; tous les endroits de son corps où sa peau était libre.

– Qu'est-ce que tu fais? Tu n'as pas l'intention qu'on fasse un bébé tout de suite?

Elle rit et répondit:

– Je cherche tes zones érogènes. Zones érogènes: toute région du revêtement cutanéo-muqueux susceptible d'être le siège d'une excitation de type sexuel. Pour poursuivre mon examen il me faut plus de peau nue. Déshabille-toi. Nous allons voir ce que nous pouvons faire ensemble.

23

Edgar fut étonné. Amanda était une excellente partenaire, sensible, attentive et sensuelle. Mais leur performance ne se déroulait pas dans le registre habituel. Celui que lui connaissait. Celui de la sexualité-passion. Il sentait qu'Amanda n'éprouvait aucune attirance physique pour lui. Tout avait l'air de se passer dans sa tête. Il était néanmoins persuadé qu'il parviendrait à l'émouvoir, avec le temps, et à changer les règles du jeu qu'elle lui avait proposées. Il avait un jour décidé qu'il serait le rédacteur en chef de *La Petite Patrie* et il était sur le point d'y arriver, il en était sûr. Maintenant le nouveau défi qu'il se donnait était le lit d'Amanda.

Edgar parti, Amanda prit une douche. Puis elle s'allongea dans sa caverne de coussins et caressa son ventre plat. Bientôt, il serait habité. Et elle ne serait plus jamais seule. Son regard, pensif et fatigué, fit le tour de la pièce. Il s'arrêta sur le coffret de bois qui contenait le seul vrai cri d'amour qu'un homme ait jamais lancé pour elle. Le cri l'écorchait, la labourait, creusait dans sa vie un sillon douloureux qui lui donnait le sentiment de tourner lamentablement comme un disque accroché. Demain, elle exilerait le coffret au fond d'un placard, dans un coin obscur du sous-sol de la maison. Après, elle deviendrait femme en attente...

24

Sitôt entré chez lui, avant même d'enlever son imperméable, Edgar décrocha le combiné du téléphone, composa le code des interurbains et demanda Québec à la téléphoniste. Il avait l'impression qu'il devait être passablement tard. Tant pis... Il jeta un coup d'œil à son poignet et s'aperçut qu'il avait oublié sa montre sur la table de chevet d'Amanda. Un «allô!» furieux et sonore le fit sursauter. Me Paris était à l'autre bout du fil.

– Allô, papa, je te réveille, mais ce que j'ai à t'apprendre est très important.

– J'espère pour toi que ça l'est, mon garçon! Sais-tu qu'il est trois heures du matin? Qu'est-ce qui se passe? Es-tu malade?

– Non, rassure-toi, je vais très bien. Je suis même très heureux...

– Ma parole, tu as bu! Me voilà bien garni: un garçon cinglé qui vit avec une négresse aux cheveux tissés comme un panier, un autre qui fait dans la farine, la confiture et les pets-de-sœur et un troisième qui succombe finalement à la boisson! Je t'avais pourtant prévenu que le journalisme est une engeance de soûlons et de pique-assiette... Si tu m'avais un peu écouté, aujourd'hui, tu serais avocat, tu serais mon bras droit...

– Arrête, papa... je suis tout à fait sobre. Je veux t'annoncer que je vais me marier. Elle s'appelle Amanda Doré, elle est médecin, et nous allons avoir un bébé, dès l'an prochain si tout va bien. Ça n'est pas tout: bientôt, il se pourrait aussi qu'on me nomme rédacteur en chef adjoint. J'ai tenu à ce que tu sois le premier aver...

La voix aigre de Me Paris l'interrompit, cassante:

– C'est tout? Eh bien maintenant que je sais, va donc te coucher... Tu nous raconteras les détails en fin de semaine. Bonne fin de nuit.

Un léger déclic avertit Edgar que son père venait de clore l'entretien. Nullement troublé par cette attitude cavalière, Edgar sourit. Il avait l'impression que le monde entier roucoulait à ses pieds.

25

Dans le train qui le ramenait à Montréal, Edgar se remémora l'entretien qu'il avait eu avec son père. Prudent, il avait, bien sûr, gardé pour lui les détails de son entente avec Amanda. Ce qui n'avait pas empêché Me Paris de se montrer plutôt réservé quant à son projet d'union avec la jeune femme.

– Ça t'a pris comme ça, l'idée du mariage? Et avec une femme médecin, psychiatre de surcroît! Je suppose qu'elle va vouloir continuer à travailler... Et vos enfants, qui s'en occupera? Ses malades?

– Justement, nous n'aurons qu'un seul enfant.

Me Paris s'esclaffa.

– Quand on épouse une femme de tête, on doit évidemment s'attendre à tout. Enfin, c'est ta vie... je n'y peux rien. Tu es majeur et tu es têtu comme une mûle. Gâche donc ta vie, pauvre innocent...

Au cours du repas qui suivit son entretien, Edgar décrivit longuement Amanda à ses parents. Son intelligence, son raffinement et sa beauté étrange. Madame Paris, curieuse, posa beaucoup de questions d'ordre pratique:

– Sait-elle cuisiner au moins? Et coudre? Au prix où sont les vêtements, aujourd'hui... Et parler anglais? C'est tellement utile quand on veut voyager...

Me Paris, lui, s'intéressa surtout à la famille d'Amanda. Edgar fut bien obligé de leur apprendre la mort tragique des parents de la jeune femme, son séjour en France, avec sa grand-mère paternelle, son retour à Montréal où elle entreprit sa formation de psychiatre, allongée d'un an pour satisfaire aux normes du Collège des médecins qui exigeait une année d'internat rotatoire des médecins ayant étudié à l'étranger. Puis enfin son stage à Paris dans le service de médecine psychosomatique du réputé professeur Catherine Dubost.

– Amanda n'a donc plus de famille. Ses parents et ses grands-parents, curieusement, étaient tous des enfants uniques.

– Et vous allez tout faire pour poursuivre une si belle tradition, ajouta ironiquement Me Paris.

Madame Paris, choquée, lança un regard éloquent à son mari et elle fit judicieusement dévier le sujet de la conversation:

– J'y pense... il va te falloir trouver un appartement plus grand et plus confortable. L'actuel ressemble à une tanière de capucin!

– Même pas, maman, répondit Edgar. Amanda possède une fort belle maison de deux étages, rue Jeanne-Mance, pas très loin de l'hôpital où elle travaille.

Me Paris sursauta. Il reposa lourdement son pain dans son assiette et assena un vigoureux coup de poing sur la table. Habituée à ses éclats, Madame Paris leva les yeux au ciel.

– C'est le monde à l'envers! Maintenant, ce sont les hommes qui emménagent chez les femmes! Attention à ne pas finir bonniche de salon, mon fils!

– Voyons, papa... sois un peu logique! Amanda ne va certainement pas vendre sa maison rien que pour respecter une coutume qui n'a plus tellement sa raison d'être. Maintenant que les femmes travaillent, elles sont en mesure de devenir propriétaires.

Madame Paris remarqua que le cou de son mari virait à l'écarlate, ce qui était invariablement le signe précurseur d'une sortie musclée. Elle décida pourtant de soutenir son fils.

– Edgar a raison. Pourquoi est-ce qu'une femme devrait accepter d'être nourrie et logée si elle a les moyens de subvenir à ses besoins? Il faut vivre avec son temps...

Puis, soucieuse de préserver l'ambiance jusque-là agréable du repas, elle orienta, encore une fois, la conversation vers une piste moins dangereuse.

– Qu'aimeriez-vous recevoir en guise de cadeau de noces? Un mobilier de chambre? De salon? Des appareils électroménagers?

– La maison d'Amanda est déjà meublée. En fait, seule la pièce qui me servira de bureau sera réaménagée selon mes besoins et mes goûts, répondit-il.

Me Paris reprit la parole.

– Donc, vous n'avez besoin de rien. Ni d'appartement, ni de meubles, ni d'argent, ni de... conseils. Alors, à quand la noce?

– En septembre prochain, au Palais de Justice.

Cette fois, le cou de Me Paris faillit sortir du col de sa chemise pour éclater, comme une betterave sous pression, au beau milieu de la nappe.

– Un mariage civil! C'est le bouquet!

– Civil, parfaitement, répondit Edgar, piqué. Ni Amanda ni moi ne voulons de célébration religieuse. Nous tenons énormément à une cérémonie civile.

– Magnifique! Cela manquait au blason de la famille Paris! J'espère au moins que vous vous ferez un point d'honneur de divorcer dans l'année... Comme ça, la boucle sera bouclée!

Madame Paris, lasse des empoignades verbales, se mit à rire à gorge déployée, tout en secouant sa serviette de table aux quatre vents. Interloqués, les deux hommes la regardèrent, oubliant leur différend.

– Arrête un peu, Charles... On dirait toujours que tu traînes le tribunal derrière toi! Laisse donc ces enfants faire les choses à leur façon et... réjouis-toi! Quand je pense que notre petit dernier va convoler, qu'il sera peut-être même père sous peu... Quelle bonne nouvelle! Je me disais bien aussi qu'il finirait par trouver une gentille femme. On a tous tellement besoin d'aimer et d'être aimés...

Résigné à subir ce qu'il appelait les platitudes sociales de sa femme, Me Paris attaqua son pudding au caramel en brandissant sa cuillère comme s'il s'était agi d'un sabre.

Madame Paris, du coin de l'œil, l'observait. Elle savait ce qu'elle faisait. Quand Edgar et son père en venaient aux mots, il lui fallait, pour éviter l'escalade, faire diversion, prendre la rondelle, comme elle disait. Dire un peu n'importe quoi, meubler l'espace, tant que les adversaires, désarçonnés, n'avaient pas baissé pavillon.

«Chez nous, la table sert de patinoire plus souvent qu'autrement, avait-elle écrit un jour à son amie suisse. *Longtemps j'ai joué le rôle du gardien de buts, des deux côtés, et j'ai encaissé les coups, jusqu'à ce que je comprenne enfin la règle du jeu: l'important, c'est de s'emparer de la rondelle et de patiner, jusqu'à l'essoufflement...»*

26

Dans le service de chirurgie oncologique, le docteur Pierre Dupont régnait en monarque absolu. Grand, large d'épaules, sa carrure athlétique contrastait avec sa démarche. Sa tête, son cou, sa colonne vertébrale semblaient bloqués, inanimés, comme si tout son corps avait été sculpté dans un bloc de granit. «Il a été coulé dans le ciment», disaient ceux qui ne l'aimaient pas. En réalité une grave dorsalgie, opérée à deux reprises, sans succès, était responsable des déplacements en pain de sucre du médecin. Elle l'obligeait à se mouvoir lentement et précautionneusement.

Le docteur Dupont s'exprimait avec préciosité, d'une voix grave, avec un léger et étrange accent qui n'était ni québécois, ni montréalais, ni gaspésien, ni même français. Il traînait langoureusement ses fins de syllabes et les accents toniques de ses phrases voguaient allègrement à contre-courant. Il parlait toujours énormément, se perdait sans broncher dans les méandres d'onctueux discours ponctués de «nous». Le nous désignant infailliblement son auguste personne.

Ses collègues de travail l'avaient vite surnommé le pape Bistou. Quant aux infirmières du service, très sensibles à ses magnifiques yeux brun noisette frangés d'une impressionnante paire de cils fournis et recourbés, elles l'appelaient saint Pierre l'évangéliste...

Intelligent, ambitieux, rusé et opportuniste, le docteur Dupont avait pris, dès le début de sa carrière de chirurgien, d'énormes risques en introduisant dans le service une technique opératoire nouvelle et, chuchotait-on, passablement risquée, sur des malades atteints de cancer de l'intestin.

Au bout de deux ans de pratique intensive, il osa publier, dans une très prestigieuse revue médicale américaine, les résultats d'une étude dans laquelle il comparait tranquillement soixante-dix cas opérés selon sa technique à soixante-dix autres cas similaires, opérés par deux de ses collègues, sur une période de six mois. Dans le groupe des malades opérés par lui, il y avait eu six morts. Dans l'autre groupe, dix-sept.

Invité par l'American Institute for Cancer Research à présenter ses résultats, dans le cadre d'un important colloque d'oncologie, le docteur Dupont obtint le paternel appui de deux des plus grands noms de la chirurgie aux États-Unis. Ils lui proposèrent de siéger, à titre de délégué canadien, au sein d'un comité de recherche sur le cancer. Un an plus tard, on lui offrit une subvention de 400 000 $ afin qu'il entreprenne, à l'hôpital où il travaillait – on se chargeait d'obtenir le consentement des autorités concernées –, une étude scientifique à double insu. Il devait tester quatre nouveaux médicaments sur des cancéreux dont la tumeur ne dépassait pas un centimètre.

Le docteur Bertrand Péloquin, directeur du service de chirurgie oncologique, mécontent de voir un de ses jeunes chirurgiens courtisé et subventionné par l'étranger, commanda discrètement une recherche sur la technique opératoire mise au point par le docteur Dupont. Les résultats le satisfirent pleinement: si, au bout de six mois, le docteur Dupont comptait moins de morts parmi ses opérés que ses collègues, après dix-huit mois, le taux de survie de ses malades était le même que celui de l'autre groupe, opéré de façon plus conventionnelle. Le docteur Péloquin rédigea rapidement une communication scientifique, dont l'abrégé seulement passa dans une revue médicale américaine de moyenne importance. Les anges gardiens du docteur Dupont protégeaient leur poulain: dans leur vaste étude panaméricaine, ils avaient besoin des cancéreux du Québec. Et le docteur Dupont était devenu leur fournisseur officiel...

Manœuvrèrent-ils pour obtenir la tête du docteur Péloquin? Personne n'en sut rien. Officiellement, le directeur du service présenta volontairement sa démission au directeur de l'hôpital et il fut rapidement remplacé par... le docteur Dupont. Dès lors, la nouvelle vedette de l'oncologie québécoise élut pratiquement domicile à l'hôpital, dans un minuscule bureau du quatrième étage, habilement aménagé, avec divan-lit discret, table de travail et petit cabinet de toilette. Il mangeait et dormait dans cette pièce et, en dehors de ses heures de travail officielles, on était sûr de le trouver là, penché sur des statistiques, des dossiers ou de futures communications scientifiques destinées à de prestigieuses revues internationales.

Pierre Dupont avait, malgré l'aura sévère et solennelle de son personnage, une réputation de grand baiseur. On murmurait qu'il avait un faible pour les femmes rousses, petites et dodues. Quelques infirmières de l'hôpital avaient eu le privilège de se retrouver sous les draps empesés d'un lit du Ritz avec lui. Mais aucune femme, ni aucun homme d'ailleurs, n'avait jamais mis les pieds dans son appartement. Le docteur Dupont traitait toutes ses affaires dans des lieux neutres: les questions de travail au restaurant et celles du sexe à l'hôtel.

Dans ce domaine, sa technique de prise de contact amusait fort ses collègues. Son regard était paillard et son discours, direct: «Dites donc, ma jolie, vous et moi, si on se payait quelques heures de bon temps? Je vous réserve ma soirée?» L'élue, après avoir dit oui, était cérémonieusement conduite chez le marchand de musique Archambault, rue Sainte-Catherine. Après avoir fouiné au rayon des nouveautés, invariablement, le docteur Dupont achetait une cassette de musique d'opéra destinée à rythmer leurs ébats. Puis sa proie avait droit à un copieux souper dans le quartier chinois de Montréal. Enfin, sans plus de cérémonie, elle était conduite au Ritz et priée de se dévêtir afin de laisser s'exprimer, sans réserve, la femelle qui sommeillait en elle.

Amanda et le docteur Dupont auraient pu, même s'ils travaillaient dans le même hôpital, ne jamais se rencontrer autrement que dans les corridors ou les ascenseurs. Mais ils se rentrèrent mutuellement dedans, si l'on peut dire, et l'événement secoua sérieusement leurs services respectifs.

27

Mariette Lapointe apprit une bien mauvaise nouvelle la veille du jour de ses 35 ans. Elle avait un cancer de l'utérus.

– Vous avez de la chance dans votre malchance, lui dit-on. Votre cancer est pris à temps et vous serez traitée par un des meilleurs chirurgiens du Canada.

Pour Mariette, qui n'avait jamais été malade de sa vie, le choc était rude. L'univers de l'hôpital la bouleversait et l'effrayait autant que la maladie, sournoisement tapie dans le creux de son ventre. Tous ces gens qui entraient dans sa chambre pour la questionner, la palper, la piquer, sans même dire qui ils étaient, sans même se soucier de ce qu'elle pouvait ressentir. Un jeune médecin se présenta avec des papiers à signer.

– Vous allez m'enlever les organes? Ça va être la grande opération, c'est ça?

– Si on veut vous débarrasser de votre cancer, on n'a pas le choix des moyens. Et après, on vous fera peut-être un peu de radiothérapie...

– Mais si vous m'enlevez mon utérus, je ne pourrai plus avoir d'enfant... J'en veux encore un dernier. Il n'y a pas d'autres traitements possibles?

– On n'a pas le choix, madame. Consolez-vous. Vous serez débarrassée de vos règles. Vous serez enfin tranquille. Plus jamais de douleurs, de crampes, de tampons. Vous serez toujours propre, propre, propre...

Mariette se tut. Comment expliquer à ce jeune homme que le sang qui s'échappait d'elle chaque mois était, dans sa vie, un rite secret qui lui plaisait, dont elle avait besoin pour se sentir femme? Elle était encore bien trop jeune pour devenir un corps neutre, sans saisons.

Le médecin rompit le silence:

– Vous avez eu deux enfants, deux fausses-couches. Vous ne trouvez pas que vous avez fait votre part? Et puis vous savez qu'à partir de votre âge, il y a des risques à faire des enfants. Bon... ne quittez surtout pas votre chambre maintenant. Mon patron, le chirurgien qui va vous opérer demain, va venir vous voir.

Une opération... demain matin. Mariette se recroquevilla en boule sur ses oreillers et remonta les couvertures jusqu'à son menton. Elle avait peur. Comme quand elle était petite et que son père, pensant lui faire plaisir, l'envoyait chercher ses bouteilles de bière à la cave, éclairée faiblement par une ampoule de 40 watts. Et si le laboratoire s'était trompé? Comment pouvaient-ils être aussi sûrs qu'elle avait un cancer? Elle se sentait en pleine forme. La consultation chez son médecin de famille était une visite de routine... Et voilà qu'elle se retrouvait coincée dans une sale histoire de maladie...

Elle n'eut pas le temps de poursuivre sa réflexion. La porte s'ouvrit et le docteur Dupont entra, en même temps que six autres personnes, tous des hommes. Il consulta le dossier que lui tendit le jeune médecin venu la questionner tantôt.

– Madame Lapointe... Eh bien, madame, tout va bien. Nous allons vous opérer demain matin.

Là-dessus, sans plus de préambule, le docteur Dupont repoussa le drap d'une main énergique.

– Nous allons vous examiner. Couchez-vous, remontez les genoux... Gonthier, allez-y.

C'est à ce moment que Mariette Lapointe se révolta. Elle s'assit sur son séant, regarda le docteur Dupont dans les yeux, repoussa fermement le jeune médecin qui tentait de la recoucher et elle lança un «Non!» sonore.

– Non! Je ne veux pas d'opération. Pas demain en tout cas. Je veux réfléchir. Je veux voir un autre médecin, dans un autre hôpital. Je veux qu'on recommence tous les tests. On a pu se tromper. Ça arrive, je le sais. Et puis je veux être traitée comme du monde! Deux médecins à la fois, ça va, mais six, je le prends pas!

Pendant trente secondes on n'entendit rien d'autre dans la chambre 704 qu'un léger clic-clic. Le docteur Dupont jouait frénétiquement avec le poussoir de son stylo Parker plaqué or. Les internes et le résident Gonthier se regardaient, ne sachant trop quelle attitude adopter.

– Dans l'état où vous êtes, madame, chaque jour perdu peut être lourd de conséquences. Vous avez des enfants, alors pensez à eux. Ils ont encore besoin de leur mère... dit le docteur Dupont, les dents serrées.

– Non! Je pense à moi d'abord. Je veux sortir d'ici! Je veux avoir l'avis d'un autre spécialiste.

– Mais enfin, madame, vous ne vous rendez pas compte! Ici, dans le service du docteur Dupont, vous serez mieux traitée que partout ailleurs au Québec. Nous avons deux ans d'avance sur les autres hôpitaux, grâce aux protocoles américains et aux travaux du docteur Dupont. Ici, c'est le nirvana de l'oncologie, s'exclama avec passion le jeune docteur Gonthier.

– Vous êtes convaincus que j'ai un cancer. Mais pas moi. J'ai déjà lu dans une revue un article qui parlait des erreurs d'analyses, de tous ces gens opérés pour rien...

Là-dessus, incapable de se retenir, Mariette fondit en larmes.

– Je constate que vous êtes très nerveuse, madame... (le docteur Dupont jeta un bref regard au dossier) Lapointe. Les journalistes écrivent des sottises. Allons, reprenez votre calme. Cessez de vous conduire en petite fille. Nous allons vous laisser vous ressaisir et mon résident le docteur Gonthier reviendra vous voir dans quelques minutes. Il vous fera signer quelques papiers, et demain soir, tout sera terminé. Vous rentrerez chez vous dans une dizaine de jours et, dans six à huit semaines, vous pourrez commencer à reprendre progressivement vos activités.

En sortant de la chambre 704, le docteur Dupont remit le dossier de Mariette Lapointe à son résident:

– Je veux que cette patiente soit vue par un psychiatre. Elle me paraît perturbée. Probablement le choc de la mauvaise nouvelle. Appelez-en un immédiatement. Et faites-lui administrer du Démerol 100 mg ce soir et au lever demain, en plus de la prémédication habituelle. Je l'opérerai à huit heures. Avertissez le bloc opératoire de faire les changements nécessaires. Nous commencerons la journée avec ce cas.

28

Amanda n'avait encore jamais été appelée en consultation par un chirurgien. En arrivant au poste, elle lut la note laissée à son intention par le docteur Dupont.

Patiente en état de crise, déséquilibrée. Souffre d'angoisse. Refuse catégoriquement d'être opérée. A besoin d'être calmée et convaincue de la nécessité urgente d'être prise en main. Une évaluation psychiatrique serait souhaitable.

Mariette Lapointe était en train de faire sa valise lorsque Amanda entra dans sa chambre. La jeune femme lui jeta un regard étonné.

– Bonjour, je suis le docteur Doré. On m'a priée de venir vous voir. Qu'est-ce qui ne va pas?

– Il paraît que j'ai un cancer et que seule la grande opération me sauvera la vie. Je ne crois pas à ça. Je ne veux pas être opérée demain matin. Je ne suis pas sûre du tout d'être malade. À vrai dire, je ne me suis jamais aussi bien sentie... J'ai l'impression de vivre un cauchemar.

Amanda s'assit sur le bord du lit et elle écouta attentivement Mariette Lapointe lui raconter son histoire, tout en l'observant d'un œil clinique. Elle la trouva logique et articulée dans ses propos et le lui dit:

– Je suis d'accord. Vous avez raison de demander un deuxième avis. Ce que vous voulez, c'est prendre une décision éclairée, finalement.

Mariette Lapointe esquissa un petit sourire.

– C'est en plein ça. Les choses vont trop vite. Je veux voir clair avant de dire oui. Si j'ai vraiment un cancer, les tests qu'on me fera ailleurs le diront. Là, je le croirai. Il me restera à voir s'il y a seulement l'opération qui puisse me guérir...

– Peut-être existe-t-il une alternative? Ça vaut la peine que vous vous renseigniez. Ce qui est important, c'est que vous consultiez rapidement.

– Oui... je vais y voir dès demain.

– Vous savez où aller pour demander un autre avis?

– Heu... ben non. Je comptais appeler le Centre de santé des femmes... Il paraît qu'elles ont une liste de bons spécialistes. Qu'est-ce que vous en pensez, docteur Doré... vous êtes une femme et vous êtes aussi médecin...

– Je pense que c'est une excellente idée... Maintenant, avant de partir, il va vous falloir signer un formulaire de dégagement de responsabilité... C'est une formalité indispensable. Je vais informer le poste de votre décision. Je vous souhaite bonne chance dans votre démarche. Si vous avez besoin d'aide, n'hésitez pas à nous appeler surtout. Nous essaierons de vous aider. Dites... pourquoi est-ce que vous ne resteriez pas pour le souper? J'entends qu'on passe les plateaux... Vous pourriez partir juste après.

Au poste, le personnel s'apprêtait à changer de quart. Amanda s'adressa à une infirmière en train de classer des dossiers.

– La patiente du 704 peut partir. Voulez-vous lui faire signer le formulaire de circonstance et aviser son médecin traitant...

– Parlez à ma remplaçante, docteur, lui répondit la jeune infirmière visiblement exténuée. Vous comprenez, c'est l'heure du souper et j'ai quatre patients à voir avant de partir. C'est le gros rush, encore aujourd'hui. Depuis la réorganisation du service, on est à court de personnel.

Juste à ce moment, le docteur Gonthier arriva, la mine aussi grise et usée que les semelles de ses mocassins blancs. En soupirant bruyamment, comme s'il avait avalé de l'air en trop, il prit plusieurs dossiers, dont celui de Mariette Lapointe pour lequel il se permit une remarque cynique:

– Ah! Lapointe, Mariette, l'emmerdeuse...

Amanda lui toucha le bras.

– Minute. J'ai une note à inscrire dans le dossier de votre... emmerdeuse. Je suis le docteur Doré, psychiatre. Je viens de voir madame Lapointe. Cette femme, d'après mon évaluation, est tout à fait lucide et saine d'esprit. Elle refuse pour l'instant d'être opérée et elle veut quitter l'hôpital pour aller consulter ailleurs. Et je ne vois pas pourquoi, dans les circonstances, sa décision ne serait pas respectée. Je vous assure que je ferais la même chose à sa place. Il est probable qu'elle reviendra ici d'elle-même, dans une dizaine de jours, lorsqu'elle sera sûre du diagnostic.

Le docteur Gonthier lui jeta un regard peu amène.

– Écrivez vos commentaires sur une feuille à part, je vous prie. Je l'ajouterai au dossier plus tard.

Là-dessus, il lui tourna carrément le dos et partit en se traînant les pieds, ses dossiers sous le bras. Amanda demanda une feuille de rapport et inscrivit son diagnostic:

Madame Lapointe, bien que troublée par les événements, est tout à fait saine de corps et d'esprit. Je n'ai rien noté d'anormal dans son comportement et objectivement, je trouve sa démarche tout à fait respectable.

Vingt minutes plus tard, en revenant au poste, le docteur Gonthier lut son message et il jugea prudent de téléphoner à son patron. Il ne savait plus quoi faire.

– À propos de madame Lapointe, la cancéreuse du 704, le psychiatre – une femme–, est passé. Selon elle, la patiente est normale. Elle est d'accord pour qu'elle quitte le département.

Le docteur Dupont grimaça et son résident en ressentit le contrecoup jusqu'au fond de ses oreilles. Cela lui fit l'effet d'une lame de fond, acide et décapante sur le tympan.

– Gonthier... il y a des situations où les gens ont besoin qu'on les aide contre leur gré. Madame Laporte, non, Lapointe, doit absolument être opérée. Et le plus vite sera le mieux. Et le mieux, c'est demain matin, huit heures! J'ai prescrit du Démerol... Cela devrait la rendre apte à signer sans chichi la formule de consentement à l'opération. Tant pis pour la psychiatre. Débrouillez-vous. Dans quinze jours, elle viendra nous remercier en pleurant d'avoir pris l'initiative de la décision... Et maintenant, Gonthier, foutez-moi la paix! Je suis en retard dans mes rapports de statistiques. Si je ne peux pas compter sur vous pour régler la petite routine, ça finira par aller mal pour vous... Ah! Un dernier conseil encore: la prochaine fois que je vous demanderai de faire venir un spécialiste, assurez-vous que ce soit un homme...

Le docteur Gonthier, dont le teint avait viré du gris au vert pendant la conversation, maugréa en refermant l'appareil.

– La routine. Il appelle ça la routine! Pourquoi est-ce qu'il ne la laisse pas tout simplement partir, cette bonne femme? Des cas de cancer, ce n'est pas ce qui nous manque par les temps qui courent.

Il vit passer les chariots du souper, fleurant le poulet rôti et la salade de chou. Il demanda à l'infirmière de nuit d'aller donner les médicaments prescrits par le docteur Dupont à la patiente du 704. Dans une petite heure, Mariette Lapointe serait sonnée juste à point et elle ne l'ennuierait pas avec une litanie de questions embêtantes. La journée avait été longue et éprouvante. Il avait hâte de pouvoir aller s'étendre et dormir quelques heures sans être dérangé...

29

L'infirmière entra dans la chambre de Mariette Lapointe au pas de course, comme si elle fuyait un amant en colère.

– Qu'est-ce que vous faites là avec votre valise, tout habillée? Allez allez, allongez-vous, descendez votre culotte. C'est l'heure de recevoir votre potion magique. Dépêchez-vous, j'ai encore d'autres patients à voir...

– Mais je m'en vais... je veux dire, je finis de souper et je pars après. J'attends pour signer mon formulaire.

– D'accord, d'accord. Si votre docteur est consentant, vous partirez après le repas. Mais pour l'instant, ce qui me préoccupe c'est de vous donner votre médicament. C'est inscrit sur votre dossier. Moi, vous comprenez, je suis là pour exécuter les ordres.

– C'est quoi votre truc? Des vitamines?

– De quoi vous faire voir la vie en rose, ma petite madame. Il est gentil votre médecin. Il veut que vous preniez du bon temps...

Docilement, Mariette fit ce qu'on lui demandait. Ce n'est pas une petite injection qui changerait quoi que ce soit, maintenant.

Le cerveau embrouillé par le puissant médicament prescrit, Mariette Lapointe signa le papier que lui tendit le docteur Gonthier. C'était amusant les règlements de l'hôpital. On signait soi-même son billet de sortie...

– Je me sens flagada, docteur. Est-ce que je peux dormir un peu, maintenant? Je partirai après...

– C'est ça... dormez tant que vous voudrez... bonne nuit.

Le 3 mars, à huit heures cinq minutes précisément, le docteur Dupont, d'un geste sûr, trancha la peau de l'abdomen de Mariette Lapointe. Il pratiqua une hystérectomie totale, préleva soigneusement des échantillons de tissus et abandonna la femme à son résident en chirurgie pour le minutieux travail de suture.

Dans la salle de réveil, Mariette Lapointe entendit une voix inconnue s'adresser à elle. Ses paupières, scellées comme des huîtres malpèques, refusaient l'ordre d'ouverture lancé par son cerveau.

– Tout s'est bien passé, ma petite madame. On va maintenant vous reconduire à votre chambre. Non, non! Ne touchez pas à ça! C'est votre soluté.

Mariette Lapointe bougea sa main en direction de son ventre. Elle comprit qu'elle avait été opérée. Contre son gré. Incrédule, puis révoltée, elle essaya de se lever. Une douleur effrayante irradia dans tout son ventre, lui broyant les os, lui coupant la respiration. Elle poussa un cri qu'elle aurait voulu assez puissant pour déchirer les tympans de ceux qui avaient osé la violer. Elle s'entendit geindre et trouva que sa plainte ressemblait à un miaulement de chatte à qui on aurait arraché les griffes. Elle se tut et s'abandonna au mouvement de la civière qu'on roulait dans le corridor. Elle était un ballon rouge, léger léger, que des enfants roses et joufflus poussaient sur le trottoir. Une petite fille à couettes la lança dans la rue. Elle vit le gros camion tourner le coin. Elle allait finir écrasée et personne ne recueillerait ses restes. Un ballon crevé, ça ne sert plus à rien...

En fin d'après-midi, lorsque l'infirmière qui venait régulièrement prendre sa tension se présenta – et qu'elle se sentit capable de parler correctement –, elle la chargea d'un message pour le docteur Doré.

– Dites-lui qu'elle est une belle salope. Et qu'on se reverra pour régler nos comptes!

– Il n'y a pas de docteur Doré dans le service, madame, lui répondit l'infirmière. Allons, allons, cessez de vous énerver comme ça. Je vais vous donner votre calmant. Ça va vous faire dormir gentiment. Maintenant il vous faut reprendre des forces.

30

Amanda, en arrivant à l'hôpital, décida de téléphoner au docteur Dupont pour lui parler du cas de madame Lapointe. Elle trouvait très curieux et, d'une certaine manière, inquiétant qu'il l'ait perçue déséquilibrée et en état de crise. On lui fit savoir que le docteur Dupont opérait et qu'il en avait pour l'avant-midi. Peut-être pourrait-elle passer dans son service vers seize heures, avant qu'il ne commence ses visites...

Lorsqu'elle se présenta au poste, on lui dit que le docteur Dupont n'était pas encore arrivé mais que c'était une question de minutes.

– Je ne peux malheureusement pas attendre. Dites-lui que le docteur Amanda Doré du département de psychiatrie demande à lui parler. C'est important.

À l'énoncé de son nom, l'infirmière leva la tête.

– C'est vous le docteur Doré? J'ai reçu un drôle de message pour vous de la part de la patiente du 704, madame Lapointe, celle qu'on a opérée ce matin. Elle n'a pas l'air de vous aimer bien gros.

– Quoi? On l'a opérée? Sans son consentement? Qui a fait ça? demanda Amanda avec un battement de cils étonné.

– Ben... le docteur à qui vous voulez parler, le docteur Dupont.

Aussitôt, Amanda prit le chemin de la chambre 704. La porte était entrouverte. Mariette Lapointe avait les yeux fermés. Elle s'approcha doucement.

– Madame Lapointe, dormez-vous?

La malade ouvrit les yeux, reconnut la visiteuse et lui lança un regard brillant de mépris.

– Madame, je ne sais pas ce qui s'est passé... Je suis ici pour le découvrir. Qu'est-il arrivé après mon départ?

Mariette Lapointe dressa péniblement sa tête.

– Il est arrivé... ça, répondit-elle en désignant son ventre. Je suis maintenant une femme stérile, grâce à vos bons soins...

– Mais je vous jure que je n'y suis pour rien.

– *Chrissez votre camp!* siffla la malade. Même amochée, je me sens capable de vous transformer en pâté chinois! Visage à deux faces! Si les femmes deviennent médecins pour mieux trahir les femmes, elles feraient mieux de continuer à cirer des planchers et à faire de la broderie!

– Madame Lapointe, je me sens aussi indignée que vous dans toute cette histoire. Je vais avoir immédiatement une sérieuse conversation avec le médecin qui vous a opérée et je reviendrai vous voir. Si quelqu'un vous a trompée, vous avez le droit de savoir qui.

Mariette Lapointe ne répondit rien. Elle tourna simplement son visage contre le mur, comme on ferme une porte.

Bouleversée, Amanda sortit et, dans son émoi, elle heurta de plein fouet la personne de l'éminent docteur Dupont. Il la prit d'abord pour une visiteuse. En dehors du service de psychiatrie, Amanda se promenait sans la traditionnelle veste blanche. Elle eut l'intuition foudroyante d'être en présence du fauteur de troubles.

– Vous ne seriez pas le docteur Dupont par hasard? lança-t-elle d'un ton rogue.

– Je suis, oui, madame, et ce n'est pas un hasard. Vous êtes une parente de la patiente, je présuppose? Ce n'est pourtant pas l'heure des visites, ce me semble?

– Je suis le docteur Doré, psychiatre. C'est bien vous qui avez réclamé une consultation pour cette femme... Je veux vous parler d'elle, maintenant!

Le chirurgien la détailla, de la tête aux pieds, puis il dit:

– Pour l'instant je suis occupé, ma chère.

Choquée par sa condescendance et son outrecuidance, Amanda vit rouge.

– Vous avez le choix, docteur. Ou je vous parle ici, devant tout le monde, ou je vous vois en privé, tout de suite.

Le docteur Dupont, dont la mine était, quoi qu'il arrive, traditionnellement impassible, eut un léger frémissement dans les mâchoires. Le ton de sa collègue était nettement menaçant. Il jugea prudent de lui accorder le temps qu'elle réclamait.

– Par ici, répliqua-t-il d'un ton froid mais poli.

Il lui indiqua une petite salle prévue à l'intention des visiteurs, au bout du couloir. Amanda le suivit, entra et claqua volontairement la porte sur eux.

– Hier, docteur, vous avez demandé un psychiatre en consultation pour évaluer l'état d'une de vos patientes, Mariette Lapointe. Vous jugiez cette femme profondément perturbée, incapable de faire face à la situation. Je suis venue la voir et j'ai trouvé une personne inquiète, soit, mais remarquablement structurée. Je l'ai écoutée et j'estime que sa décision était éminemment cohérente et respectable. Je lui ai dit qu'elle pouvait quitter l'hôpital, puisque tel était son désir, après avoir signé le formulaire de rigueur en pareille circonstance. J'ai fait part de mon opinion au résident chargé de son dossier. J'ai écrit mes commentaires sur une feuille qu'il était censé ajouter au dossier. Or vous l'avez quand même opérée ce matin et j'attends que vous m'expliquiez ce qui s'est passé.

– Eh bien, la patiente, grâce à votre intervention thérapeutique et ponctuelle, a probablement changé d'avis. Elle est revenue sur sa décision. Elle a fait preuve de lucidité, comme vous dites, et elle a accepté son sort. Ce matin donc, je l'ai opérée. C'était d'ailleurs le seul traitement possible en l'occurrence...

– Selon votre point de vue de chirurgien, prompt à trancher tous les maux à coups de bistouri!

Le docteur Dupont croisa ses bras et sourit, dans le but inconscient de démontrer sa supériorité sur les plans physique et professionnel.

– Écoutez, mon petit, vous êtes terriblement jeune... vous ignorez tout de la cancérologie. Je vous ai demandé une évaluation psychiatrique de ma patiente. Vous l'avez faite, avec un zèle qui vous honore. Restons-en là, voulez-vous? Le reste me regarde.

– Oh non! J'ai bien l'intention de tirer cette histoire au clair, que vous le vouliez ou non! Je veux voir le dossier de madame Lapointe. Je veux savoir ce qui s'est passé hier, après mon départ. Je veux la vérité, pour moi et pour votre patiente, comme vous dites.

Amanda mordit rageusement dans les mots tout en reculant vers la porte. Elle avait la sensation désagréable de faire face à un cobra prêt à cracher son venin.

– Je vous conseille de vous mêler de vos affaires et de retourner sagement dans votre service, docteur. Votre carrière débute... Il serait dommage qu'un zèle intempestif gâche vos chances d'avancement au sein de notre institution.

Amanda tourna le dos au cobra, sortit de la pièce et se dirigea vers le poste au pas de charge. Elle s'empara du dossier de Mariette Lapointe, l'ouvrit et lut aussi rapidement que ses yeux le lui permettaient. Elle sentit le souffle du cobra sur son cou. Avant qu'il ne lui enlève le document, elle eut le temps de constater que Mariette Lapointe avait reçu assez de Démerol pour signer l'exécution de ses propres enfants, le sourire aux lèvres. Elle vit sa signature vacillante sur le formulaire et comprit le drame qui s'était joué juste après son départ.

Les internes et les infirmières du service étaient aux aguets. En moins de cinq minutes, la nouvelle s'était répandue: une jeune spécialiste était venue demander des explications au maître des lieux et elle n'avait pas mis de gants blancs pour le faire.

Amanda se retourna et fit face au «maître», ses mains crispées, enfoncées dans les poches de sa jupe de laine. Sous l'effet de la colère, son chignon cédait. Elle le sentait glisser sur sa nuque. Mais elle ne voulait pas y prêter attention.

– Comptez sur moi pour rapporter cet incident au conseil de l'hôpital!

Le docteur Dupont, sans la quitter des yeux, tendit le dossier à bout de bras, afin qu'on l'en débarrasse. Lui qui ne transpirait jamais sentait une moiteur mouiller ses aisselles. Il devait en finir avec cette scène ridicule. Il éleva la voix d'un ton.

– Si j'étais vous, docteur, je n'en ferais rien. Il se trouve que je fais partie de ce conseil à titre de vice-président. Vous vous mêlez de choses qui ne vous regardent pas.

– Et alors, vous croyez m'intimider? Vous avez manqué à l'éthique de la plus odieuse façon, docteur, et si madame Lapointe en manifeste le désir, je l'aiderai à porter plainte au Syndic de la Corporation professionnelle des médecins du Québec... Vous avez de la veine que je ne sois pas un homme, je ne sais pas ce qui me retient de vous flanquer mon poing au visage!

Conscient qu'un public discret mais passionné se délectait de l'incident et du moindre mot prononcé, le docteur Dupont se retourna et, d'une voix théâtrale et sarcastique, il lança:

– Eh bien, c'est la première fois qu'il nous faudra appeler l'urgence psychiatrique pour venir rendre service à une collègue qui a perdu le nord! Vous avez besoin d'un petit repos, docteur. Nous y verrons, puisqu'il le faut.

– Pauvre type, va! lança Amanda, littéralement hors d'elle.

Vingt-quatre heures plus tard, Amanda était convoquée par le directeur de son service, le docteur Armand Dutour, celui-là même qui l'avait engagée et soutenue depuis le début. Il lui fit comprendre en termes délicats qu'elle ferait mieux d'oublier l'histoire de Mariette Lapointe si elle voulait continuer à travailler dans son service. Personne n'aimait le docteur Dupont. Bien sûr, elle avait raison. Il n'aurait pas dû opérer une patiente contre son gré, briser sa volonté en lui faisant administrer des drogues. Personnellement, il trouvait le comportement du docteur Dupont odieux mais... Le docteur Dupont était un intouchable. Même si Mariette Lapointe et elle témoignaient contre lui, elles perdraient toutes les deux. Au mieux, une légère et paternelle réprimande serait adressée au spécialiste. Et après, le couperet tomberait sur la tête d'Amanda, actionné par le docteur Dupont, à distance, et personne n'y pourrait rien.

– Je ne veux pas vous perdre, Amanda. Je vais tout faire pour vous protéger contre lui, à la condition que vous me promettiez de ne rien entreprendre de votre côté.

Amanda demanda à réfléchir. Elle appela son amie, Catherine Dubost, comme elle faisait chaque fois qu'elle traversait une zone de turbulence, sur le plan personnel ou professionnel. À son grand étonnement, la spécialiste française se montra sensiblement du même avis que son patron.

– Ma petite Amanda, ce personnage peu scrupuleux a fait une belle crotte devant vous et, d'une certaine manière, vous lui avez mis le nez dedans. Ça, c'est votre avantage et sa punition. Contentez-vous de ça. Si vous poussez plus loin, vous risquez effectivement votre tête et personne ne consentira à vous épauler, de peur d'être à son tour pris à partie. Votre chirurgien au long couteau finira par sentir très mauvais, à des lieues à la ronde, et il devra un jour payer la note. Je sais que ça vous paraît lâche comme attitude mais la médecine, vous devez le comprendre, c'est comme la politique. Celui qui ne joue pas le jeu est rejeté...

Amanda voulut tout de même s'expliquer avec Mariette Lapointe. On lui dit qu'elle avait quitté l'hôpital. En réalité, le docteur Dupont avait arrangé son transfert dans un autre service. Amanda décida donc de se taire, à moins que la jeune femme ne fasse appel à son témoignage. Mais elle n'entendit plus jamais parler d'elle.

31

Trois ans après son lancement, la revue *Isis* voguait tranquillement vers le large: 31 000 abonnés et 11 000 ventes en kiosque. Il avait fallu un certain temps à Roland Garneau et à Edgar pour découvrir que le magazine était marrainé par une certaine Dolly Hanson. Le nom de fille de cette milliardaire, originaire de Chicoutimi, était Dolorès Fréchette. À l'âge de 17 ans, la jeune fille avait épousé, avec le consentement enthousiaste de ses parents, un jeune et vigoureux Texan, Peter Hanson, rencontré à Québec lors d'un concert de musique de chambre au Château Frontenac. Les parents du jeune Peter, richissimes, avaient déposé un joli magot dans la corbeille de mariage de leur fils unique. «*You can do anything you want... but make business!*» avait dit Peter Hanson père à son fils.

Peter Hanson avait une passion: les oiseaux exotiques. Avec Dolorès, il partit en Australie, en voyage de noces. Là, il fit la rencontre d'un jeune chercheur, Kevin O'Donoghue, hanté par le désir de mettre au monde des perruches blanc et violet.

– Trafiquer les gênes, organiser des mutations est un jeu passionnant, fit remarquer le jeune savant en faisant visiter son laboratoire à son nouvel ami américain.

– À cause d'une mutation spontanée – je vous jure que je n'y suis pour rien –, les gênes porteurs du bleu chez ces perruches que vous voyez là ont fait défaut. Les bébés, au lieu de naître avec des plumes vertes, comme celles de leurs parents, ont affiché la bannière du jaune. Il ne me restait qu'à fixer cette nouvelle couleur, afin qu'elle puisse se transmettre aux descendants... Un jour, je mettrai au monde des perruches blanches avec, sur le front et les ailes, une étoile violette. Un jour...

Peter Hanson décida de subventionner les désirs scientifiques de ce jeune Australien qui allait devenir son associé.

Certaines expériences réussirent. Et ce fut le début de la fortune pour Peter et son ami. Pendant que Kevin poursuivait ses recherches, Peter organisa un réseau d'exportation qui prit, en l'espace de quelques années, une envergure considérable. Il s'intéressa aussi à la nourriture et à l'hébergement de ces petits animaux de compagnie. Cages, graines, vitamines, jouets, antibiotiques, desserts gastronomiques, bains de luxe, disques d'apprentissage... la gamme des accessoires s'élargit, en même temps que les ambitions de Peter.

En quinze ans, les produits et les animaux portant le label Hanson envahirent le monde entier.

Dolly eut droit, elle aussi, à une cage de luxe, avec serviteurs, piscine, limousine et chauffeur. Malgré ce régime privilégié, elle souffrait d'un grave problème. Elle avait une sainte horreur des animaux, particulièrement des oiseaux. Il n'y eut jamais de perruches dans la luxueuse maison que Peter fit construire pour Dolly, à Palm Springs.

– La seule bête que j'ai jamais tolérée dans mes appartements, c'est Peter, disait-elle en gloussant aux journalistes de *Vogue* venus l'interviewer.

C'est ainsi que Raymonde repéra les traces de son ancienne amie. Car Raymonde était, elle aussi, une fille de Chicoutimi. Quand les deux femmes se retrouvèrent, dans le hall d'un chic hôtel de San Francisco, elles se sautèrent au cou, comme des couventines de septembre après les vacances d'été. Elles échangèrent leurs souvenirs. Raymonde ne cacha pas à son amie son orientation sexuelle. Au fil de ses confidences, elle lui parla de son projet de revue féministe, «par les femmes et pour les femmes».

Dolly l'écouta attentivement.

– Il te faudrait combien pour démarrer ton truc?

– Un gros paquet... 500 000 $ pour la première année. Et presque autant pour les deux années après, histoire de bâtir une liste d'abonnées qui donnera au magazine une bonne vitesse de croisière et... ses lettres de créance auprès de quelques grands annonceurs de prestige: des maisons d'édition françaises, des ministères des gouvernements provincial et fédéral...

Dolly se pourlécha les babines.

– Y a bon miam miam! Depuis le temps que je cherche à flamber du fric pour une bonne cause, je tiens le filon! Écoute, je te propose un marché: je fais faire une bonne étude de marché. Je veux qu'on parte les reins solides. Je te prête un de nos hommes d'affaires pour la première année. Toi, tu prends en charge l'aspect rédactionnel et fonctionnel du magazine et tu me tiens au courant de tout, régulièrement, sans jamais mentionner d'où te viennent les fonds. Si ton business n'est pas rentable au bout de quatre ans, on arrête tout. Marché conclu?

Éberluée, Raymonde se claqua les deux cuisses de ravissement et se jeta dans les bras de son amie en rugissant comme une lionne en chaleur. Les clients de l'hôtel sursautèrent et certains crurent même un instant qu'un incident grave éclatait...

32

Edgar, comme il le voulait, fut finalement nommé rédacteur en chef de *La Petite Patrie*. Mais les choses ne se passèrent pas comme il l'avait prévu. Il y eut d'abord de longs conciliabules entre Roland Garneau et son adjoint, Gaston Lamothe, et cela l'inquiéta. Il avait noté, depuis quelques semaines, un subtil changement dans le comportement de Gaston qui paraissait de plus en plus détaché de son travail et, en même temps, préoccupé, distrait. Une évolution de sa maladie, peut-être. Quand il l'invitait à manger chez Pauline, un petit restaurant situé au coin des rues Bellechasse et Saint-Denis, Gaston continuait d'enfiler sans broncher les deux ou trois gins tonic qu'il lui offrait. Mais désormais il refusait le café corsé que Pauline avait l'habitude de servir à ses vieux habitués. Il se contentait de sucer des menthes à l'anis pour neutraliser l'haleine de son tuyau de poêle, comme il disait avec la moue désabusée d'un vieux clown retraité.

Aussi, lorsque Roland Garneau se décida à convoquer Edgar dans son bureau, il fut soulagé. S'il se tramait quelque chose, il saurait enfin quoi.

– Tu comptes te marier quand avec ta belle grande noire? (Edgar lui avait montré une photo d'Amanda.)

– Nous avons fixé la cérémonie au 5 septembre. Nous comptons prendre quinze jours pour notre voyage de noces. Nous irons en France, comme le souhaite ma future.

Roland Garneau hocha la tête et se cura énergiquement les oreilles avec un coton-tige. C'était là une de ses habitudes quotidiennes, et il traînait sur son bureau autant de tiges de coton sales que de crayons usés.

– O.K., pas de problème. Je t'offre tout de suite mon cadeau de mariage. En tant que nouvel éditeur de *La Petite Patrie*, je t'offre le poste de rédacteur en chef. Ta nomination sera officielle le 12 septembre. Quand tu reviendras, ce sera pour t'asseoir dans mon fauteuil. Alors, qu'est-ce que tu dis de ça? T'es content?

Edgar essaya de rester impassible. Il serra les accoudoirs du fauteuil à deux mains pour ne pas bondir de joie, comme un gamin. Il n'aimait pas qu'on sache ce qu'il ressentait. Cela le gênait encore plus que si on l'avait forcé à se mettre à poil devant le nonce apostolique et sa suite. Il se gourma discrètement et posa une question de stratégie:

– Et Gaston, il lui arrive quoi à lui?

– Eh ben, il nous quitte, figure-toi. Il va tout expliquer ça lui-même tantôt. Convoque-moi le personnel de rédaction et les secrétaires dans mon bureau pour onze heures.

Edgar sortit et fut aussitôt happé par une Christine fébrile et au bord des larmes.

– Faut que je te parle, mon chou.

Depuis quelques semaines, Christine, elle aussi, avait changé. Elle ne fumait plus, sirotait des eaux Perrier à n'en plus finir et se plaignait de maux divers: brûlures d'estomac, nausées, gain de poids, etc. Edgar se réfugia avec elle dans le cagibi qui abritait une partie des archives.

– Fais ça vite parce que Garneau nous attend tous dans son bureau à onze heures.

Christine le prit brusquement par le cou et murmura à son oreille:

– Je suis enceinte de mon jules, chéri. Nous allons nous marier dans une quinzaine. Qu'est-ce que tu dis de ça? Ça t'en bouche un coin, hein? Je te prends de vitesse sur toute la ligne, grand marminou!

– Tu te maries? Avec ton avocat?

– Mhmh! Avec Me Jean-Robert Gauthier en personne.

– Il a donc fini par se décider à demander le divorce malgré les ennuis financiers que cela va lui causer?

– Il s'est produit un miracle. C'est sa chère Stella qui a demandé le divorce. Et son avocat propose un partage relativement acceptable de leur avoir. Jean-Robert garde la maison de Hamstead et Stella le condo en Floride. Le reste est divisé en deux parts: 55 % des comptes en banque et placements divers vont à l'ex-madame Robert, et 45 % à monsieur.

– Et le bébé, c'était voulu?

– Ah non! Mon stérilet a fait la grève. Un signe du destin... Alors j'ai décidé de me ranger et de devenir une dame respectable qui, dans quelques mois, promènera orgueilleusement son landau anglais devant la chaumière conjugale...

– Tu arrêtes de travailler quand?

– Tu es fou? Pourquoi je quitterais mon emploi? J'adore la vie que je mène. Je veux tout: Jean-Robert, le mariage, le gosse, mon job et la grande vie, encore plus *far-fetch* qu'avant.

– Bon écoute, on reparlera de tout ça plus tard... Maintenant on fait mieux de sortir de ce trou avant que les secrétaires ne s'imaginent des choses.

Les employés de *La Petite Patrie* allaient se souvenir longtemps de la réunion extraordinaire du 3 juin 1972. Roland Garneau commença par leur annoncer sa nomination, à titre d'éditeur, puis celle d'Edgar. Aussitôt, avec un beau mouvement d'ensemble, tous les regards convergèrent vers Gaston qui arborait ce matin-là un complet et un sourire angélique que personne ne lui avait jamais vus. Sur un signe de Garneau, il prit la parole:

– Rassurez-vous, je ne suis pas évincé comme vous avez l'air de le croire. J'ai présenté ma démission à Roland, mon vieil ami, parce que... je vais me marier avec Stella Longpré, l'ex-épouse de Me Gauthier, le bon ami en titre de notre chère Christine.

Stupéfaite, Christine ouvrit grande sa bouche soigneusement maquillée au pinceau, mais aucun son n'en sortit. Tous les regards convergeaient maintenant vers elle. Gaston poursuivit:

– Mon histoire a l'air d'avoir été arrangée par le gars des vues, je sais. Mais je n'y peux rien. C'est comme ça. Stella et moi, on s'est rencontrés à une réunion des AA, il y a dix-huit mois. On avait le même genre de problème à régler et bien d'autres points en commun. Bon, ben voilà... je quitte mon poste et je quitte aussi le Québec. Stella et moi allons nous installer en Floride. Nous avons acheté une marina... Nous sommes fidèles aux liquides, comme vous voyez... Nous avons seulement troqué l'alcool contre l'eau. Au fait, Edgar, la prochaine fois que tu iras manger chez Pauline, dis-lui qu'elle peut jeter ma bouteille de gin qui, grâce à sa complicité, ne contenait que de l'eau... Ça m'a bien amusé de jouer l'ivrogne un peu «cave» pour toi. Tu voulais tellement que je me noie dans l'alcool pour prendre ma place... Je n'allais pas saper ton moral en t'annonçant que ma cure de désintoxication avait réussi. Te voilà rédacteur en chef. Je suis content pour toi. Je suis persuadé que tu réussiras. Quant à toi, ma belle Christine, je te souhaite d'être bien heureuse avec ton avocat. Tu le voulais rien qu'à toi. Tu as gagné, toi aussi. Garde-le surtout! Je ne voudrais pas qu'il vienne jouer dans mes plates-bandes... Maintenant je vous quitte. Il y a une future mariée qui m'attend en bas... On a encore bien des choses à régler avant notre grand départ...

33

Le mariage d'Edgar et Amanda fut discret, comme ils l'avaient souhaité. Charles Paris avait insisté pour prendre en charge la réception qui suivrait. Il avait réservé une salle au Club Saint-Denis, rue Sherbrooke, et commandé un buffet froid qui fut fort apprécié par la vingtaine d'invités, tous des parents et proches amis du couple.

Hortense Paris rayonnait et portait constamment à ses yeux un fin mouchoir de batiste. Amanda lui plaisait énormément, même si elle se sentait un peu intimidée par la personnalité de sa nouvelle bru.

Me Paris, lui, avait été énormément déçu par la tenue de la mariée qui n'avait, selon lui, rien de nuptial. Amanda portait un tailleur bleu pervenche très strict, sans le moindre bijou, et elle avait laissé chez elle les fleurs envoyées par son futur. Edgar arborait un complet gris clair de Cerruti et son père, en l'apercevant, avait murmuré qu'il ressemblait à un mannequin des vitrines de Morgan's.

Au cours de la réception, Me Paris se sentit mal. C'est l'impression qu'il donna à ceux qui étaient à ses côtés. Il sortit précipitamment une boîte de pilules et s'en mit une sous la langue. Le geste n'avait pas échappé à Amanda qui s'approcha aussitôt.

– Vous devriez peut-être vous étendre quelques minutes...

– Non non... laissez. C'est l'énervement, la fatigue. C'est Montréal. Je déteste cette maudite ville!

Amanda fit un geste pour prendre son pouls. Il retira vivement sa main.

– Laissez, je vous dis! Vous n'êtes pas cardiologue, jeune femme. Le cœur, ce n'est pas précisément votre rayon, à ce qu'on m'a dit, ronchonna-t-il sur un ton sarcastique.

Amanda comprit que sa spécialité gênait le vieil homme. Charles Paris faisait partie de ceux que la maladie mentale dérange et effraie. Elle scruta attentivement le visage, la peau, les pupilles de son beau-père et n'y trouva aucun signe alarmant.

– Désirez-vous qu'on fasse venir un médecin?

– Si ça ne passe pas, je demanderai à Hortense de le faire. Allez allez, amusez-vous. C'est votre journée.

Amanda lui pressa doucement le bras en signe de compréhension et alla rejoindre Edgar, en grande conversation avec son frère Paul. Alain, le fils «maudit», le fugueur, le hippie avant l'heure, n'avait pu venir mais il avait envoyé au jeune couple une lettre chaleureuse et, en guise de cadeau d'amitié, une exquise statuette népalaise que Me Paris jugea parfaitement hideuse.

34

Paris troubla énormément Edgar. Il se sentit submergé, envahi par le fait français, par l'air même qui baguenaudait dans les rues où le traîna Amanda. À Montréal, le Québécois qu'il était avait fini par faire son lit, par être à la hauteur. À Paris, c'était différent. Il se sentait curieusement plus américain que français. Lui qui croyait s'exprimer dans une langue impeccable se trouvait grossier avec sa façon de prononcer les *r* et les *a* graves. Là où lui disait «pardon?», les Français lançaient un sonore «comment?». Il avait soudainement honte de ses origines, de ses manières, de sa personne même. Amanda riait de lui, de ses craintes, de ses complexes de colonisé. Elle parlait pointu comme les

Parisiens et elle prenait plaisir à se moquer de certains travers français.

Finalement, cette ville, dont il portait le nom, lui déplut pour de multiples raisons. Tout était trop grandiose, trop excessif, trop imprévisible, trop indigeste: le nom des rues, les étalages des boutiquiers, la tête des Parisiens, leurs musées, leurs toilettes, le vin qu'Amanda commandait et buvait avec un évident plaisir en lançant un joyeux:

– Avec ce verre-ci, je fais sauter les digues de la bienséance. Tenez-vous bien, bonnes sœurs de mon enfance, et voilez-vous la face. Amanda Doré est complètement bourrée! Et c'est dans l'euphorie la plus totale qu'elle va copuler dans l'espoir de faire un bébé.

Amanda le déboussolait. Il l'avait connue sérieuse, ordonnée, rationnelle, réservée; elle se révélait fantasque, primesautière, extravertie et effrontée. Il souhaitait vivre une vraie lune de miel avec elle. Mais Amanda lui rappela brutalement leur entente. Si officiellement ils étaient en voyage de noces, officieusement, ils étaient uniquement un homme et une femme en vacances, et chacun était libre de faire comme bon lui semblait. Pour les besoins de leur projet commun, elle avait consenti à ce qu'ils partagent la même chambre, mais exigé des lits jumeaux.

– Je propose que nous passions ensemble nos après-midi et nos soirées. Mais pour les matinées, chacun pour soi. J'ai de vieux amis à voir et je tiens à le faire en célibataire. Paris est beau et grand. Promène-toi. Joue au journaliste en vacances.

Habitué à des septembres québécois doux mais relativement frais, surtout la nuit, Edgar découvrit avec stupéfaction un Paris humide et chaud.

– Paris est une immense cuvette, lui expliqua Amanda. Un réservoir où les nuages et la chaleur aiment bien stagner, même en septembre. Tu devrais laisser tomber veston et cravate... tu te sentirais mieux. Tu es toujours habillé comme si tu allais rencontrer un ministre.

Ils avaient loué une chambre au Petit Clément, un hôtel familial situé en face du Marché Saint-Germain, à deux pas de la station de métro Mabillon. Malgré la chaleur écrasante, ils firent l'amour souvent. Leurs étreintes étaient rapides, courtoises et silencieuses. Amanda travaillait pour avoir un enfant et Edgar, pour posséder Amanda. De l'enfant, il se fichait énormément. En fait, il espérait qu'il n'y en aurait jamais.

35

Elle s'éveilla tôt, encore prisonnière du rêve qui l'avait visitée. Elle habitait un grand et bel appartement dans un immeuble neuf du centre-ville de Montréal. L'homme habitait là, lui aussi. Au dernier étage. Dans un trois pièces clair, lumineux et dépouillé, uniquement meublé d'un canapé blanc et d'une petite table en verre. Ils étaient tous les deux assis sur le canapé et causaient paisiblement de choses et d'autres. Amanda avait, dans les mains, deux livres qui intéressaient l'homme au plus haut point. Deux traités de chirurgie. L'homme les voulait absolument et le lui dit. Elle les lui donna en précisant:

– Si j'en ai besoin, je viendrai les consulter ici, si vous le voulez bien.

Il avait répondu oui, avec un sourire à faire chavirer la terre sur son orbite. En partant, elle avait pris le visage de l'homme entre ses deux mains pour l'embrasser sur les joues. Il bougea et le baiser atterrit au coin de sa bouche. Il frémit, comme s'il avait reçu une décharge électrique. Elle s'affola et craignit de l'avoir offusqué. Elle le regarda à la dérobée. Il était toujours souriant et totalement immobile, comme absent soudain, comme réfugié dans un recoin de son âme. Pour ne rien perdre de son visage, elle se dirigea vers la porte à reculons. Il ne fit pas un geste vers elle. Il ne lui dit pas bonjour. Il avait l'air d'une grande statue perdue dans le temps. En fait, il avait la tête qu'elle avait toujours prêtée à l'ange Heurtebise...

Elle ouvrit les yeux et entendit le joyeux tumulte des commerçants du Marché Saint-Germain et aussi la voix de monsieur Mayrinach, le propriétaire de l'hôtel, saluant un habitué sur le seuil du bar. Elle tourna la tête. Dans l'autre lit, Edgar dormait, immobile comme une statue.

Aujourd'hui, samedi 11 septembre, ils avaient rendez-vous avec Catherine Dubost. Amanda, en présentant Edgar à sa vieille amie, lui dévoila leur projet commun. Avoir un enfant aussi vite que la nature le voudrait. Dans neuf mois peut-être.

Edgar n'avait d'yeux que pour l'immense appartement du professeur Dubost. On lui avait affirmé que les Parisiens vivaient dans des trous de souris. Il conclut que la psychiatrie était, en France, une spécialité très lucrative.

Catherine Dubost détailla discrètement Edgar de ses yeux perçants. Elle observa aussi Amanda qui sentait le besoin de lui raconter dans le menu détail sa vie à l'hôpital. La vieille dame cherchait à comprendre ce qui unissait secrètement ces deux êtres apparemment décidés à devenir trois. Elle était sûre d'une chose. Il n'y avait pas d'amour dans l'air.

Amanda montra à son compagnon la pièce qu'elle avait occupée pendant les quatre années passées dans l'appartement de son amie. Puis elle l'emmena dans la salle d'écriture de Catherine, où trônait un curieux portrait.

– Cette belle chèvre à tête de femme, c'est Catherine, vue par Pablo Picasso. Un cadeau qu'il lui a fait pour avoir tiré d'affaire l'enfant d'un de ses amis, atteint d'autisme. Catherine est une véritable magicienne avec les enfants.

– Et parfois avec les jeunes filles malades d'amour, ajouta la spécialiste, en entourant les épaules d'Amanda dans un geste imprévu de tendre complicité.

Au cours des jours qui suivirent, Amanda revit quelques-uns de ses amis, seule, sans Edgar, à qui elle donna quelques bonnes adresses de lieux à visiter. Mais ce dernier, agacé par le tumulte de Paris et l'insupportable fébrilité des Parisiens, préféra garder la chambre après avoir acheté un exemplaire de tous les journaux et magazines français qu'il put trouver. Il les lut et fut frappé par le style et le ton de plusieurs journalistes. Ce n'était pas ainsi qu'il concevait le métier. Mais il fut impressionné par leur vocabulaire et leur vivacité d'esprit. Ce qui l'intéressait surtout, c'était l'ossature, la structure des magazines, l'organisation des chroniques, leur traitement visuel. Cela le nourrissait. Car ce dont il rêvait, c'était de donner à *La Petite Patrie* une personnalité forte, une image à son image. Et pour y arriver, il était prêt à tout.

36

Dans l'avion qui les ramena à Montréal, Edgar somnolait. La voix d'Amanda le tira de sa léthargie.

– Je suis enceinte. Notre enfant naîtra donc quelque part en mai prochain.

– Comment peux-tu affirmer une chose pareille? Tu désires être enceinte, mais rien ne prouve que tu l'es déjà! lui répondit Edgar, morose.

– Tu verras. Mon intuition ne me trompe pratiquement jamais.

– L'intuition, ça ne compte pas. Tu es une scientifique. Tu devrais le savoir.

– Il y a une énorme différence entre le savoir et la connaissance, la connaissance intuitive, la connaissance de notre inconscient collectif, comme l'a surnommé Jung. La scientifique que je suis est souvent sauvée par l'intuition. Si tu crois que les livres de médecine nous apprennent tout, tu te trompes. J'ai fait deux fois mon année d'internat. Et je n'en suis pas encore revenue de l'énorme différence qu'il y a entre les maladies décrites dans les manuels et celles que l'on rencontre couchées dans les lits d'hôpitaux ou assises sur les bancs des cliniques externes de consultation. On nous apprend à traiter des maladies et quand on rencontre des malades, on est paumé, tu n'as pas idée... Je me suis rendu compte que les médecins qui se tiraient le mieux d'affaire autour de moi étaient ceux qui faisaient confiance à leur intuition et surtout au savoir des malades, même si souvent ces derniers ne savent pas qu'ils savent. Tout ça pour te dire qu'une femme sait quand elle est enceinte...

Amanda expliqua à Edgar comment se développe un embryon.

– Lorsqu'il a trente-deux cellules, c'est le stade morula. Et lorsqu'il en a soixante-quatre, c'est le stade blastula. C'est le moment où l'embryon commence à nider. Il s'accroche aux parois de l'utérus au moyen de petits crochets ventouseurs qui sucent le sang dont il a besoin pour continuer à se développer.

Edgar n'aimait pas entendre la jeune femme parler de choses qu'il ne connaissait pas. Aussi s'empressa-t-il de changer le sujet de la conversation.

– Admettons que tu sois réellement enceinte. Je dis bien admettons. Cela va nous obliger à prendre un certain nombre de décisions. Par exemple, quel prénom donnerons-nous à cet éventuel rejeton?

Amanda repoussa la tablette que l'hôtesse venait de desservir et se pencha vers lui.

– J'ai une proposition à te faire.

– Encore!

– Je me charge des travaux de construction et de la livraison du «produit» et toi, tu t'occupes de trouver les prénoms. Et puis tu achètes la layette...

– Tu veux rire? Tu me vois dans les rayons de trucs machins pour bébés? Je ne saurais pas faire la différence entre une camisole et une tuque.

Amanda s'esclaffa et lui donna une chiquenaude sur la main qu'il avait familièrement posée sur un de ses genoux.

– Vas-y avec ton amie Christine. Elle t'insufflera un peu de son merveilleux flair. Comme ça, nous aurons le bébé le mieux vêtu en ville... après le sien! Et... pour les prénoms, j'aimerais vraiment que tu creuses à fond ta cervelle de journaliste pour trouver quelque chose d'original.

– Tu me proposes des contrats impossibles!

– Attention! Si tu rechignes trop à la besogne, j'échange les responsabilités et c'est toi qui devras prêter ton ventre au petit jujube affamé qui est en train de nider!

– D'accord, je signe. Mais à une condition. Tu devras livrer la marchandise avant de savoir ce que j'ai choisi. C'est valable pour les prénoms et pour le *kit-bébé.*

37

Elle n'avait plus ses règles. Elle attendait, ravie et incrédule, les bouleversements physiologiques qui allaient transformer profondément son corps, qui gonflaient déjà ses seins. Des messages sillonnaient sa chair et son sang, à son insu. Elle devinait le tumulte et se laissait envahir, heureuse d'avoir trouvé enfin une raison de continuer à vivre. Bientôt, dans trois ou quatre semaines, elle pourrait, en palpant son abdomen, repérer une petite boule ferme et bien ronde, juste en bas de son nombril. Elle lui parlerait, dès qu'elle l'aurait localisée avec ses mains... Elle savait qu'elle était enceinte d'une fille. Néanmoins elle attendit quatorze semaines avant de consulter un médecin. Puis elle annonça la nouvelle à Edgar. Comme elle l'avait prévu, elle était bel et bien enceinte.

38

Edgar se sentait coincé entre deux ventres enceints. Celui d'Amanda, à peine bombé, et celui de Christine, menaçant comme une ogive. Il éprouvait un dégoût quasi physique à la vue de ces rondeurs, sans être capable de s'expliquer pourquoi. Il espérait qu'Amanda ne l'obligerait pas à mettre sa main sur cette chose qui se développait secrètement et qui, en naissant, porterait son nom pour toujours.

Déçue par son désintérêt manifeste, Amanda cessa de l'importuner avec les bulletins de nouvelles «régionales», comme elle disait. Elle se borna à lui dire que tout allait bien.

Soulagé par la réserve de sa femme, Edgar se rappela leur entente. Il chargea Christine d'acheter un trousseau. Il lui donna carte blanche, trop heureux de se débarrasser de ce qu'il estimait être une corvée. Christine s'en donna à cœur joie et elle fit livrer les achats au journal. Edgar dut faire deux voyages pour transporter les sacs et les boîtes que les livreurs avaient entassés dans son nouveau bureau. Il rangea le tout dans la garde-robe de la future chambre du bébé. Puis il cacha la clé dans le tiroir de son bureau, une grande et belle pièce du rez-de-chaussée qu'il voulait faire décorer, au fur et à mesure qu'il en aurait les moyens.

– Si tu essaies d'ouvrir la porte, tu finiras comme les femmes de Barbe-Bleue, annonça-t-il à Amanda. À partir de ce soir, je me réserve quotidiennement dix minutes de réflexion pour trouver les fameux prénoms...

39

Christine accoucha d'une fille, née par césarienne planifiée, le 14 décembre 1972. Elle et son mari avaient été invités à célébrer le Nouvel An chez un célèbre avocat américain qui possédait une magnifique villa sur la côte du Pacifique. Ni l'un ni l'autre ne voulaient rater cette occasion. Christine avait engagé une jeune Haïtienne, diplômée en puériculture, pour prendre soin de son bébé. Contre quoi elle lui offrait le gîte et le couvert. Son mari, lui, s'occuperait d'entamer, aux frais du ménage, les procédures d'immigration nécessaires pour faire venir la mère et le frère de la jeune femme.

40

La grossesse d'Amanda se déroula sans complication. Elle continua de travailler, assumant ses gardes de nuit une semaine sur six. Edgar tenta de lui faire changer de régime:

– Je n'aime pas te voir travailler la nuit. Un malade finira par t'agresser et tu feras une fausse-couche. Je ne comprends pas que tu n'aies pas peur des fous dans ton état. Je ne comprends pas que tu aimes travailler avec eux. La psychiatrie devrait être interdite aux femmes médecins enceintes.

– Les fous de la nuit ne sont pas plus dangereux que ceux du jour, et puis je suis persuadée que je cours plus de danger en me promenant ou en traversant la rue qu'en travaillant à écouter ceux qui sont malades dans leur tête. Les gens se font de drôles d'idées, vraiment...

La grossesse d'Amanda provoquait chez Edgar des

sentiments contradictoires. Il se sentait fier et contrarié. Fier de voir se confirmer ses capacités d'engendrement. Et déçu d'avoir réussi trop vite. Lui qui rêvait de conquérir le lit d'Amanda, de la séduire en se rendant indispensable se retrouvait, un mois après le mariage, seul dans sa chambre. Amanda lui rendait visite de temps à autre, pour lui parler de l'avenir de leur enfant, mais ce n'était pas ce genre de relation qu'il souhaitait avoir avec elle.

Février et mars passèrent, grimés par un hiver maussade. Le déménagement, rue Sherbrooke, et la réorganisation de *La Petite Patrie* obligèrent Edgar à faire beaucoup d'heures supplémentaires. Lorsqu'il rentrait à la maison, Amanda était couchée et la porte de sa chambre, fermée. Le matin, lorsqu'il se levait, elle était déjà partie, ou sur le point de partir. Il avait parfois l'impression d'être en pension. Lui et Amanda ressemblaient à ces petits personnages d'horloges suisses. Quand l'un sortait de sa niche, l'autre rentrait... Bonjour, bonsoir.

Après chaque semaine de garde de nuit, Amanda avait droit à deux jours de congé. Elle utilisa ce temps pour aménager la chambre du bébé. Le dimanche, le couple s'offrait des virées dans les Laurentides, à portée de voix de son télé-avertisseur. On l'appela une seule fois et lorsqu'elle se rapporta à l'hôpital, on lui dit que sa belle-mère avait téléphoné de Québec. C'était urgent. Hortense Paris annonça au jeune couple que Charles était mort dans son sommeil. Probablement d'un infarctus. Edgar et Amanda se rendirent à Québec en avion pour gagner du temps. La famille les attendait à l'aéroport de l'Ancienne-Lorette. Hortense était calme et triste. Alain, effondré et larmoyant comme un gosse perdu. Paul, les yeux dans l'eau, soutenait sa mère et son frère du mieux qu'il pouvait. Edgar, lui, contrôlait si bien ses émotions qu'on aurait dit qu'il enterrait un très lointain vieux cousin.

Au cimetière, pendant l'ultime oraison prononcée par le frère cadet du défunt, un père capucin attaché à la chapelle de la Réparation, Amanda glissa sa main dans celle d'Edgar, dont la silhouette impassible et guindée était aussi impersonnelle qu'une porte d'ascenseur. Il réagit en mettant sa main dans la poche de son manteau. Amanda pencha la tête, désolée et désarmée.

Amanda tenta régulièrement d'intéresser Edgar à la progression de sa grossesse, mais ce dernier se montra peu réceptif. Imaginer un fœtus barbotant dans son liquide amniotique, suçant son pouce, hoquetant, rêvant peut-être, lui paraissait incongru. Déçue, mais refusant de le laisser voir, Amanda vécut seule le doux et extraordinaire envahissement de sa chair par un être qu'elle souhaitait ardemment fille. À l'hôpital, elle fit la connaissance d'un jeune psychiatre pour enfants, Jocelyn Laberge. C'est avec lui qu'elle partagea les émois des deux derniers mois de sa grossesse.

41

En se penchant pour déposer son sac à côté de son bureau, Amanda sentit un liquide chaud et doux couler le long de ses cuisses. Le liquide amniotique... il sortait d'elle et l'inondait comme une marée pressée d'en finir avec le rivage. Elle y jeta un regard critique: il était parfaitement limpide. Tout allait bien.

Elle aurait dû s'en douter. La nuit avait été mouvementée. Des lambeaux de rêves bizarres entrecoupés de quelques contractions qu'elle avait jugées sans importance. Puis de drôles de crampes dans les jambes et enfin, à cinq heures, un coup de téléphone de l'hôpital. Un malade avait réussi à s'enfuir. Après, elle n'avait pu se rendormir.

Ainsi donc, sa petite fille allait naître aujourd'hui... six jours avant la date prévue. Encore étonnée par la brutalité du signal, Amanda se laissa lentement choir sur le tapis. Les contractions de la nuit semblaient vouloir revenir. Deux coups légers frappés à sa porte la firent tressaillir. C'était Jocelyn.

– Qu'est-ce que tu fais par terre?

– Je me prépare à accoucher. Je viens juste de perdre les eaux. Tu veux bien prévenir le service d'obstétrique... il aura une cliente de plus dans quelques minutes. Oh... et puis tu peux aussi m'apporter une serviette, du papier, n'importe quoi, je suis toute trempée...

– Bouge pas surtout, je reviens!

Amanda l'entendit arriver de loin. Jocelyn chantait à tue-tête.

– Le carrosse de Madame est avancé...

Malgré ses protestations, il la prit dans ses bras et l'assit sur un fauteuil roulant emprunté au service des urgences.

– La ferme, docteur. Te voilà patiente, maintenant. Ne faites rien, ne craignez rien, on s'occupe de tout. Satisfaction garantie ou bedaine remise... tu connais le mot d'ordre du service du vieux Mousseau, hein?

– Jocelyn, tu veux me rendre un autre service... prévenir mon mari au journal? Seigneur, il va me bénir... figure-toi qu'il part en voyage d'affaires après-demain. Pourvu que le bébé ne soit pas un lambin...

À son arrivée en obstétrique, deux infirmières l'aidèrent à se déshabiller. Amanda insista pour qu'on la laisse prendre une douche.

– Les contractions ne font que commencer... j'ai tout mon temps. Le docteur Laramée est de service aujourd'hui?

– Non. Il est en congé. C'est le docteur Pinsonneault qui le remplace. Actuellement, il fait une césarienne. C'est le résident qui va venir vous voir tout à l'heure. Vous tombez à l'heure de pointe, il y a quatre femmes qui accouchent en ce moment. Et le patron est absent.

Amanda était déçue. Le docteur Laramée lui plaisait bien. C'était un homme discret, riche d'expériences, avec de bons yeux francs et des manières douces. Tant pis. Il faudrait qu'elle se contente du docteur Pinsonneault. Elle l'avait entrevu à deux reprises, mais n'avait jamais eu l'occasion de lui parler.

Amanda revêtit la chemise d'hôpital qu'on avait déposée au pied de son lit. Elle pesta contre la couleur, le style et les attaches dont une lui resta bêtement entre les doigts. Puis elle s'étendit et mit les mains sur son ventre. Très vite, elle se sentit mal à l'aise dans cette position. Elle se releva et se mit à marcher comme une automate, arpentant sa chambre de la fenêtre à la porte et de la porte à la fenêtre.

– Voulez-vous bien vous coucher tout de suite! lui commanda-t-on à quatre reprises.

Les contractions commencèrent à se rapprocher. Elles étaient fortes et un peu plus douloureuses que les premières. Le travail avait l'air de progresser vite.

Chaque fois qu'on l'obligeait à s'étendre pour l'examiner, Amanda perdait son calme.

– Je vous dis que tout va bien... laissez-moi en paix. Je n'arrive pas à me concentrer avec tous ces touchers... Et le résident, il vient?

– Il est toujours occupé... mais ça ne sera plus très long maintenant.

À présent, les contractions étaient franchement pénibles. Elles la malaxaient, la pétrissaient des pieds à la tête.

– Sept centimètres... ça y est. On vous emmène à la salle d'accouchement, lui dit la jeune infirmière qui s'occupait d'elle depuis le début. Eh ben, vous alors, on peut dire que vous ne chômez pas... vous êtes arrivée il y a à peine deux heures... Et vous avez évité la salle des douleurs!

La pièce était blanche et violemment éclairée.

– Voilà... vous êtes arrivée au parking...

– C'est accueillant comme une banquise, murmura Amanda.

– Vous en faites pas pour le décor. Tantôt, vous ne verrez plus rien... vous serez dans les vaps... Le docteur

Pinsonneault ne laisse jamais souffrir une femme. Il va vous donner un bon calmant. Maintenant, on va vous installer votre soluté.

Amanda avait le goût de s'enfuir. Ce n'était pas possible qu'elle accouche dans un tel lieu. Elle aurait dû rester dans sa chambre.

L'infirmière lui demanda de s'étendre sur la table et de bien vouloir mettre ses pieds dans les étriers. Le résident entra à ce moment-là. Amanda le regarda. Ce serait donc cet inconnu à la moustache anémique qui allait lui écarter les cuisses, la fouiller et débusquer son bébé... Amanda ferma les yeux. Il faudrait au moins qu'il ne la regarde pas comme maintenant... On aurait dit un métayer devant une jument dont il convoite le poulain. Elle ouvrit ses yeux et regarda les mains de l'homme et elle les détesta, frissonnant d'avance à l'idée de ce qu'elles allaient lui faire subir. Ce n'est pas le bébé qui lui ferait mal, mais ces mains-là. Amanda, énervée, contrariée, n'arrivait pas à glisser ses jambes comme on le lui demandait...

– Je ne peux pas... Je suffoque dans cette position.

Le médecin fit un geste pour l'aider.

– Ne me touchez pas!

Affolée, Amanda repoussa vivement les mains qui se tendaient vers elle et elle réussit à s'asseoir.

– Je veux marcher... j'ai besoin de marcher. Allez-vous-en... Vous me gênez et je ne peux absolument pas...

Cette fois, la contraction l'écartela. Elle chancela sur son séant et cria, étonnée qu'une telle sensation ne l'ait pas fait s'évanouir. Elle cria encore et cela la soulagea. Elle tenta de se mettre debout, mais le médecin la maintint assise avec ses mains. Il jeta en même temps un regard impérieux à l'infirmière.

– Vous êtes très nerveuse, docteur. Je vais vous donner un calmant tout de suite. Étendez-vous comme une grande et laissez-nous vous accoucher, voulez-vous? Garde... comment ça se fait que le soluté n'est pas encore branché?

– C'est en plein ce qu'on s'apprêtait à faire, docteur, quand vous êtes arrivé. Tout est allé tellement vite...

Amanda ne voulait pas de médicament et pas de soluté. Elle s'objecta, avec une voix rauque et haletante.

– Quand je n'en pourrai plus, je vous le dirai. Pour le moment, laissez-moi tranquille...ee.

Le docteur prit son bras. Manifestement, il avait décidé d'ignorer sa remarque et d'installer lui-même le soluté.

– J'ai dit pas d'injection et pas de soluté! Foutez-moi la paix ou je vous saute au visage!

Une autre contraction s'empara de son corps et lui donna un sentiment étrange de toute-puissance. Cette douleur transcendante était différente de toutes les autres. Amanda eut l'impression d'être aspirée par le dedans et retournée comme une mitaine. Elle avait changé de peau. Elle avait subi une profonde transformation. Elle était devenue une mer en furie. Tant pis pour les petits bateaux blancs qui s'agitaient autour d'elle et prétendaient la mettre au pas. Elle les avalerait tout rond. La bouche d'Amanda s'ouvrit toute grande. Quelque chose de cosmique poussait dans son ventre. Le résident, saisi par l'expression de son visage, recula. Amanda respira lentement et elle aspira tout l'air qu'elle put. Il descendit dans ses poumons, dans son ventre, dans son sexe. Il sema des milliers d'étincelles en passant. Elle se mit à rire, avec sa gorge, avec ses boyaux. Son imagination lui jouait des tours: voilà maintenant qu'elle voyait danser devant ses yeux un petit Popeye paillard et affamé. Une boîte d'épinards tournicotait autour de son visage. Il finit par l'attraper, par l'ouvrir, et par avaler les feuilles. Aussitôt, ses poings, ses pieds et son sexe se gorgèrent d'énergie. Il pétait le feu, le petit Popeye. Amanda, elle, n'avait pas besoin d'épinards. Elle hébergeait dans ses entrailles une fantastique puissance qui grondait et cherchait une porte de sortie... C'était une sensation orgiaque et douloureuse tout à la fois.

Amanda était devenue une ogive nucléaire. Tant pis pour l'univers. Si jamais le petit docteur aux moustaches agonisantes s'approchait trop, il allait prendre la paire de claques de sa carrière... Il finirait accoucheur d'étoiles dans quelque lointaine galaxie. Amanda toussa. Elle éprouva le besoin d'uriner. Elle se soulagea aussitôt, sans égard pour le lieu où elle était. Après, elle se sentit plus calme. Très lentement, elle parvint à se mettre debout. Et elle s'accroupit, instinctivement, en écartant les jambes au maximum. Son corps la tirait irrésistiblement vers le sol. Elle n'avait pas le choix. Elle toussa encore et dit:

– Appelez Prouut. Je veux Prouut ici, tout de suite. J'ai besoin d'elle.

– Bonne idée, dit le docteur. Elle arrivera peut-être à vous calmer. Je n'ai jamais vu ça... vous êtes en train de perdre le nord! Je veux bien croire que la psychiatrie est votre rayon, mais ici, c'est une salle pour accoucher, ajouta-t-il, choqué.

D'un air dégoûté, il regarda le cercle d'urine par terre.

– Il va falloir changer de salle maintenant. Emmenez-la dans la quatre. Moi je vais essayer de localiser le patron. Ça va trop mal. Et surtout, tâchez de trouver Prouut... Vous ne serez pas trop de deux infirmières pour nous aider!

Prouut était un drôle de numéro. Elle avait 50 ans. Originaire d'Acadie, elle avait fait ses études d'infirmière à l'Hôtel-Dieu de Montréal. Puis elle était partie sur le vieux continent pour y suivre un cours de sage-femme. Elle avait ensuite pratiqué ce métier en France, en Afrique et en Haïti. Elle avait derrière elle vingt-sept ans de carrière et quelques milliers de bébés, dont plusieurs nés dans des circonstances dramatiques, et pas une mort sur la conscience.

Quand elle décida de revenir au Québec, espérant pouvoir y exercer son métier, on lui expliqua sans ménagement que là où il y avait des médecins, on n'avait pas besoin de sage-femme. Au demeurant, les sages-femmes étaient des ignorantes, des dames de compagnie tout juste bonnes à tenir la main des parturientes. Mortifiée, Prouut, amoureuse des grosses bedaines et des petits petons de nourrissons, accepta de redevenir infirmière, pourvu qu'on l'affecte à un service d'obstétrique.

– Me voilà maintenant obligée de torcher des périnées à longueur de journée, clamait-elle à ses amis.

Et pourtant, elle en savait long. Dans le service, on murmurait qu'elle connaissait des «passes» que les plus savants des obstétriciens ignoraient.

Prouut avait un cœur grand comme la terre et un sale caractère. L'un tempérait l'autre. Les médecins savaient qu'ils pouvaient se fier à elle. Prouut avait également un don pour calmer les femmes qui paniquaient, pour consoler celles qui faisaient des fausses-couches, pour régler les problèmes relatifs au post-partum et à l'allaitement. Forte en gueule, elle parsemait ses discours de mots d'argot importés de France, d'Acadie et d'ailleurs. Comme si cela ne lui suffisait pas, elle en forgeait au gré de ses humeurs. Elle possédait en outre un répertoire de gestes obscènes et scatologiques qu'elle mimait avec ses doigts et sa bouche, d'où son surnom de Prouut.

En fait, Prouut tenait le service d'obstétrique sur ses épaules. Elle ne comptait pas ses heures, malgré les rappels à l'ordre du syndicat, et elle râlait ferme contre les médecins qui ne savaient faire qu'une chose: abîmer la marchandise, comme elle disait.

Amanda aimait bien Prouut. Lorsqu'elles s'étaient rencontrées la première fois, le service d'obstétrique était en ébullition. Une femme refusait obstinément de voir son bébé. «Elle est devenue folle, avait décrété le gynécologue-obstétricien qui l'avait accouchée. Faites venir un psychiatre.» Prouut avait été chargée d'en ramener un.

– Paraît qu'il y a une gonzesse parmi vos derniers arrivages. Dites-lui de se magner le train en obstétrique... on a besoin de ses 1 000 watts!

Amanda et Prouut étaient rapidement devenues des amies. Pendant sa grossesse, Prouut avait refilé quelques tuyaux de femme-sage à Amanda et, une fois, à sa demande expresse, elle avait même écouté le cœur de son bébé avec un Doptone. Longuement. Puis Prouut avait demandé:

– Qu'est-ce qu'il jacte ton «génicologue»?

– Les rapports d'analyses sont normaux. Le bébé se développe normalement. La tête est déjà bien placée...

– Il a dit ça? Bon... eh bien continue de tricoter ton moutard en paix... six rangs chaque soir et n'échappe pas de mailles en route.

– Dis-moi que ce sera une fille, Prouut... Depuis le début, j'ai l'intuition que je porte une fille. C'est ça que je veux!

– Si t'as pris du fil rose d'Acadie pour le partir, pourquoi tu t'inquiètes?

Quand la jeune infirmière repéra finalement Prouut, cette dernière s'apprêtait à partir.

– Ah non! J'ai le fondement dans les talons, moi! J'ai bossé toute la nuit avec des zigotos qui n'arrêtaient pas de tirer sur les placentas, histoire d'aller roupiller dans leur *deux par quatre* au quatrième... Trouvez-vous une autre cornichonne.

Lorsqu'elle sut qui l'appelait, Prouut fit voler son vieux béret vert de gris et son blouson amérindien.

– Fallait le dire avant, pauvre décervelée!

Quand Prouut entra dans la salle d'obstétrique numéro quatre, elle n'en crut pas ses yeux. Deux médecins, dont le docteur Pinsonneault, maintenaient solidement Amanda, complètement prostrée.

– Seigneur Dieu de mes deux!

Aidé du résident, le docteur Pinsonneault étendit la jeune femme sur la table puis il palpa rapidement son ventre.

– Vous avez vu juste: le travail est arrêté. On n'a pas idée aussi de s'obstiner à rester debout quand on est prête à accoucher! Il faut absolument que les contractions reprennent...

Prouut s'avança. Il lui faudrait jouer serré, comme toujours.

– Docteur, je vous en prie, donnez-moi quelques minutes... Je connais bien cette jeune femme. Je sais que je pourrai l'aider... O.K.?

Il y avait un zeste de prière et une larme de commandement dans le O.K. de Prouut.

Le spécialiste la regarda:

– Ça va... cinq minutes, pas plus. Et vous m'installez un soluté au plus sacrant!

Prouut s'approcha d'Amanda, se pencha et lui murmura à l'oreille:

– T'inquiète pas, on va te remettre le moteur en marche, ma doudou.

Amanda lui sauta au cou et se mit à pleurer à chaudes larmes.

– Vous m'avez bien compris, Prouut. Cinq minutes. De toute manière, je crains qu'il ne faille procéder à une césarienne... avertit le docteur Pinsonneault.

Les deux médecins sortirent. Prouut regarda l'infirmière de service et lui fit un signe des yeux.

– Arrange-toi pour occuper les deux couillons pendant une vingtaine de minutes... Et pas un mot à l'officière, sinon je te saigne comme un canard et je te laque la peau des fesses. Vu?

Une fois la jeune infirmière sortie, Prouut prit Amanda dans ses bras.

– Du calme, ma pouliche. On va commencer par attacher ta crinière en bataille. Là... c'est mieux... je peux voir le blanc de tes yeux.

– Mets-moi debout, Prouut... Il y a un ouragan dans mon ventre. Il est endormi. Il faut le réveiller. Ma petite fille est dedans... Tu comprends, quand je suis couchée, j'étouffe littéralement...

Dès qu'elle fut sur ses pieds, Amanda se remit en position accroupie. Elle sentait le corps de l'ouragan dérouler ses tentacules... Doucement, Prouut s'agenouilla au pied de la jeune femme. Doucement, elle posa ses mains sur son ventre et palpa chaque pouce de ce beau fruit mûr à en éclater. Puis, très délicatement, elle glissa deux doigts dans son sexe.

– Tu vas être contente... c'est une fille, et son cul est bien agréable au toucher. De la vraie fesse d'angelot!

Amanda leva la tête.

– Tu veux dire que c'est un siège?

Prouut sourit de toutes ses dents.

– En plein ça.

– Oh, Seigneur non... c'est épouvantable!

– Oh là! Pas de panique! C'est un siège, bon, et puis après! On naît comme on peut, figure-toi. Un siège, c'est pas la fin du monde! J'en ai vu des tas, dans ma vie, ma petite fille. En tout cas, je sais maintenant pourquoi tu tiens tant à te tenir debout... Ta gosse est une indic de première. La position debout, y a rien de mieux pour ouvrir un périnée, pour décupler la force des poussées. Écoute-moi bien. On va leur livrer un beau bébé tout frais à ces enfoirés à tête de forceps. Laisse agir ton corps, poulette, il sait mieux que ta tête ce qu'il faut faire.

Là-dessus, Prouut empoigna Amanda et se mit à la bercer, comme un bébé, en chantant une curieuse mélopée qu'elle accompagna de hochements de tête et de petits baisers légers comme des plumes d'oisillon.

– Mouchi mi yé Yaya bé, Né tè o non non kè nè mi, Ali na kè ra sogo blé yé, Né bè ta chou nan nogo dé la...

La porte de la salle s'ouvrit. C'était la jeune infirmière qui revenait.

– Le docteur Pinsonneault veut savoir comment ça se passe. Ça va mal dans le service. On a une grosse hémorragie, une autre césarienne d'urgence, deux femmes fraîchement arrivées et dont le travail est passablement avancé. Et la cerise sur le *sundae*: une grossesse ectopique venue du service des urgences... Y a de ces matins où tout va mal!

– Tu dis au docteur Pinson de nous oublier pour l'instant. Ici, tout va bien. Les contractions ont repris et on a encore le temps de voir venir... Déguerpis... allez... *Scram!*

Prouut avait conté un mensonge. Les contractions n'avaient pas encore recommencé. Amanda semblait sommeiller, les yeux clos, parfaitement détendue...

– Prouut... dis-moi. Quand j'ai fait ma fille, il s'est passé quelque chose de grave. Physiquement, j'étais dans les bras de mon mari. Mais, en réalité, c'est avec un autre homme que j'ai fait l'amour. Avec un homme que j'ai beaucoup aimé... Je regrette aujourd'hui d'avoir eu cette pensée. Le vrai père de ma petite fille, c'est Edgar, pas l'autre.

Prouut exécuta un claquement sec avec sa langue.

– Qu'est-ce que c'est que ces remords après coup? Je vais te confier un secret. Un jour, il y a pas mal longtemps de ça, j'ai fait l'amour avec un infirmier du service où je travaillais, à Lyon. C'était un Arabe barbu, baraqué comme un dieu, avec un sexe qui sentait le caramel un peu brûlé. Il n'arrêtait pas de me parler de son pays, de Jérusalem où il avait encore de la famille. Et tu sais ce qui est arrivé? Je me suis mise à penser à Jésus-Christ et à Marie-Madeleine. J'ai commencé à fantasmer là-dessus. Mon Arabe, d'une certaine manière, il avait une tête de Jésus-Christ... alors j'ai commis un sublime sacrilège. J'ai imaginé que je faisais l'amour avec Lui... Ça a été la meilleure botte de ma vie... et je n'ai jamais regretté cette histoire que je me suis racontée...

Amanda rit. Elle n'arrivait pas à visualiser Prouut dans les bras d'un Arabe... Lorsque le ventre de la jeune femme se durcit, Prouut comprit que le travail reprenait. Les contractions étaient très fortes. Amanda se cramponnait au corps de l'infirmière, les yeux exorbités, la tête renversée en arrière.

– Je vais mourir si ça continue... c'est trop fort!

Prouut eut l'intuition que les choses se passeraient maintenant très vite. Elle plaça doucement les coudes d'Amanda sur ses genoux:

– Tu peux orienter l'ouragan, Amanda. Il faut t'arcbouter, concentrer la force que tu ressens vers le bas, et suivre les efforts de ta petite fille qui se fraie un chemin vers toi. Laisse-toi aller...

Amanda ne put garder cette position très longtemps. Elle se pencha vers le sol et se mit aussitôt à quatre pattes.

Prouut en profita. Elle se releva, avisa la chaise qui servait d'habitude à l'anesthésiste de service. Elle disposa des draps stériles sur le sol, déposa la chaise au milieu, recouvrit le siège avec deux oreillers et, précautionneusement, elle guida Amanda jusqu'à cet accotoir de fortune. La jeune femme poussait des sons étranges, à mi-chemin entre le cri et le chant.

– Tout va bien... dans quelques minutes, tu vas tenir ta petite fille dans tes bras...

– J'ai envie de pousser...

Prouut empoigna Amanda sous les bras.

– Appuie-toi sur mon ventre et pousse... quand tu voudras... doucement surtout... Suis le mouvement.

La première poussée transforma radicalement Amanda. Son corps se pencha vers l'avant, comme s'il avait été possédé par un rythme souterrain, par une mystérieuse volonté venue du dedans: dedans des tripes, dedans de la terre, dedans de la mer, dedans de la vie; puis il se cambra, comme attiré par le haut. Prouut, d'instinct, offrit son genou aux reins besognants d'Amanda. Les sons qu'elle émettait n'étaient plus comme avant. Et Prouut savait d'expérience que la naissance était maintenant imminente.

– C'est... jouissif, râla Amanda, dont le visage extasié et crispé faisait penser au rictus de l'orgasme amoureux.

À la troisième poussée, le corps de la jeune femme se ploya; elle laissa s'affaler son torse sur la chaise, se cramponna aux barreaux et, à la quatrième poussée, Prouut recueillit le bébé qui sortit de sa gangue de chair avec un doux bruit d'eau qui fuit.

– C'est la plus belle petite fille que j'ai jamais vue! dit Prouut, émue.

Amanda se retourna et tendit avidement ses bras. Elle attendait cet instant depuis le début du monde... Le bébé émit quelques vagissements. Prouut laissa Amanda prendre contact avec sa fille. Puis elle attendit placidement la sortie du placenta avant de clamper le cordon ombilical. Ensuite seulement, elle proposa à Amanda de s'étendre sur la table.

– Tu vois la tête des «cocodocs» si jamais ils nous surprennent par terre? Notre compte est bon. J'entends d'ici les commentaires: «Vous croyez-vous dans la jungle? Et l'asepsie, et la dignité, et la sécurité?» Ben moi, je m'en vais te dire une chose, docteur Amandine. Les accouchements, c'est à ras du sol que ça devrait toujours se passer. La nature n'enfante jamais sur des planches en métal. Et maintenant tu te tiens tranquille, je vais installer leur foutu soluté. Autrement, ils seraient bien capables de m'accuser de tentative d'assassinat!

Amanda n'entendait pas. Des yeux, elle buvait sa fille qui, elle, tétait déjà comme une vieille pro. Quand le résident entra dans la salle, il trouva Amanda couchée sur la table, avec le bébé lové dans le creux de ses bras. Affalée dans un coin, au milieu d'une montagne de draps tachés de sang, Prouut bayait aux corneilles, ses souliers dans les mains.

– Qu'est-ce qui s'est passé ici? demanda le médecin en haussant très haut ses sourcils aussi rachitiques que sa moustache.

– Rien, ou presque... répondit Prouut, en le toisant à travers ses paupières à moitié fermées. On a eu une naissance. On a bien tenté de dire au bébé qu'il ferait mieux de vous attendre, mais il nous a répondu qu'il faisait partie du front de libération des utérus... Alors, on s'est inclinées. On n'allait pas risquer notre vie... Le bébé est O.K. Apgar de 9 à deux minutes. Placenta entier. Périnée intact. Quantité de sang perdue: normale. Utérus en voie de récupération. Mère comblée et bébé déjà gavé. Le colostrum coule comme une fontaine. Ce petit coup d'État vous contrarie pas trop, j'espère? Que voulez-vous... On est des pauvres femmes sans ressources quand vous n'êtes pas là... On s'est débrouillées comme on a pu en l'absence du corps médical. Et... vous savez ce qu'on dit: le Seigneur protège toujours les innocents. Au fait... c'était un siège. Personne ne s'en était aperçu. Bon ben, maintenant, moi je me mets à off et je m'en vais me taper le roupillon de l'année. Salut, doc. Sans rancune.

Prouut sortit après avoir goulûment embrassé Amanda et sa fille.

– Tâchez d'être sérieuses, vous deux. Ici, on rigole pas avec le décorum. Pas trop de bisous mouillés. Ça ferait jaser pour rien... À ce soir... à la condition que Morphée ne me garde pas prisonnière dans ses bras musclés et velus... Brr... je suis tout excitée, rien que d'y penser.

Amanda tourna la tête et regarda partir son amie. Puis son regard revint se poser sur sa fille, endormie, molle et tiède comme un petit chausson aux fruits frais sorti du four. Elle la renifla et trouva qu'elle sentait le patchouli, la rosée et la vanille... Le bonheur.

42

Edgar voit sa fille pour la première fois et il ne peut réprimer un haut-le-cœur. Ce minuscule paquet de chair ratatiné comme un pruneau lui répugne. L'infirmière lui tend l'enfant. Il se raidit et ne bouge pas. Il est incapable de la toucher.

– C'est normal la couleur de sa peau?

L'infirmière lui répond par un large sourire, tout en reprenant l'enfant contre elle.

– Mais oui! Tous les bébés sont comme ça après la naissance. Donnez-lui le temps de se défriper... Vous avez vu comme elle a déjà plein de cheveux noirs? Ils friseront peut-être, comme les vôtres... C'est une belle petite fille, très sage, très douce. Elle n'a presque pas pleuré, paraît-il. Vous ne voulez pas la prendre cinq minutes? Vous avez de la chance que votre femme soit médecin et qu'elle ait insisté pour qu'on vienne vous la montrer... Généralement, les pères ne voient leur enfant que derrière la vitre de la pouponnière.

Toujours figé, Edgar s'entend répondre:

– Je n'ai pas l'habitude de tenir un bébé. Je ne me sens pas prêt... pas tout de suite.

À cet instant, le bébé se met à pleurer. D'une curieuse petite voix aiguë qui fait jaillir un souvenir dans la mémoire d'Edgar: celui des chatons que noyait régulièrement son oncle Horace, chaque fois que sa chatte mettait bas.

– Bon, dans ce cas je vais conduire cette petite princesse à la pouponnière. Désirez-vous voir votre femme quelques instants?

Sans voix, Edgar hoche la tête.

– Où est-elle?

– Allez dans sa chambre, l'avant-dernière, à droite, juste au bout du couloir. Je crois qu'elle doit y être maintenant.

Heureuse mais pâle et cernée, Amanda brosse ses cheveux, assise sur le bord de son lit. Edgar s'approche et la prend dans ses bras. Le désir n'y est pas vraiment mais il suppose que c'est cela qui doit se faire quand on est un nouveau père.

– On t'a montré notre petite fille? Dis-moi vite... quel nom lui as-tu choisi? Depuis le temps que j'essaie de deviner...

– Si nous avions eu un garçon, ça aurait été Carl. Mais comme c'est une fille, ce sera... Freudia.

Incrédule, Amanda répète:

– Freudia! Freudia... Mais ce n'est pas un nom! Je ne connais personne qui s'appelle ainsi.

– Justement, répond Edgar en s'asseyant à ses côtés. Je tenais à trouver un nom qui ait valeur de symbole. Freudia Paris... ça sonne pas mal, tu ne trouves pas? Rappelle-toi... tu voulais absolument quelque chose de différent... Tes vœux sont exaucés...

Décontenancée, Amanda ne sait que dire. Leur entente était très claire et c'est même elle qui l'a proposée. Dans le secret de son ventre, elle fabriquait le bébé, le mettait au monde et Edgar, lui, trouvait les prénoms et achetait la layette. Il lui fallait maintenant respecter les choix d'Edgar. Évidemment, elle ne s'attendait pas à ça...

– Ce sont tes livres qui m'ont inspiré. Ceux de Freud et de Jung... explique-t-il en jetant un regard furtif sur son ventre qui paraît encore recéler l'ombre doucement arrondie d'un enfant.

Amanda se met à rire...

– Tu m'avais bien prévenue que tes choix sortiraient

nettement du commun, mais je n'aurais jamais pensé... J'imagine les têtes de mes collègues quand ils sauront. J'entends les commentaires de Jerry Duguay: «Tu vas remettre ça, hein? Il lui faut absolument un petit frère à ta Freudia... tu pourras l'appeler Œdipe...»

Edgar se sent un peu mal à l'aise. Il n'est pas sûr qu'Amanda approuve sa trouvaille. Elle n'a pas l'air choquée, pourtant. Seulement surprise. Et terriblement lasse. Il note la présence de deux croissants mauves couchés sous ses paupières.

– J'ai une idée, Edgar... Un joli diminutif pour notre petite fille. Inspiré par son prénom: Fa... J'espère qu'elle aura l'oreille musicale! On est d'accord? J'achète Freudia si tu achètes Fa. Donnant donnant.

43

La chambre du bébé ressemble à un jardin qui aurait grandi trop vite. Sur les murs, Amanda a peint des arbres, des vignes et des fleurs exubérantes: lupins, roses trémières, campanules, mufliers, mimosas, lavande... Des petits oiseaux exotiques en plumes multicolores achetés à un décorateur de chez Ogilvy sont suspendus au plafond. Edgar, étonné, a l'impression que le jardin va s'animer sous ses yeux, les oiseaux, se rassembler en essaim au-dessus du berceau coquille où dort sa fille, née il y a tout juste huit jours.

Aujourd'hui, il la voit pour la deuxième fois. Il a passé les six derniers jours à Boston. Un voyage important, prévu depuis deux mois. Il ne pouvait pas deviner qu'Amanda accoucherait une semaine avant la date prévue.

– Une primipare a de fortes chances de dépasser son terme, c'est bien connu, lui avait-elle dit. Ne te prive pas de ce voyage à cause de moi.

Rassuré, il avait donc accepté de participer à ce congrès de journalistes auquel on le conviait à titre de rédacteur en chef. Le matin où Amanda obtint son congé de l'hôpital, lui prenait l'avion. Heureusement, sa mère est venue à Montréal pour donner un coup de main à la jeune accouchée.

À peine a-t-il franchi le seuil de la maison que madame Paris mère l'enjoint d'aller embrasser sa si mignonne petite Fa.

Edgar s'approche du berceau. Le bébé, étendu sur le ventre, dort paisiblement, les bras en chandelier et les poings fermés. Il se penche et la regarde attentivement. Il ne ressent rien de particulier. Aucune émotion. Ou plutôt si. Il la trouve toujours laide. Un vilain petit pruneau aux yeux sans cils. Freudia... En choisissant ce nom, il avait imaginé une exquise petite fille aux boucles blondes. Plus il regarde le bébé, plus il a le sentiment qu'il est devant un produit raté, sans avenir. Elle sera laide comme les sept péchés capitaux... Quand Me Paris voyait une femme dépourvue d'attraits, c'est ce qu'il disait. Edgar ne comprend pas. Amanda est pourtant si belle. Et lui, il n'est pas si mal. Petit, soit, mais il a un visage intéressant, des yeux qu'on dit remarquables. Au pied du berceau, Edgar aperçoit une pile de coussins représentant des animaux. Ils ont été faits par les malades d'Amanda, aidés par l'ergothérapeute attachée au service de psychiatrie de l'hôpital. Machinalement, Edgar se penche et ramasse un gros chat gris. Ses yeux vont de l'animal à sa fille. Il se rappelle l'image qui est venue à son esprit lorsqu'il l'a entendue pleurer, le jour de sa naissance... L'oncle Horace noyait les chatons de sa chatte dans un grand seau... Edgar contemple le corps du coussin-chat, puis celui de sa fille.

– Il devrait être permis d'étouffer les bébés ratés... murmure-t-il.

Le geste qu'il imagine, qu'il met en scène dans sa tête lui paraît facile. Il suffirait de maintenir le coussin sur le visage de l'enfant quelques instants et le tour serait joué.

Lentement, très lentement, les mains d'Edgar s'approchent de Fa. Il sait qu'il ne le fera pas pour vrai. Mais il éprouve une sorte de jouissance libératrice à faire comme si. À cet instant, l'enfant ouvre les yeux. Il a l'impression qu'elle le regarde. Il sait que son imagination le trompe. Le bébé est trop jeune pour le voir. Et puis, avec la tête tournée sur le côté, tout ce qu'elle peut voir c'est la paroi du berceau...

La porte de la chambre s'ouvre. Amanda et sa mère s'approchent.

44

Rien n'est plus comme avant dans la vie d'Hortense Morin depuis la naissance de Fa. Le jour où Amanda lui a mis sa petite-fille dans les bras, quelque chose d'étrange est arrivé. Comment ce fragile petit paquet de chair s'y est pris pour réveiller son corps de vieille dame très digne et très blasée, elle se le demande encore. Elle, dont les entrailles n'ont pas tressailli à la naissance de ses trois enfants, s'est mise à chanter. À fredonner les mots d'une vieille berceuse française, tout en contemplant le visage clos de Fa.

Et puis elle, la très austère et très tranquille madame Paris, s'est levée, avec sa petite-fille dans les bras, et elle a commencé à danser, à tourner lentement sur elle-même comme une toupie ensorcelée, au beau milieu de la réception de baptême – une exigence de son fils Edgar –, au beau milieu du grand salon de la maison de sa belle-fille. Edgar, inquiet, interroge Amanda du regard.

– Ma pauvre mère est-elle en train de perdre la carte? demandent ses yeux tristes et froids.

Amanda sourit, tout en levant discrètement sa main gauche. Si Amanda sourit, il n'y a rien d'anormal, conclut-il. Il détourne les yeux, rassuré mais contrarié et vaguement gêné par le comportement de sa mère, puis il reprend sa conversation avec Alain et Paul, dont la femme attend des jumeaux.

Hortense, tout en continuant à danser, se dirige vers l'escalier qui mène aux chambres. Elle le monte en serrant contre elle sa petite-fille endormie; arrivée à l'étage, elle ouvre la porte de la pièce réservée aux invités, celle qu'elle occupe chaque fois qu'elle vient passer une fin de semaine à Montréal. Elle referme, et elle s'étend sur le lit avec le bébé, sans même prendre la peine d'enlever ses chaussures.

La grand-mère et la petite-fille sont si près l'une de l'autre, que l'odeur douceâtre et un peu sure du lait de la récente tétée fait tourner la tête de la vieille femme; si près que l'odeur du parfum fleuri de madame Paris réveille le bébé. Fa jette à sa grand-mère un long regard de re-connaissance et de connivence illimitées que seuls les petits enfants peuvent offrir. Les yeux de Fa traversent la chair d'Hortense, trouvent le chemin de ses veines et de ses artères et prennent possession de son âme.

Émerveillée, bouleversée, ivre de trop de tendresse retenue, madame Paris oublie qu'elle est une vieille femme. Elle ouvre sa blouse de soie rose, détache son soutien-gorge et offre le sein à sa petite-fille. C'est au moment où le bébé flaire doucement sa chair que le miracle se produit. Une sorte d'éclatement, de long et délicieux frisson de plaisir parcourt son corps depuis si longtemps endormi. Ses mains, toujours froides, deviennent tièdes comme l'intérieur d'un nid couvé. Son cœur qui battait trop lentement, selon son médecin, s'emballe. Dans son cerveau, les neurones, les synapses et les neurotransmetteurs programment et libèrent le dieu Plaisir.

Hortense, éblouie, a l'impression de renaître et de rajeunir de vingt ans. Tant pis pour le processus de vieillissement. Il faudra qu'il attende pour reprendre son triste boulot, jusqu'à ce qu'Hortense en ait assez d'aimer et de déguster sa petite-fille. Jusqu'à ce qu'elle ait appris par cœur la secrète géographie de ses yeux.

Quand Hortense ramène Fa à Amanda, Edgar, intrigué, s'approche de sa mère. Il remarque ses joues roses, ses yeux brillants, humides, joyeux, et il conclut que finalement sa vieille riche de mère porte bien le champagne. Mais il décide néanmoins de la surveiller. Il ne veut pas d'excès. Il ne supporte pas le spectacle d'une femme ivre.

45

À 26 ans, Fabien Dostie peut se vanter d'avoir eu finalement une certaine chance dans la vie. Venu au monde à l'hôpital de la Miséricorde de Montréal, il a été adopté, quarante-huit heures après sa naissance, par un couple d'une quarantaine d'années, peu fortuné mais très cultivé.

Jean Dostie, son père, enseignait l'histoire aux jeunes filles de l'Institut de pédagogie familiale et aux élèves du Collège Français. Béatrice Dostie, de santé assez fragile, n'avait pu terminer son cours de botaniste. Le frère Marie-Victorin lui avait pourtant prédit un brillant avenir. Cette prophétie aurait pu se concrétiser si la jeune femme n'avait pas souffert de tuberculose et subi en silence deux longues années de sanatorium.

L'arrivée, tant désirée, d'un bébé dans la vie monotone de ce couple, triste par tempérament, eut l'effet d'une formidable cure de vitamines. Le train-train quotidien de leurs activités, réglées comme le tic-tac d'une horloge, se dérégla bienheureusement. Jean Dostie, qui portait la même déprimante cravate marine depuis huit ans, se rendit chez Dupuis Frères et en sortit avec des spécimens colorés qui frisaient le pré-psychédélisme. Béatrice, qui n'avait jamais osé chanter, répandit dans la maison un joli filet de voix et des bruits de gorge qui ressemblaient à des pépiements d'oiseaux en liesse.

Jean et Béatrice, à cause de Fabien, poids léger de cinq livres et deux onces, goûtaient enfin au bonheur. Fabien était leur petit roi. Ils fêtèrent son premier sourire, sa première dent, son premier mot, son premier caca dans le pot, sa première chute et son premier pas.

Jean Dostie mourut brutalement d'un anévrisme sacculaire alors que Fabien allait avoir cinq ans. La veille, il avait acheté trois billets de sweepstake irlandais d'un collègue anglophone. Le jour de l'enterrement, madame Dostie, effondrée, toute menue dans un ample manteau noir emprunté à une voisine, reçut un télégramme l'avisant que son mari avait gagné 50 000 $. Cette somme d'argent inespérée aurait pu lui permettre de subvenir à ses besoins et à ceux du petit Fabien. Mais la veuve préféra déposer l'argent à la banque, au nom de son fils. Ce cadeau de la Providence serait son héritage.

Néanmoins, comme il lui fallait vivre, elle vendit la coquette maison de brique rouille qu'ils habitaient, elle et l'enfant, non loin du Marché Jean-Talon. Elle dénicha rapidement, dans le même quartier, un modeste trois et demie. Puis elle se trouva un emploi de secrétaire archiviste à l'Université de Montréal.

Fabien eut une enfance et une adolescence sans histoire, si ce n'est qu'il dut lutter contre l'envahissement affectif dont faisait preuve sa mère à son endroit. Béatrice ne vivait plus que par et pour son fils. Elle le couvait de regards possessifs et allait même jusqu'à se lever la nuit pour le regarder dormir.

Il aurait bien voulu que sa mère s'occupe aussi d'elle. Qu'elle cesse enfin de porter le deuil de Jean. Qu'elle ressorte ses jolies robes à fleurs et ses grands chapeaux à voilette et à plumes. Qu'elle retrouve sa gaieté, son visage lisse et ce mouvement impertinent de la hanche qui accompagnait sa marche. Il aurait bien voulu qu'elle le laisse un peu respirer...

Espérant qu'un éloignement leur serait salutaire, Fabien annonça un jour à sa mère qu'il voulait poursuivre des études de lettres à la Sorbonne. Il utiliserait pour ce faire une partie de la somme qui dormait à la banque, à son nom. Déjouant subtilement ses plans, sa mère l'accompagna à Paris. Elle s'arrangea pour lui trouver elle-même un appartement. Puis, sans que rien le laisse présager, elle lui fit ses adieux en l'embrassant longuement sur le front. Six mois plus tard, elle mourut discrètement d'un cancer de l'utérus, sans avoir osé avertir son fils de sa maladie.

Le jeune homme, en apprenant son décès, passa par toute la gamme des sentiments humains: le chagrin, la colère, la culpabilité et le soulagement. En réalité, Béatrice n'avait pas accepté que Fabien coupe lui-même le cordon...

Physiquement, Fabien était un garçon remarquable. Il portait haut ses 20 ans et marchait avec l'aisance et la souplesse d'un jeune félin. Un félin avec des yeux couleur d'océan. Il avait beaucoup d'amis. Des filles surtout. Mais c'est avec les hommes qu'il avait des histoires d'amour, tumultueuses et systématiquement douloureuses.

Un de ses amants, directeur de collection dans une prestigieuse maison d'édition, le fit entrer au *Figaro* où il devint journaliste après un stage de formation de six mois. S'il avait voulu, Fabien aurait pu monter dans la hiérarchie du magazine, car il avait, pour écrire et décrire, un talent exceptionnel. Il avait un don pour mener les entrevues, pour faire éclater au grand jour ce que les gens mettaient le plus grand soin à lui cacher. Ses portraits d'hommes politiques et d'artistes étaient colorés, touchants et subversifs. Fabien traquait la vérité. Il ne ménageait personne et s'acharnait avec un charme diabolique à faire jaillir le meilleur et le pire de chacune de ses «victimes». Certaines personnes étaient prêtes à lécher le parquet du Louvre pour avoir l'occasion de figurer sur son tableau de chasse. D'autres, effrayées, allaient jusqu'à quitter la ville pour ne pas avoir à le rencontrer.

Une histoire d'amour plus catastrophique que les autres le fit revenir à Montréal, le cœur et le pelage aussi abîmés que celui d'un matou bambocheur. Il passa une semaine à dormir dans une chambre de l'hôtel Versailles, rue Sherbrooke ouest. Puis, frais comme un gardon, il se trouva un logement sur le Plateau Mont-Royal et, dans un même souffle, se mit en quête d'un emploi. Quand il se présenta aux locaux de *La Petite Patrie* avec, dans sa serviette, des photocopies de ses meilleurs articles et une lettre fort élogieuse du rédacteur en chef du *Figaro*, Edgar se trouvait en congrès aux États-Unis. C'est donc Roland Garneau qui le reçut. Il parcourut rapidement lettre et articles et embaucha Fabien sur-le-champ. Fabienne Marcotte, la pin up de la salle de rédaction, venait de lui présenter sa démission pour cause de mariage avec un ingénieur californien qu'elle avait rencontré à Esalen dans une session de massage corporel intensif. Il avait donc un besoin urgent d'un reporter capable de faire des portraits réussis. Et puis monsieur Garneau avait un gros projet en tête. Il décida que Fabien en serait la pierre angulaire.

46

Edgar, au retour de son congrès, trouve le nouveau venu debout, appuyé au bureau de la téléphoniste qui le regarde, le buste penché en avant, avec des yeux énamourés. Fabien porte, ce matin-là, un pantalon de cuir noir moulant qui fait ressortir ses fesses rondes et ses hanches étroites. Il a l'air d'un danseur au repos.

En voyant Edgar entrer, la téléphoniste se redresse.

– Monsieur Paris... nous avons un nouveau venu parmi nous. Un jeune journaliste qui a travaillé à Paris...

Avant même que Fabien ne se retourne pour saluer celui qui serait son patron, Edgar sent qu'il déteste cet homme.

47

Massif, puissamment musclé, presque totalement chauve, Roland Garneau n'a pas du tout la tête d'un éditeur de quotidien. Malgré ses complets sombres d'une grande sobriété, il fait penser à un vieux lutteur gueulard qui refuse de quitter l'arène.

Roland Garneau est un autodidacte, célèbre pour son flair, aussi impressionnant que ses biceps; et pour sa parlure rugueuse, constamment émaillée de sacres typiquement montréalais. Assis dans un fauteuil usé à la corde, Roland Garneau piaffe d'impatience en attendant Edgar. Son bureau, un monumental meuble en bois massif qui mange la moitié de l'espace dans la pièce, est inondé de dossiers, de dictionnaires, de revues, de coupures de presse. La vue de ce fouillis choque Edgar. Sa table de travail à lui est presque toujours rigoureusement nue, et sa secrétaire passe ses journées à jouer du classeur pour préserver l'ordre des lieux.

– Salut, Edgar. Ferme la porte pis assis-toi. On a du gros pain de ménage sur la planche à découper. Les affaires vont *number one*. On a réussi à doubler le tirage du quotidien en deux ans. On est rendus à cinquante mille exemplaires. Pour nos concurrents, on est encore des «bibites à patates», mais je te garantis qu'on va prendre du poids pis de la place et là y vont nous trouver *tocsons* en «sacrament»!

Garneau éponge son front éternellement luisant et se mouche bruyamment. Puis il attrape un coton-tige et commence à se curer vigoureusement les oreilles, manie qui a le don d'écœurer sa secrétaire, quotidiennement obligée de ramasser les «cadavres» couverts de cérumen de son patron.

– Le conseil d'administration s'est réuni il y a deux jours et il a approuvé mon projet. Tu sais que je ruminais une idée depuis quelque temps... J'ai fait faire une étude de marché. Le jour de la semaine où les gens lisent le plus, c'est le samedi, figure-toi. C'est aussi le samedi que les kiosques à journaux vendent le plus de revues françaises importées, remplies de photos de mode et d'annonces... On va exploiter le filon, nous aussi. On va lancer, à l'intérieur de notre édition du samedi, un beau petit magazine de variétés avec des pages pour les femmes et les teen-agers. On va organiser des concours pour les jeunes. On va commencer avec 40 pages. Je veux des articles courts, avec du punch, du piquant, de l'humour, du pas encore vu. J'ai engagé un jeune journaliste qui m'a l'air d'avoir du coffre. Y parle comme un Français mais c'est un vrai Québécois... Trouve-moi trois autres rédacteurs dans le même genre et prends Christine comme adjointe. Je vous donne trois mois pour tout préparer. «Viarge»! On va avoir du *fun*!

Edgar ne partage pas tout à fait l'enthousiasme de son patron.

– Ça va coûter une petite fortune votre idée de magazine...

– T'en fais pas pour les «bidous». Le service de la publicité va partir à l'assaut des contrats «*long distance*»: Revlon, Max Factor, Helena Rubinstein, Yves Saint-Laurent... Le but réel du magazine, c'est d'inciter les bonnes femmes à la consommation. Tu sais que mon flair ne me trompe jamais. J'ai un vrai compteur Geiger dans la bedaine. Je sens qu'on va connaître des années folles. Ça va éclater de partout. Le premier média qui va prendre le départ va ramasser une grosse galette... Je t'en passe un papier.

Devant la moue dubitative de son nouveau rédacteur en chef, Garneau explique:

– Les femmes travaillent de plus en plus. Elles ont de l'argent à dépenser. Elles lisent aussi pas mal plus qu'avant. Il s'agit de leur donner de l'appétit. D'exciter leurs désirs. De les faire rêver en couleur, les petites mères du Québec.

– Rêver à quoi?

– Au prince charmant, voyons donc! Il faut leur donner des idées de luxe... Des modèles... inaccessibles, comme de raison. Et tu sais ce que ça va provoquer, mon plan? Pas seulement l'appétit des femmes, mais aussi celui des commanditaires. Ils vont tous vouloir annoncer dans notre magazine! Parce que, si on s'y prend bien, les Québécoises auront qu'une seule idée le samedi matin: lire *Ève*! Je veux des beaux corps sensuels, des visages parfaits et surtout jeunes et souriants! Il faut provoquer chez les femmes le désir impérieux, je dis bien impérieux, de ressembler à ces images-là. Et pour y arriver, elles seront prêtes à n'importe quoi. À acheter tout ce qu'on voudra... C'est quasiment mathématique. Tu crées un besoin. Tu fais semblant d'y répondre et tu récoltes les profits... Je te le dis: on va croquer dans une grosse galette et on sera un bon bout de temps tout seuls à déguster. On va avoir les annonceurs les plus prestigieux. Et le tirage va monter... On va rentrer dans la motte à *Isis* à cent à l'heure! Dans cinq ou dix ans, il y aura plein de magazines au Québec. Mais pour l'instant, on est pratiquement seuls. Les Québécois francophones sont pas plus fous que les anglophones et les Américains. Je te le dis, Edgar, on va réussir un gros coup! À partir de maintenant, tu me rends compte de vos préparatifs une fois par semaine. Le chef du service de la publicité assistera à vos réunions. T'as compris l'astuce? Les articles de prestige que tu vas commander à tes journalistes ne seront qu'un prétexte à aller chercher des commandites. Tant mieux si on les lit. Mais ce que je veux, c'est qu'on regarde le reste, les belles images! Le petit nouveau a des entrées un peu partout en France. C'est bon ça... Tu lui feras interviewer quelques grosses vedettes, des acteurs et des actrices que les Québécois aiment. Demande à Christine d'aller taper ses petits copains les modélistes... et les acheteurs des grands magasins. Il faut qu'on soit les premiers à parler de ce qui s'en vient.

48

Qu'il soit le père d'une fille-éponge puante et braillarde, Edgar voudrait bien l'oublier. Chaque soir, lorsqu'il arrive, le bébé, ponctuellement, se met à hurler. Amanda se précipite et tente de calmer «les ardeurs du comité d'accueil», comme elle dit. Chaque nuit, il a droit à un, et parfois deux longs solos de lamentations qui le réveillent en sursaut et le tiennent en haleine jusqu'à l'heure où sonne son réveil.

Amanda affirme que Freudia est normale.

– Tous les bébés pleurent la nuit au début. Entre l'utérus maternel, le lit aseptisé de la pouponnière et le berceau familial, le passage est difficile. Ils n'ont plus de repères... Leurs pieds, leurs mains touchent le vide. Ils cherchent un point de contact, la rassurante chaleur, le doux bercement d'avant la naissance.

Un matin, après une nuit particulièrement mouvementée en vocalises «freudiennes», Amanda suggère à Edgar, dont les yeux sont de plus en plus rouges et chassieux, de s'installer au rez-de-chaussée. Ainsi les pleurs du bébé le dérangeront moins. Depuis ce jour, donc, Edgar dort sur le divan-lit du salon.

Cet exil temporaire de l'étage lui convient. Il se dit qu'Amanda, confinée à un monotone tête-à-tête avec la petite éponge et à des nuits besogneuses et solitaires, sera peut-être plus encline à accepter qu'il partage son lit... Aussi, lorsqu'il lui propose, en termes galants, un week-end d'amoureux pour célébrer la fête du Travail et les quatre mois de Freudia, est-il très surpris de se faire répondre un non poli et ferme.

– Je te remercie de ton offre, Edgar, mais je n'ai pas d'appétit sexuel pour l'instant. Et... quand j'en aurai, il n'est pas sûr que ce soit avec toi que je veuille avoir du plaisir. Tu connais nos conventions. Libre à toi de t'offrir le week-end de tes rêves ailleurs, et avec qui te plaira. Tu as parfaitement le droit de satisfaire tes besoins. Moi, pour l'instant, je n'ai d'yeux, d'oreilles et de bouche que pour ma fille... pardon, pour notre fille.

C'est le moment que choisit Christine de Guise pour lui proposer discrètement un petit voyage à quatre à New York.

– Je vais te présenter une fille *superduper*: Chantal Leducque Morot. Elle travaille au Fashion Bureau, chez Eaton. Son mari est un avocat spécialisé dans le droit commercial et il possède une écurie de chevaux de race à Saint-Bruno. Elle et lui forment un couple très libéré. Ce sont d'ardents échangistes, tu voix ce que je veux dire?

Et, se penchant à son oreille:

– On dit que c'est une suceuse de première! Donne-moi vite ta réponse, mon chou. Tu comprends, si tu ne viens pas, il faudra que je lui trouve un autre étalon!

Deux heures plus tard, Edgar fait venir Christine dans son bureau, lui demande de fermer la porte et annonce, l'air sérieux:

– Je suis parvenu à me libérer pour les quatre prochains jours. Mais attention, Christine: je ne veux pas que ma femme apprenne quoi que ce soit, jamais. Officiellement, je pars en voyage d'affaires. C'est bien clair?

Christine, qui ignore tout du contrat qui lie Edgar à Amanda, le regarde en plissant les yeux:

– Les oreilles de la très pudique Amanda ne seront pas salies par le récit de tes débordements, rassure-toi. Je suis une tombe si bien cadenassée que même un laser ne pourrait arriver à me violer. Quant à Chantal, sa bouche est bien trop occupée à besogner les grands mâts qu'on lui présente pour laisser échapper ses secrets d'alcôve... al dente. Seul son mari et partenaire dans la luxure reçoit parfois ses confidences mouillées et turgescentes... J'y pense, apporte ton tuxedo. On ira dans des boîtes ultra-chic où il se passe des choses délirantes et choquantes. À demain soir, beau compagnon de stupre...

En descendant de l'avion à Dorval, Christine glisse sous le bras d'Edgar un petit sac en papier mauve.

– Je suis allée faire un tour chez Beautiful Alice, une boutique pour petites filles de riches, et j'ai trouvé un chandail tout à fait mignon pour ta gosse. Si l'honorable père que tu es veut bien penser l'offrir à son honorable épouse pour démontrer qu'il n'a pensé qu'à ses deux femmes durant son épuisant week-end... d'affaires, il aura droit à un élan de reconnaissance éperdue et à une joute conjugale qu'il aura peut-être intérêt à reporter, vu les excès commis avec la très pulpeuse Chantal... Un conseil d'amie... prends une bonne douche froide en arrivant et avale un scotch bien tassé avant de paraître devant ta dame...

Amanda est touchée par le présent d'Edgar, un petit pull en laine angora, couleur de lilas nubile. Elle s'exclame:

– C'est tout à fait ravissant! Pour l'instant il est un peu grand mais d'ici deux ou trois mois, il sera juste parfait. C'est tellement joli cette couleur... Ça convient bien aux cheveux et aux yeux de Fa... Regarde.

Amanda, qui tient le bébé dans ses bras, approche le petit lainage de la tête de l'enfant. Fa est calme. Ses yeux sont grands ouverts. Elle regarde attentivement sa mère et semble apprécier la douceur du pull contre sa joue.

– Pendant ton absence, Fa n'a pas pleuré une seule fois la nuit. Tu sais qu'elle a commencé à gazouiller. Quand elle sourit, elle a l'air d'un bébé Gerber... Tu vois, le pire est passé, pour elle comme pour nous. Dans une semaine, tu pourras réintégrer ta chambre si tu le veux. Et moi, je vais recommencer à travailler. J'ai trouvé un gardien qui sera parfait. C'est un jeune étudiant de quatrième année de médecine qui a décidé, pour des raisons familiales, de prendre une année sabbatique. Pour l'ordinaire, madame Lapierre va continuer à venir faire le ménage une fois par semaine et elle cuisinera deux ou trois plats pour les soirs où je serai obligée de travailler. Et puis Prouut est disposée à me dépanner, si besoin est...

49

Une fois par semaine, le vendredi matin à huit heures, l'équipe soignante du service de psychiatrie où travaille Amanda a l'habitude de se réunir pour discuter du cas des malades hospitalisés au cours des sept derniers jours. Ces moments donnent lieu à une saine évaluation des décisions, diagnostics et traitements choisis par chaque médecin de l'équipe. Les internes et les résidents, à leur arrivée dans le service, craignent ces instants où leurs «gaffes» sont systématiquement étalées et commentées au grand jour. Mais, comme le fait régulièrement remarquer le patron du service, le docteur Armand Dutour, c'est le meilleur moyen pour devenir un bon clinicien.

Ce matin-là, un jeune résident, Stéphane Poirier, tout frais débarqué, se retrouve sur la sellette. Deux jours auparavant, en pleine nuit, deux policiers de la communauté urbaine de Montréal ont emmené une grande et forte femme au service de l'urgence psychiatrique. Vêtue d'oripeaux bizarres et sales, complètement hébétée et indifférente à tout ce qui l'entoure, la malade réclame son impresario. Le docteur Poirier, après un questionnaire et un examen sommaires, constate qu'elle n'est ni ivre ni droguée et qu'elle n'a apparemment mal nulle part. La femme donne un nom et une adresse dont il n'est pas sûr que ce soient les siens. Une infirmière présente lui affirme se souvenir vaguement d'elle et croit qu'elle a déjà été hospitalisée.

Le résident lui demande de vérifier s'il n'existe pas de dossier portant le nom et les coordonnées de l'arrivante. Les archives en ont un et il l'envoie chercher. Il doit bien contenir une bonne centaine de pages et le résident, qui s'occupe déjà d'un schizophrène en pleine crise, se contente de lire rapidement le dernier rapport d'hospitalisation. Il lui paraît évident qu'il a affaire à une malade chronique et qu'il vaut mieux la garder en observation jusqu'au lendemain; un des psychiatres du service doit certainement connaître le cas et avisera. Il informe les infirmières de sa décision et leur demande de s'occuper de la malade.

– Déshabillez-la et lavez-la. Elle en a un besoin urgent!

Dès qu'elle comprend qu'on veut lui enlever ses vêtements, la femme pousse un rugissement et se transforme en dragonne fumante et menaçante. Elle empoigne une infirmière par les cheveux et la secoue comme un prunier. Le résident entend le tumulte et accourt. Il est ceinture noire en judo et il parvient, non sans mal, à plaquer la furie au sol. Il lance un ordre bref:

– Grouillez-vous! Dix milligrammes de Haldol en injection!

La dose est élevée et la femme fait une chute de pression...

Le docteur Dutour commence par résumer l'incident.

– Docteur Poirier, à son arrivée, la patiente était très calme, n'est-ce pas?

– Oui. Dans un état de prostration évidente. Les policiers l'avaient ramassée sur un banc du carré Saint-Louis.

– Quand on vous a remis son dossier, en avez-vous pris connaissance? questionne Amanda qui, son congé de maternité terminé, est de retour à son poste.

– Bien sûr. C'est-à-dire que pour aller au plus coupant, j'étais passablement occupé à ce moment-là, je me suis contenté de consulter les dernières pages.

– Quand la malade s'est énervée, vous n'avez pas cherché à mettre le psychiatre traitant au courant? demande encore Amanda.

– Bien... je me suis dit que la situation me permettait d'attendre au lendemain. Il s'agissait d'une crise qu'une bonne dose de calmant pouvait contrôler...

Amanda et le docteur Dutour se regardent.

– Si vous aviez lu les premières pages du dossier au lieu de parcourir les dernières, vous auriez vite aperçu une note soulignée en rouge précisant qu'il ne faut jamais déshabiller cette malade, fait remarquer le patron. Pour votre pénitence, vous allez écouter l'histoire de cette pauvre femme. Amanda, puisque vous êtes le médecin traitant, allez-y.

La jeune femme raconte à l'équipe le drame qu'elle est parvenue à saisir, au fil des multiples hospitalisations de la malheureuse.

– Mignonne Rousseau, c'est ainsi que s'appelle celle qui a semé la pagaille dans le service, est venue au monde avec un corps de géante. Ce gros poupon de onze livres était le septième enfant du couple Rousseau et... leur première fille. Dès qu'il la vit, le père, ébloui, décréta qu'elle était si mignonne qu'elle s'appellerait Mignonne. En grandissant, le corps de la petite fille prit des proportions étonnantes qui contrastaient avec sa douce nature: larges épaules, thorax de guerrière, longues jambes à la musculature puissante. Mignonne possédait en outre un joli visage de poupée bien nourrie, encadré par des cheveux du roux le plus insolent qui soit. Elle n'avait dans la vie qu'une seule ambition: devenir ballerine. Année après année, elle demandait à ses parents la permission de suivre des cours de ballet classique. «On n'a pas l'argent qu'il faut, Mignonne», ré pondait sa mère avec un sourire gêné. «Avec les pieds que tu as, ma belle fille, j'oublierais ça», ajoutait son père d'un air entendu. Mignonne écoutait, mais ces propos ne la décourageaient nullement. Elle était persuadée qu'elle finirait un jour par obtenir un oui. Seulement le oui tant espéré ne vint jamais. Quand elle commença son cours de secrétariat à l'école Sainte-Anne, Mignonne décida qu'elle se paierait des leçons de danse dès qu'elle commencerait à travailler. Le jour où elle se présenta aux cours de Lucille Bordeleau, ex-danseuse étoile des grands ballets de madame Éva Karlan-Sibert, avec 75 $ dans son sac – ses premières économies–, elle sema un vif émoi au sein de la maison. Madame Bordeleau elle-même, avec beaucoup de circonvolutions verbales, essaya de lui faire comprendre l'absurdité de son projet. «Vous n'avez pas la stature qui convient, mademoiselle. Vous êtes une fille solide, bien bâtie, bien en chair... on dirait Junon guerrière. Et puis vous avez déjà 22 ans. C'est beaucoup trop tard pour commencer à dompter vos pieds», dit l'artiste en jetant un coup d'œil effaré et fasciné auxdits pieds. Mignonne chaussait du 11 C. «Vos pieds ne suivraient pas... Par contre, vous pourriez faire de l'athlétisme, de la natation, de la course en canot, du tir à l'arc...» Mignonne, atterrée, refoulant ses larmes, sortit de chez madame Bordeleau au pas de charge. Elle marcha, droit devant elle, sans vraiment savoir où elle se dirigeait. Elle se laissa choir sur le premier banc qu'elle rencontra. Elle fixait obstinément le trottoir afin qu'on ne voie pas ses yeux noyés de chagrin. Pour elle, le monde venait de basculer. Tout était devenu triste et laid. La rue avait le teint blême. Le trottoir semblait atteint d'acné. Des petites crevasses partout... comme la peau de ses frères. Incapable de refouler plus longtemps le torrent de ses larmes, Mignonne se leva péniblement, parvint à s'orienter et courut se réfugier dans le minuscule appartement qu'elle venait de louer, rue Boyer. En pleurant à chaudes larmes, elle ouvrit le téléviseur. On présentait un documentaire sur Yanick Bouchat, première danseuse à l'Opéra de Paris. Le cerveau de Mignonne ne put supporter cet ultime pied de nez du destin et réclama sur-le-champ de justes compensations pour les souffrances accumulées depuis dix-sept ans. À partir de ce jour, Mignonne se mit à changer. Au bureau où on l'avait engagée comme secrétaire-réceptionniste, elle se taisait. Pour la faire sortir de son mutisme, ses camarades devaient lui causer danse. Ils voyaient alors ses yeux s'allumer et Mignonne se mettait à leur parler de ce qu'elle connaissait: *Le Lac des cygnes, Giselle...* Elle se mit à collectionner tout ce qui avait un rapport direct ou indirect avec le ballet classique. Elle installa sur un des murs de son salon un grand miroir et une barre d'exercice. Elle commanda chez une couturière spécialisée une coiffe de plume et un tutu blanc qui lui coûtèrent deux mois de salaire et six séances d'essayage. «Vous comprenez, avec les mensurations que vous avez, il me faut poser des armatures partout. Ce n'est pas un tutu ordinaire!» lui expliqua l'ouvrière. Le jour où Mignonne prit livraison de son costume, elle oublia complètement d'aller travailler. Elle revint chez elle, revêtit le tutu, aussi imposant qu'une robe de mariée, noua ses cheveux en deux macarons bien serrés au-dessus de ses oreilles, enroula des rubans autour de ses jambes, n'ayant pu trouver de chaussons à sa taille, puis elle fit tourner le disque du *Lac des cygnes*. Tout le jour et une partie de la nuit, Mignonne dansa, exécutant avec ses bras et ses jambes de curieux mouvements qui la faisaient ressembler à un moulin à vent bourré. Elle n'avait plus soif, plus faim, plus sommeil. Au petit matin, quand finalement elle s'écroula de fatigue, sa raison en profita pour s'échapper et aller rencontrer un producteur imaginaire qui lui fit signer moult contrats pour de merveilleuses tournées à travers le monde. Lorsque Mignonne s'éveilla, beaucoup plus tard, elle regarda l'heure: treize heures vingt. «Seigneur! Je vais être en retard au rendez-vous.» Toujours vêtue de son tutu, elle bondit dehors, oubliant même de fermer la porte de son appartement, puis elle se rendit à la Plaza Saint-Hubert. Les passants, médusés, regardaient filer cette curieuse apparition. Mignonne dévisageait les hommes sur son passage. Le producteur n'allait quand même pas partir sans elle... Allons, ils finiraient par se rencontrer... Peut-être que si elle se mettait à danser, il la reconnaîtrait. La pauvre fille se mit à faire dans l'espace des sauts désordonnés et grotesques, tout en contemplant l'image que lui renvoyait la vitrine du magasin Essa et Saad. La gérante de la boutique, interloquée, sortit sur le pas de la porte et se rendit vite compte que Mignonne n'était pas bien... Elle la fit entrer dans le magasin, lui offrit un manteau pour couvrir son costume. Une bretelle avait sauté et libéré un jeune sein dodu et rose, ravi de ne plus être comprimé. Quand les policiers, mandés d'urgence, arrivèrent, ils embarquèrent Mignonne qui les suivit sans résister, persuadée qu'ils étaient les émissaires du producteur. Voilà la triste histoire de cette malade, mon cher Stéphane.

– La première fois que Mignonne est arrivée ici, poursuit le docteur Dutour, on ne savait rien de tout ça. Et bien sûr, quand on a voulu la déshabiller pour lui passer une jaquette d'hôpital, elle a résisté, s'est rapidement mise en colère, a réussi à assommer un interne, battu le résident qui, effrayé devant un tel déchaînement, nous a appelés à son secours. C'est Amanda qui était de garde ce jour-là.

– Quand j'ai compris qu'il faudrait user de violence pour lui enlever son costume, enchaîne Amanda, j'ai décidé d'adopter une attitude de compromis. Je lui ai demandé si elle voulait bien revêtir une jaquette par-dessus le tutu. Mignonne m'a regardée, puis elle a accepté. Elle s'est couchée ainsi, subitement calmée, et elle a dormi pendant quatorze heures. Depuis, chaque fois qu'elle arrive ici, en pleine crise, c'est le même scénario. Malheur à celle ou celui qui veut lui enlever son fameux tutu. J'ai donc écrit une note dans son dossier, en première page: *Surtout ne pas obliger Mignonne à se dévêtir contre son gré*. Si vous aviez lu cette note, vous n'auriez pas eu de problème et, surtout, vous n'auriez pas été obligé d'injecter à la pauvre femme une dose aussi carabinée de calmant...

Le résident, nerveux, se ronge discrètement les ongles.

– Je vous dirai franchement que ce que j'ai vu c'est une femme abattue, en bonne condition physique, revêtue de haillons répugnants... J'ai cru bien faire...

– Je sais. Le tutu, depuis le temps, en a vu de toutes les couleurs. Il est très sale, déchiré, mais cet objet est tout l'univers de Mignonne; c'est ce qui lui permet de ne pas basculer complètement dans la folie. Dès que la crise est terminée, elle se déshabille, sans même qu'on ait besoin d'insister. Il arrive même qu'elle nous permette de laver son costume... Mignonne est une malade très douce, très tranquille, en dehors des crises. Elle attend toujours son impresario... à l'intérieur d'elle. Mignonne ne dansera jamais. Pourtant, elle est, en théorie, une grande danseuse. Elle invente des chorégraphies très intéressantes... Je le sais parce qu'elle couche sur papier ses fantasmes. Je vais vous raconter comment elle en est arrivée à dessiner. Ça va vous intéresser...

Un jour qu'elle était hospitalisée dans notre service, Mignonne a fait la rencontre d'un autre malheureux. Ciborg... un homme avec un magnifique corps de géant, un mélange rupestre de bouleau et de sapin, et une cervelle de demeuré.

Ciborg – ce sont des infirmiers du service qui lui ont donné ce surnom – est un curieux personnage. Il est arrivé au service des urgences du centre hospitalier de Maniwaki en état de prostration profonde – comme Mignonne –, par un beau jour de juin, la veille de la Saint-Jean, il y a deux ans. Des pêcheurs l'avaient trouvé, quelques heures auparavant, errant dans les bois qui longent la rivière Gatineau, près du chemin dit des Quatre Pattes. Il a fallu longtemps avant que les policiers de la Sûreté du Québec ne soient en mesure de comprendre ce qui lui était arrivé. En questionnant les pourvoyeurs de la région, ils ont appris qu'il avait loué, avec sa femme et ses deux enfants, pour une semaine, un chalet et une embarcation. Pendant trois jours, la petite famille a tranquillement taquiné le poisson. Et puis le drame est arrivé.

Le vent s'est levé brusquement et la rivière, à l'endroit où ils étaient, s'est transformée en remous. D'énormes vagues ont envahi la chaloupe et projeté ses quatre occupants dans l'eau. Pendant dix minutes, le père et la mère ont lutté contre le courant, avec les petits accrochés à leurs cheveux, hurlant leur peur en même temps que le nom de leurs parents.

Ciborg n'a rien pu faire pour sauver les siens. Il les a vus disparaître dans la spirale du remous. Il a hurlé à son tour, tout en levant ses bras vers le ciel en signe de reddition et il s'est laissé happer par l'eau.

Pourquoi la rivière a-t-elle décidé de le recracher un kilomètre plus loin? Par quel mystérieux hasard était-il encore vivant? Comment savoir? Toujours est-il que quand il a repris conscience, il s'est retrouvé sur le rivage. Mais il ne savait plus qui il était ni, non plus, où il était. Il a probablement marché très longtemps, jusqu'à ce que des pêcheurs le repèrent, quarante heures après le drame.

Les médecins du centre hospitalier de Maniwaki, où les policiers ont conduit le malheureux, l'ont examiné sur toutes les coutures. Ils n'ont rien trouvé et ont conclu à une amnésie consécutive à l'accident. Ils l'ont gardé en observation une dizaine de jours puis ils nous l'ont envoyé. Ici, on a refait d'autres tests et on a émis l'hypothèse d'une diminution probablement définitive de ses fonctions cérébrales causée par un manque d'oxygène. Et on s'est posé la question: que va-t-on faire de lui? Il n'a plus de famille, il est incapable de prendre soin de lui. Le placement en institution s'est avéré la seule solution possible, hélas. C'est pendant la période d'attente pour son transfert que l'événement est arrivé.

Ciborg vivait au bout de ses mains. Un matin, il s'est emparé de crayons de cire et il s'est mis à dessiner, d'abord avec hésitation et puis de façon frénétique. Ciborg est un maniaque du papier. Il dessine toujours la même chose: des vagues. Des vagues d'eau, qui ressemblent aux premiers i que tracent les enfants à la maternelle. Lorsque Mignonne est arrivée dans notre service, en proie à une de ses fameuses crises, Ciborg avait dessiné, ma foi, assez de vagues pour reconstituer l'océan Pacifique. Mignonne avait encore sur elle son invraisemblable tutu, rapiécé, fatigué de partout. Elle est entrée dans la salle de séjour avec un petit magnétophone et une cassette de musique classique. Ciborg était dans son coin, en train de faire des vagues. Elle a commencé à danser et Ciborg ne lui a d'abord pas prêté attention. De temps à autre, il levait la tête, prenait une profonde inspiration, comme si les vagues de ses dessins allaient le submerger.

Mignonne l'a aperçu et elle a cru qu'il la regardait. Elle s'est approchée et elle a commencé à danser pour lui. Et Ciborg a réagi à la grosse vague de chair féminine ondulant sous son nez. Il s'est levé, a empoigné Mignonne à bras le corps, et il l'a assise à sa place. Il lui a flanqué un crayon dans la main et, avec les siennes, il s'est mis à dessiner de grands mouvements dans l'espace. Son corps a suivi ses mains et Mignonne, sidérée, a commencé à dessiner. Ils sont devenus amis et ils ont vécu ensemble une étrange relation amoureuse. Mignonne a baptisé Ciborg son Neptune exilé des eaux. Les deux ont habité un appartement protégé – dans le cadre de notre nouveau programme expérimental –, pendant tout près d'un an. Au cours de cette période, bénéfique pour les deux, les crises de Mignonne ont cessé et Neptune est parvenu à retrouver une certaine élocution. Notre ballerine, quant à elle, a réalisé de magnifiques aquarelles. Quatre compagnies de danse lui ont commandé des affiches. Et puis un beau jour, Ciborg a disparu. La police ne l'a jamais retrouvé. Et les crises de Mignonne ont recommencé...

50

Attirée par sa petite-fille comme par un puissant aimant, Hortense Paris se languit, seule dans sa grande maison de la rue Bougainville. Évidemment, elle peut lui rendre visite quand ça lui plaît. Amanda est accueillante et chacun de ses séjours lui fait apprécier un peu plus la femme de son fils. Elle se dit que finalement ses trois enfants ont fait de bons mariages. Ils ont choisi de belles femmes qui ont du cœur et de la tête. Toutes les trois exercent un métier. Elle, Hortense, est née juste un peu trop tôt...

C'est dans le train qui la ramène à Québec qu'elle prend abruptement la décision de vendre sa maison et de s'installer à Montréal. Paul et sa femme, qui viennent d'être engagés comme professeurs par le département d'anthropologie de l'Université Laval, lui offrent de l'acheter. Elle accepte et fait remarquer à ses enfants que pour une fois, le destin jalonne sa route de signes réjouissants.

Le déménagement vire à la fête. Hortense organise à l'entrée du garage une grosse vente de «vieux», comme elle dit. Elle bazarde tout avec une allégresse qu'Edgar juge indécente. Il s'indigne de découvrir sa mère si peu attachée à ce que lui considère comme le patrimoine familial.

– Prends donc tout ce que tu veux, Edgar. Moi, je ne vais rien garder. Les vrais souvenirs, à mon âge, c'est dans la tête que ça se range. Amanda t'a dit que je m'étais trouvé un beau petit deux et demie au Cartier?

– Le Cartier? Mais c'est horriblement cher, maman!

– Et puis après? Je suis capable de m'offrir ce luxe. Ça me plaît, ce grand building. Il est près de tout: du Musée, des grands magasins de la rue Sainte-Catherine, du métro, des belles boutiques de la rue Sherbrooke et... de ma petite-fille! J'ai l'intention de la voir grandir, de la sortir, de la gâter. Je ne savais pas que j'aimerais autant ça, être grand-mère...

51

Edgar n'aurait jamais cru que les premiers pas, les premières phrases, le premier repas pris sur une chaise droite par Freudia susciteraient autant d'émoi chez sa mère et sa femme.

– Ça n'a aucun sens. Vous fêtez cette enfant pour la moindre peccadille. Elle n'a pourtant rien de Minou Drouet ni de Shirley Temple! Vraiment, je ne vous comprends pas. Tous les enfants du monde font ce qu'elle fait, un jour ou l'autre. L'inattendu serait qu'elle n'y arrive pas...

– Tu n'as pas du tout le sens de la fête, Edgar, lui rétorque sa mère avec un air entendu. Je sais, je sais, tu vas me répondre que tu n'es pas venu au monde sous le signe de la cigale. Mais moi, oui! Et pendant cinquante ans, j'ai dû ravaler mes goûts pour la bamboula parce que la redoutable fourmi qu'était ton père avait instauré dans toute la maison un régime d'austérité à faire périr d'ennui tout un train de Franciscains!

Edgar observe sa mère sans répondre. Il note ses cheveux teints et coupés courts. Sa robe fleurie, ses souliers à talons hauts, son maquillage, son parfum sucré. Son père n'apprécierait certainement pas ces débordements vestimentaires, inconvenants chez une femme de son âge. Il est soulagé de pouvoir échapper aux effusions et au repas qu'ont organisé sa femme et sa mère pour fêter le premier dessin de Fa. Un important souper-causerie lui sert de prétexte. Il enfile son veston et se dirige vers la porte d'entrée.

– Tu pourrais quand même embrasser ta fille avant de partir. On dirait toujours que tu as peur d'attraper une maladie contagieuse... Tu les as toutes eues, je t'assure!

Sentant sur lui un regard maternel moqueur, Edgar revient sur ses pas, se penche sur sa fille qui joue par terre avec une énorme boîte musicale et il effleure son front. Fa, surprise par la caresse, lève la tête et regarde son père. Elle lui montre le jouet et continue de tourner consciencieusement la manivelle. Le couvercle s'ouvre et un gros Donald Duck grimaçant en sort et heurte le front d'Edgar avec un bruit sec.

Hortense et Amanda pouffent de rire. Seule Fa garde son air sérieux.

– Excuse-nous, mais c'est trop drôle... Tu devrais te voir la binette, s'exclame sa mère. Mais ris, ris donc! Ce n'est pas tous les jours que Donald le canard joue au ballon avec la tête d'un rédacteur en chef...

Edgar frotte son front et quitte la pièce sans rien dire. Il est presque sûr que Fa l'a fait exprès.

52

Chaque vendredi, Fa passe la journée avec sa grand-mère qu'elle appelle familièrement Tense. L'une et l'autre ont élaboré un petit cérémonial d'accueil. Fa frappe quatre coups. La porte s'ouvre et la vieille dame dit:

– Voilà la petite fille qui a les plus beaux yeux de la planète Terre!

Fa se précipite dans les bras de sa grand-mère et répond sur le même ton:

– Voilà la grand-mère qui a la plus belle voix du monde et qui connaît tous les contes du vendredi!

Aujourd'hui, pendant que Tense lui raconte une histoire, Fa innove. Elle se met à dessiner les personnages du conte avec des crayons feutre. De temps à autre, elle lève la tête et dit:

– Attends, attends, Tense, tu vas trop vite! Qu'est-ce qu'il dit, le maître, à son petit chien blanc après l'accident? Il dit:

«J'ai payé pour avoir un chien blanc; blanc de la tête à la queue. Or voilà que ta queue est devenue toute rouge. Tu es hideux, ridicule, misérable! Je suis très mécontent... je ne veux plus de toi.

«Et le professeur Tournedisque, avec une moue de dégoût, montre la porte au petit chien blanc.

«– Donne-moi une chance, supplie le petit animal atterré.

«Le professeur Tournedisque lui montre du doigt la grande horloge qui trône au bout du couloir.

«– Tu as une heure pour retrouver ta queue blanche. Sinon, je te flanque à la rue!

«Le petit chien se précipite à la cave. Il déniche un grand pot de teinture bleue. Il verse le contenu dans un bac et s'y plonge tout entier en fermant les yeux. Le voilà devenu aussi bleu que le ciel de Provence, sauf la queue qui a viré au violet... Il secoue sa toison, peigne soigneusement ses moustaches et court se présenter à son maître.

«– Les chiens bleus sont très à la mode, cette année. Votre amie, la comtesse Necplusultra, en a commandé un à la boutique Chic-choc.

«Le professeur Tournedisque, bleu de colère – et il n'était pourtant pas tombé dans la teinture lui –, pousse un cri:

«– Dehors!

«Le petit chien n'a pas le choix. Le voilà tremblant de froid sous la neige et le vent de décembre. Il est si malheureux qu'il pleure et ses larmes se transforment aussitôt en glaçons bleus. Il gémit et se lamente sur son triste sort. Ce n'est tout de même pas sa faute, ce qui est arrivé. C'est uniquement parce qu'il a voulu préparer le souper de son maître qu'il s'est malencontreusement coincé la queue dans la porte du réfrigérateur...»

Tense se tait. Depuis quelques minutes, Fa n'écoute plus l'histoire. Elle est tout entière occupée par son dessin. Tense s'approche et regarde le travail de sa petite-fille. Elle sursaute en reconnaissant dans les traits du professeur Tournedisque ceux de son fils Edgar... et elle frissonne en identifiant dans les yeux du petit chien blanc devenu bleu la même détresse qui habite ceux de Fa... L'enfant, tout à coup, se rend compte que l'histoire est interrompue.

– Tu ne racontes plus? Tu es fatiguée, Tense?

– Non, j'admire ton dessin. C'est très réussi...

Fa est contente. Elle repose ses crayons.

– Tu sais, papa organise un concours de dessins d'enfants à son journal. Je pense que je vais participer. Tu crois que mon petit chien a une chance de gagner?

53

Amanda, Edgar et Fa terminent leur petit déjeuner. Edgar, qui surveille farouchement son poids, se contente de deux biscottes séchées, d'un jus et d'un café sans lait et sans sucre. Amanda estime, pour sa part, que ce repas est le plus important de la journée; elle dévore avec appétit un muffin, un petit bol de céréales ou alors une tranche de pain grillé avec de la marmelade, et un bol de café au lait. Fa, dont l'appétit varie, mange tantôt comme Edgar, tantôt comme Amanda. Les matins où elle grignote des biscottes, elle aimerait bien que son père remarque qu'elle fait comme lui. Mais toujours, il mange la tête penchée. Et quand il la regarde, c'est évidemment pour lui passer une observation: «Tiens-toi droite. Tu finiras voûtée comme ton grand-père.» «Mange la bouche fermée... Ce n'est pas le zoo ici!» «Ne joue pas avec ta cuillère. Tu n'es pas à la maternelle où on te laisse faire tout ce que tu veux...» «Tiens ton bol avec tes deux mains... Tu risques de l'échapper. Tu sais combien ta mère tient à eux!»

Les bols à café en faïence, joliment ourlés de guirlandes de fleurs bleues, jaunes et mauves, proviennent de Moustiers. Un cadeau du professeur Catherine Dubost à Amanda à l'occasion de son mariage. Fa le sait très bien. Depuis le temps qu'il le lui répète. C'est bizarre. On dirait qu'il ne l'aime pas beaucoup, cette madame Dubost. Chaque fois que sa mère reçoit une lettre d'elle, il se conduit de manière curieuse. Il voudrait bien savoir ce que contient la missive. Ça crève les yeux. Pour se donner une contenance, toujours, il parle comme s'il savait. Il cite des événements récemment arrivés en Europe.

– Je suppose qu'elle te parle du mystère qui entoure la santé et les agissements de ce Jacques Lacan. Il paraît qu'il est complètement sénile le pauvre homme, et qu'il ne fait plus la différence entre un cactus et un patient en crise. Certains de ses proches chuchotent même qu'il pisse quotidiennement dans ses culottes.

Agacée par les propos de son mari, mais déterminée à préserver le contenu des missives du professeur Dubost, Amanda, la plupart du temps, se contente de le regarder d'une certaine manière avec, au bord des lèvres, la frange timide d'un sourire.

Ce matin, Edgar paraît pressé de partir au journal. Il touche à peine à son café.

– Ah. J'y pense. Ils ont reçu ceci au journal.

Edgar sort une enveloppe de sa poche droite. Fa sursaute. Elle reconnaît l'écriture de sa grand-mère. C'est dans cette enveloppe qu'elles ont envoyé son dessin. Celui du fameux petit chien blanc et de son maître, le professeur Tournedisque.

– Tu n'es pas éligible, Freudia. D'ailleurs ce n'est pas très réussi. Le dessin ne sera pas ta branche, ça se voit tout de suite...

Amanda n'est au courant de rien. Elle tend la main gauche vers l'œuvre de sa fille.

– Je ne suis pas éligible? Qu'est-ce que ça veut dire? demande Fa dont le cœur bat très vite depuis qu'elle a vu l'enveloppe.

– Ça veut dire que tu ne peux pas participer au concours, c'est simple.

– Pourquoi je peux pas? J'ai cinq ans. J'ai rempli le coupon. J'ai représenté des personnages de conte québécois.

– Tu es ma fille. Voilà pourquoi tu ne peux pas participer. Les enfants des employés ne sont pas éligibles.

Amanda intervient:

– C'était écrit dans les règlements du concours, ça?

– Non. Mais ça tombe sous le sens. Qu'est-ce qu'on dirait si la fille du rédacteur en chef gagnait un prix au concours organisé par son père? On dirait que c'est arrangé! Et on aurait raison. De toute manière, le dessin de Fa n'est pas des plus réussis, je le répète. Elle aurait avantage à se pratiquer avant de vouloir participer à une compétition de cette nature...

Amanda jette un coup d'œil discret à sa fille, tassée sur sa chaise, le nez enfoui dans son bol de chocolat. Elle ne voit que ses yeux. Des yeux blessés. Des yeux qui ne comprennent pas.

– Ton règlement n'était pas clair, mon cher ami. Toi qui te piques d'exactitude... Tu as commis une faute en omettant de stipuler que les enfants des employés n'avaient pas le droit de participer. Quant au dessin de Fa, je vais te dire ce que j'en pense. Je le trouve très réussi, moi. Je le trouve même exceptionnellement expressif. Fa n'a que cinq ans. Mais ça ne l'a pas empêchée de donner à ses personnages une présence étonnante. Regarde un peu ce petit bonhomme qui engueule son chien... On dirait ton frère jumeau... Il y a là une ressemblance amusante, tu ne trouves pas?

Edgar essuie sa bouche avec sa serviette. Il ne regarde pas le dessin que lui tend Amanda. Pour lui, la cause est entendue.

– Écoute, Amanda. Je comprends que tu veuilles te montrer indulgente. Mais faire croire à un enfant qu'il est doué pour une chose quand il ne l'est pas est un geste qui peut être lourd de conséquences. Une psychiatre devrait savoir ça. Quand j'étais jeune, j'adorais la boxe. Je m'y suis essayé une fois, sans en parler à mes parents, bien sûr. Ça a été catastrophique. Si mon père, dans le but de me consoler, m'avait dit que j'avais du talent, je ne serais peut-être pas où je suis aujourd'hui. Je me serais probablement fait écrabouiller la tête... Quand il m'a vu arriver, il m'a fait remarquer que j'avais investi des énergies et des espoirs dans une discipline sportive qui ne me convenait pas. J'ai compris la leçon. Moi je te dis que Fa n'est pas douée en dessin. À la rédaction, j'ai bien vu ce que les autres enfants de son âge ont fait. Ça ne se compare pas. Je t'assure.

Amanda se lève, choquée.

– Ça suffit comme ça! Le professeur de maternelle me parle fréquemment des travaux de Fa. Elle est très contente d'elle. Je ne dis pas que notre fille devrait faire carrière dans le dessin. Je dis que le dessin que j'ai sous les yeux est très réussi!

Edgar se lève à son tour.

– Cette discussion est oiseuse. Je dois partir. Si ce dessin te plaît tant, encadre-le!

– Excellente idée! réplique Amanda dont les yeux expriment de la colère.

La jeune femme se rassoit et se verse un autre bol de café. Elle est déçue par les réactions d'Edgar face à Fa. Il est d'une telle exigence, d'une telle dureté. Elle voudrait comprendre pourquoi. Elle voulait une fille et un père stable pour son enfant. Elle a réussi. Edgar est parfaitement correct. Jusqu'à maintenant, il a rigoureusement respecté les termes de leur entente. Mais l'étrangeté de ses sentiments pour sa fille l'inquiète. Et pourtant Fa est une enfant exceptionnelle. Surdouée, a dit la psychologue lors des examens d'entrée à la maternelle de l'école Face, axée sur les beaux-arts. «Grande autonomie, belle sensibilité, facilité à communiquer avec les autres enfants», ont écrit les professeurs dans le petit bulletin du premier trimestre. Physiquement, elle est un peu en retard par rapport aux autres petites filles de sa classe. Mais Amanda se souvient de son enfance. Elle aussi a longtemps été avec les petites. Elle aussi a été perçue comme trop maigre par les autres. Quand Amanda regarde le visage triangulaire de sa fille, son ossature fine, elle n'est pas inquiète. L'apparente fragilité de Fa ne cache rien d'alarmant sur le plan physiologique. Chaque enfant a son rythme et son style. Manifestement Fa n'est pas pressée de grandir... Pour l'instant, elle préfère le rôle d'une Tanagra toujours en mouvement.

54

Fa aime l'été autant qu'elle déteste l'hiver. Dès que le froid commence à transformer la bouche des Montréalais en petites usines à fumée, Amanda a bien du mal à faire sortir sa fille de la maison. L'enfant s'enroule dans son couvre-lit de quand elle était bébé, comme elle dit, au grand dam de son père qui la traite de pauvre petite squaw peureuse.

En ce matin de juin donc, Fa, heureuse de sentir le soleil faire l'inventaire de sa peau, s'amuse à regarder les passants et les autos. Elle s'est assise sur les marches du perron, une autre initiative que son père réprouve. Étant donné qu'il n'entre jamais avant l'heure du souper, elle sait qu'elle dispose, en arrivant de l'école, de deux grandes heures de liberté.

Depuis qu'elle est capable d'écrire, elle consigne ses observations dans un petit cahier à couverture brodée que sa grand-mère lui a rapporté du Portugal.

Mardi, le 3 juin 1981

Aujourd'hui, j'ai cueilli des pivoines pour décorer le centre de la table. Je ne sais pas encore si j'aime vraiment ces fleurs. Elles ont toujours l'air de faire de l'embonpoint avec leurs bajoues froissées. Heureusement, elles sentent bon. Papa ne voit jamais quand je décore la table pour faire beau. Mais il a l'œil pour repérer mes mains sales par exemple! Avec maman, c'est différent. Elle voit tout de suite quand j'ai pensé à faire joli pour le repas. Ben elle voit aussi mes mains sales, mais elle a des façons drôles de m'envoyer les laver. Elle dit: «Fa, il y a deux cent cinquante microbes qui ont besoin d'une bonne cure thermale. Tu t'en occupes?» Ou bien: «Une excellente soupe $H_2 0$ et un steak de savon attendent les microbes dans la salle de bains. Tu leur montres le chemin, jeune fille?» J'aime bien quand ma mère m'appelle jeune fille... Lui, je veux dire mon père, il fait comme s'il n'entendait pas les blagues de maman. On dirait toujours que sa bouche a peur de sourire...

Ma mère, elle est tout le temps seule dans son lit. Même moi, je n'ai pas le droit d'y aller. Seulement quand elle est debout. Elle dit que son lit est un territoire sacré qu'il faut respecter. Mon père, il a pas le choix. Il couche aussi tout seul, comme moi.

Entre chaque phrase, Fa mordille le bout de son crayon, tête en l'air, et elle suit des yeux les nuages qui s'amusent à jouer les bêtes, comme elle dit. Ce gros tas de vapeur blanche, juste au-dessus de sa tête, la réjouit. On dirait un éléphant évadé du cirque. Elle écrit ÉLÉPHANT sur une page blanche de son carnet et elle s'amuse à fouiller le cœur du mot, à jongler avec son écho.

ÉLÉPHANT- FANTÔME- MÉTAL. ÉLÉFANTÔMÉTAL. Tout à coup inspirée, elle se lève et court chercher un grand carton, des crayons feutre et elle fabrique fébrilement un poster qu'elle offrira à ses parents. Le carton dit:

Jouez une partie de nuages avec le célèbre Éléfantômétal.

Le jeu consiste à capturer le plus de gros nuages possible. Éléfantômétal joue avec sa trompe. Attention! Il est rapide, rusé, et il connaît le code qui donne de la vapeur. Alors vous aussi, apprenez le code.

ZAP- un éclair orange jaillit de sa trompe.

LONG- il peut allonger une partie de son corps.

OGR- cette formule fait apparaître l'ogre des cumulus.

GOB- cette formule sert à faire disparaître l'ogre.

COL- à utiliser pour précipiter les ennemis au fond des océans.

MAG- protège des tours magiques de l'ennemi.

VOL- cette formule permet de voler dans les airs, plus haut que les nuages.

BLA- déclenche instantanément une tempête de pluie orange qui agit à la façon d'une teinture sur la peau et provoque de terribles démangeaisons.

FEU- pour faire jaillir une boule de feu.

INV- pour devenir invisible.

DO- peut endormir l'ennemi 30 secondes.

Rappelez-vous: Éléfantômétal, même s'il est gros, se déplace vite et il a un avantage sur les Terriens. Il peut voler. Bonne chance! Que le plus habile gagne! Et surtout, n'ayez pas peur d'utiliser toutes les ressources de votre imagination!

Fa range ses crayons et court dans la cuisine coller son poster sur la porte du réfrigérateur.

55

Edgar se dirige vers le garage intérieur où il stationne quotidiennement sa Buick Le Sabre. La journée a été rude. Il a remercié, au cours d'une conversation houleuse, deux jeunes journalistes dont officiellement le style ne lui convenait plus. Officieusement, deux sympathisants des partis indépendantistes, du syndicalisme, des idéologies de gauche et du *flower power*. Il devait constamment réviser leurs écrits: redresser leurs commentaires, «neutraliser» leurs comptes rendus et même leurs entrevues. Et chaque fois, c'était des jérémiades à n'en plus finir. Ils se plaignaient que la rédaction en chef faisait preuve de censure... Des enfants! Des enfants capables de foutre la pagaille.

Le conseil d'administration de *La Petite Patrie* est formé d'hommes d'affaires pro-libéraux et de deux Torontois à qui le Parti québécois et René Lévesque donnent moralement des crises d'urticaire. Edgar partage leur opinion. Comme eux, il se demande d'où sortent et que valent ces Québécois si désireux tout à coup d'affirmer leurs différences, d'ériger des frontières entre le Québec et le reste du Canada, entre les Québécois francophones et les anglophones. Évidemment, il n'est pas question d'ignorer le phénomène, mais de là à le mettre en vedette, à l'encourager... D'ailleurs, lors du référendum de l'an dernier, les Québécois ont dit non au projet d'indépendance du prophète Lévesque. Heureusement, car l'économie de la province ne se serait jamais relevée d'une telle gaffe, estime Edgar qui a écrit plusieurs éditoriaux sur la question.

Avec Roland Garneau, il a convenu d'une certaine politique éditoriale, et ses propres écrits distillent la couleur de cette politique. En tant que rédacteur en chef, il se doit d'encadrer le quotidien et tous ceux qui y travaillent. Il sait qu'il a de puissants appuis en haut lieu et que ce haut lieu, cet Olympe dont il rêve de faire partie, commence à jeter un regard bienveillant sur lui. Il faut dire que depuis deux ou trois ans, on le cite partout; on l'invite à participer à des tables rondes; on sollicite son avis et parfois son appui. Il est devenu, dans plusieurs milieux, un personnage important...

Les deux journalistes qu'il a dû remercier lui ont reproché de se montrer sélectif, de privilégier délibérément un aspect seulement de l'actualité, celui des gens de droite, des fédéralistes. Il leur a rivé leur clou en leur rappelant qu'ils n'étaient que d'obscurs débutants sans contrat qui ne voyaient pas plus loin que le bout de leur nez. Si *La Petite Patrie* est devenu un quotidien important, si son tirage continue de monter, c'est parce que ses propriétaires se sont alliés à ceux qui disposent d'énormes ressources financières et d'un réseau de soutien des plus efficaces. La réussite du quotidien repose sur des «reins» bilingues... Il serait donc impensable que de simples employés tentent de saboter l'avenir du quotidien pour faire plaisir à leurs amis indépendantistes!

L'un des deux journalistes, avant de partir, a lancé en dardant sur lui un regard incendiaire:

– Monsieur Paris, vous excellez dans l'art de couper les têtes, d'écraser, de casser ceux qui ont le malheur de ne pas penser comme vous. Vous régnez, le cul confortablement assis sur votre socle, à l'ombre de vos alliés bilingues, comme vous dites. Mais attention! Un jour, quelqu'un vous fera sauter. Les gens de votre race ont un talon d'Achille: ils n'ont aucune imagination, aucun désir d'innover. Il faudrait une brouette de chantier pour transporter vos couilles de bourgeois et vos œillères!

En sortant, le journaliste lui a fait un énorme bras d'honneur et a crié:

– Et moi je dis: l'imagination au pouvoir! Imagination, transformation, libération!

Edgar lui a répliqué sur le même ton:

– L'imagination! C'est le jouet des naïfs et des paresseux. Il mène tout droit au Bien-être social et parfois même plus bas!

L'imagination. On voit ce que ça donne: des divagations littéraires comme *Le Temps fou*, cet imbuvable journal écrit par une bande de cinglés et de drogués qui se croient journalistes! Edgar claque la portière de son auto et démarre. Il fait beau et chaud, très chaud pour un 3 juin.

56

En entrant dans la cuisine, il voit, collé sur la porte du réfrigérateur, le jeu inventé par Fa. Il parcourt le texte des yeux et ses sourcils se transforment en accents circonflexes contrariés.

– Qu'est-ce que c'est que ça?

Fa, assise sur un tabouret, découpe minutieusement des avocats en croissants. Elle se lèche les doigts et regarde furtivement dans la direction de son père.

– Un jeu, papa. Ça se voit...

Sans rien dire, Edgar s'approche du réfrigérateur, arrache le carton et le déchire en deux.

– Tes sornettes, voilà ce que j'en fais!

Fa bondit sur ses pieds.

– Tu n'as pas le droit de faire ça! C'est à moi! C'est ma création! Tu n'aimes jamais ce que j'invente. Tu ne respectes rien qui vient des autres. Donne-moi les morceaux. Je vais les recoller.

– Oh non! Ce serait trop facile!

– Je les veux! Tu vas me les donner!

Fa, en colère, se précipite sur son père qui esquive l'attaque, fait volte-face et continue à déchirer le carton en menus morceaux qu'il lance par terre.

– Recolle-les maintenant, si tu en es capable! Non mais regarde-toi: on dirait un chat sauvage atteint de la rage! Qu'est-ce que tu attends pour faire couper cette tignasse! Ce n'est pas possible d'avoir une tête pareille!

Quand son père atteint un certain degré de colère, sa voix, écorchée, change de registre. Fa l'a déjà maintes fois remarqué. Tout se passe comme s'il en perdait la maîtrise. Son corps, ses yeux, sa bouche ne trahissent rien des sentiments qui l'animent, cependant. Seule sa voix le dénonce. Fa s'agenouille, ignorant délibérément la présence paternelle.

Edgar regarde les petites mains de sa fille s'affairer sur le sol. La vue de cette gamine à quatre pattes devant lui, acharnée à reconstituer un texte transformé en bouillie de papier, le crispe et lui donne des palpitations. Elle devrait pourtant comprendre qu'elle n'y arrivera pas...

– Où est ta mère?

Fa se redresse. Elle le regarde comme s'il venait d'arriver. Comme si rien ne s'était passé entre eux. Depuis le temps, elle a appris à se composer un visage impassible. Il ne doit pas savoir les blessures que le seul son de son irascible voix lui inflige.

– Dans sa chambre. Juste avant qu'elle ne quitte l'hôpital, il y a un jeune malade qui s'est ouvert les veines. Elle est arrivée à la maison avec du sang plein son chandail.

Edgar lui tourne le dos et se dirige vers l'escalier qui mène à l'étage. Il monte en comptant les marches, dans l'espoir de retrouver son calme. Il entre sans frapper dans la chambre d'Amanda. Elle est en train de se recoiffer. Pour travailler, elle noue généralement ses cheveux sur sa nuque, en torsade austère. Mais dès qu'elle arrive à la maison, elle libère le fleuve, comme elle dit, et se contente de glisser un peigne de fantaisie juste au-dessus de son oreille droite. Il la regarde et la trouve séduisante. Mais l'envie physique qu'il a longtemps eue d'elle tout comme le désir de la séduire lui sont passés. Ils n'ont pas fait l'amour ensemble depuis plus de quatre ans. Personne ne le croirait, s'il le disait. Il sait qu'elle a un amant. Un médecin, probablement. Et il imagine qu'elle doit savoir que lui a un faible pour les tendrons: les jeunes mannequins qui travaillent pour *Ève* le connaissent bien. Ce qu'il veut, ce n'est pas tant baiser avec elles, en fait, qu'être vu en leur compagnie. Leur faire la cour. Les séduire avec des mots, les dominer avec son regard.

– Amanda... j'aimerais que tu accordes un peu plus d'attention à Freudia. Elle me paraît de plus en plus bizarre.

Amanda le regarde et prend son temps avant de lui répondre. Elle note le léger essoufflement qu'il essaie de maîtriser.

– Edgar, s'il y a quelque chose de bizarre dans cette maison, c'est ton attitude à l'égard de ta fille. Tu es systématiquement contre elle, contre tout ce qu'elle entreprend, contre tout ce qu'elle décide, contre tout ce qu'elle aime. Je crois sincèrement que notre pacte est en train de virer au vinaigre, mon ami. Ferme la porte et viens t'asseoir. Le souper attendra. Il faut qu'on se parle.

Depuis leur mariage, rien n'a changé dans la pièce d'Amanda. Le grand paravent de toile de Jouy au cadre de bois blanc sépare toujours la partie alcôve de la partie boudoir. Le seul meuble nouveau, c'est ce grand canapé moderne, recouvert de coton fleuri. Il a remplacé la mer de coussins des débuts et les coussins, eux, s'ébattent maintenant dans la chambre de Fa. Edgar se laisse choir sur le canapé et il croise les jambes dans une pose qu'il veut décontractée. Surtout, ne pas laisser paraître son énervement.

Amanda prend place à ses côtés et elle pose une main légère sur un de ses genoux.

– Écoute-moi bien.

– Ne me traite pas comme si j'étais un de tes patients, veux-tu? Je te vois venir. Tu voudrais bien divorcer, hein? Pas question.

Pour se donner une contenance, il avise une bonbonnière remplie d'amandes grillées. Il en prend une poignée et se met à mastiquer en grimaçant. Il n'aime pas les noix. Amanda le regarde intensément.

– Je veux que tu prennes conscience du tort considérable que tu te fais et de celui que tu fais aussi à Fa. Que tu ne te sois pas montré attentif à l'époque où elle était bébé, je peux comprendre. Mais maintenant... Fa est pourtant une enfant attachante, charmante.

– Tu m'as épousé pour que je sois le père de ton enfant. Un père à demeure. J'ai rempli ma part du contrat. Je participe aux frais généraux, je suis présent, je me conduis en homme responsable. Je ne vois pas ce que tu attends d'autre de moi.

– Il n'y a pas d'amour, pas de place dans ta vie pour cette enfant que nous avons faite.

– Il n'y a pas de place et pas d'amour dans ta vie pour moi... lui répond Edgar d'un ton narquois.

Amanda, choquée, se lève d'un bond.

– Mais ça faisait partie de notre entente, ça! Et puis je te fais remarquer que je ne te parle pas de nous, en ce moment, mais de notre fille! Je ne veux pas continuer à vivre comme nous le faisons maintenant. Fa est entre nous deux. Elle souffre de ton indifférence, de ton absence psychologique, de tes mesquineries. Il y a chez toi un refus profond de l'enfance, de la paternité.

Edgar se lève à son tour.

– Ne joue pas au psychiatre avec moi! Écoute, j'ai eu une journée éreintante, j'ai faim. Ou nous passons à table tout de suite ou je m'en vais au restaurant.

– Si tu le prends sur ce ton, je préfère que tu ailles au restaurant! Tu m'obliges à...

– Attention, Amanda! Attention! Si tu demandes le divorce, je me battrai pour obtenir la garde partagée. Tu ignores peut-être ce dont il s'agit... C'est un nouveau système qui permet au père d'avoir ses enfants en alternance avec la mère. J'aurai donc Freudia avec moi une semaine sur deux. Et crois-moi, je verrai à ce qu'elle reçoive l'éducation qui lui fait défaut en ce moment. Tu lui passes tous ses caprices. Tu applaudis à toutes ses initiatives. Freudia a besoin d'être matée. C'est une petite bête sauvage et fantasque. Pas plus tard qu'aujourd'hui, elle a pondu une histoire échevelée qui me donne des doutes sur son équilibre mental. Toi qui es censée savoir reconnaître les troubles de comportement, tu ne vois donc pas que cette enfant se conduit d'une façon de plus en plus étrange et inquiétante?

Amanda se tait, désorientée. Il y a longtemps qu'elle aurait dû intervenir. Il faut qu'elle fasse quelque chose. Maintenant.

La porte du rez-de-chaussée claque. Elle descend rejoindre Fa. Une question l'obsède. Pourquoi hésite-t-elle à rompre avec cet homme qui n'est finalement rien d'autre que le bourreau inconscient de son enfant? Certainement pas à cause de ses menaces. Il y a autre chose. Une raison tapie dans le coin le plus sombre de son inconscient...

Elle est réveillée par la sonnerie du téléphone. Le jeune malade qui a fait une tentative de suicide quelques heures plus tôt a récidivé. On lui demande de venir aussi vite que possible. Il la réclame.

En se rendant à l'hôpital, Amanda réfléchit à sa situation. Elle fait le tour de diverses solutions possibles et retient la plus pratique, la plus satisfaisante à court terme. Il lui faut organiser une séparation psychologique entre Fa et Edgar. Offrir à chacun un temps de latence. Réorganiser la maison et les horaires en conséquence. Fa a neuf ans. Dans quelques années, elles seront libres et Edgar aussi. D'ici là...

57

Préoccupé par l'avenir de *La Petite Patrie* et par celui d'*Ève,* décidé à remanier tout le personnel et à franchir le cap des 150 000 exemplaires, Edgar, trop soulagé d'échapper au divorce – qui aurait pu être gênant pour son image de marque –, accepte la proposition d'Amanda. Il est d'accord pour déménager sa chambre au rez-de-chaussée, dans l'actuel salon double, face à son bureau. Il y gagne en espace. Et gagner, c'est finalement tout ce qui l'intéresse.

Amanda explique à Fa que son père a besoin d'être seul et tranquille pour un certain temps. Du lundi au samedi, elles mangeront seules. Edgar s'est abonné à un club privé très select où il prendra ses repas. Et le dimanche, tout le monde fera un effort pour être aussi sociable que possible.

Fa est contente du nouvel arrangement. Faire comme si Edgar n'existait pas, sauf le dimanche, lui paraît un jeu exaltant, une grande récompense. Elle souhaite que l'entente dure longtemps et que les dimanches se fassent rachitiques et miteux.

58

Cher journal, aujourd'hui, j'ai 12 ans. Ma mère a organisé un souper pour ma fête. Mes amies de l'école Face sont venues. J'ai reçu plein de cadeaux: des savons parfumés, une grosse Bécassine, un sac en cuir mauve avec un béret de la même couleur, des livres... et puis de maman, une jolie bague avec une pierre mauve. Le mauve, c'est ma couleur. Je ne sais pas pourquoi. Mon père m'a donné un stylo.

Je n'ai pas tellement aimé comment il me l'a donné. Silencieusement. Avec l'air de dire: je n'ai pas le choix. C'est ta fête. Alors il faut bien que je te donne un cadeau. Il me regarde toujours avec cet air de me reprocher de respirer. Je trouve qu'il a été bête avec moi en ne me parlant pas. Il est tout le temps comme ça, depuis l'arrangement. Les pères de mes amies sont venus vers vingt heures. J'ai bien vu, encore une fois, que ça pouvait être gentil un père. Celui d'Océan me plaît!!! Il est grand, avec une belle tignasse de cheveux noirs mi-longs et une drôle de petite moustache. Ça doit chatouiller quand il embrasse! Il ne m'a pas embrassée. Mais j'imagine. Forcément il ne pouvait pas m'embrasser puisqu'il ne me connaissait pas. Mais il m'a serré la main. Il m'a dit que j'avais de beaux yeux ardents qui lui faisaient penser à ceux de l'actrice française Marie Laforêt. Mon père a plissé ses lèvres quand il a entendu ce compliment. Il a l'air d'un poireau surgelé quand il fait ça. C'est une sorte de tic chez lui. Ça se produit toujours quand il ne peut pas dire son opinion. Marie Laforêt... Évidemment il n'était pas d'accord! Mais il ne voulait pas paraître impoli en contredisant une personne en visite chez nous...

Quand tout le monde a été parti, je suis allée dans la chambre de maman et j'ai pris le miroir à main pour me regarder... Il est arrivé par derrière. Sans dire un mot. Ça m'a drôlement surprise. Il y longtemps qu'il n'était pas monté à notre étage. Il m'a enlevé le miroir et m'a montré la porte. Alors, bien fort, j'ai crié: «Maman, tu veux bien que je prenne le miroir rond qui est sur la table de ta chambre?» Maman, qui était dans la cuisine en bas, a répondu:

– Oui, mais tu le remets en place quand tu auras fini...

Alors j'ai repris le miroir des mains de mon père. J'avais le goût très fort de lui tirer la langue. Mais je ne l'ai pas fait, bien sûr... Quand même, ça l'a bien embêté. Et pour l'embêter encore plus, je lui ai dit:

– C'est vrai que j'ai un petit quelque chose de Marie Laforêt, la belle actrice...

Il a répondu:

– La Marie Laforêt des pauvres, oui, sûrement...

Ça sifflait entre ses dents, quand il a dit «sûrement». Je suis allée voir maman et je lui ai demandé qui c'était la Marie Laforêt des pauvres... Elle m'a demandé où j'avais entendu parler de cette femme. Alors je lui ai raconté que c'était lui. Elle a voulu me dire quelque chose... sa bouche s'est ouverte, mais les mots ont mis du temps à sortir.

– Je pense que ton père voulait t'expliquer qu'il ne croit pas que tu ressembles à Marie Laforêt tout court... Il a été maladroit dans sa façon d'exprimer son désaccord. Moi, je pense personnellement que tes yeux, ta bouche et tes cheveux sont magnifiques... C'est quand tu seras devenue une femme qu'on saura si tu ressembles à Marie Laforêt tout court. Aujourd'hui, tu es au seuil de l'adolescence. On ne peut pas te comparer à une femme toute faite. Pour être juste, il faudrait qu'on puisse avoir une photo de Marie Laforêt quand elle avait ton âge, tu saisis?

Fin de mes confidences pour aujourd'hui. Je m'en vais faire un roupillon de nuit, comme dit Prouut, la drôle d'amie d'Amanda qui nous écrit des lettres tellement tordantes qu'un jour, j'en ai fait pipi dans ma culotte. J'aime bien quand elle ajoute des petits cailloux, des fleurs ou des feuilles séchées dans ses enveloppes. Il paraît que mon père n'a jamais été capable de l'endurer, même en photo. Probablement parce que c'est elle qui m'a mise au monde...

59

Être ailleurs, n'importe où, sauf là où elle est, au centre de cette fête ridicule. Fa pousse un soupir discret et mord furieusement sa lèvre inférieure. Comme tous les ans, son père, avec des gestes solennels d'officiant, allume les mèches des vingt-quatre pièces pyrotechniques miniaturisées qu'il a rapportées du Mexique. Depuis trois ans, son père et sa mère prennent leurs vacances séparés. Edgar va à Acapulco tandis qu'Amanda se réfugie à Cape Cod. Fa accompagne sa mère, trop heureuse de ne plus sentir peser sur elle le poids de l'aura d'Edgar.

Fa suit la silhouette de son père, mince, élégante et voyante dans un costume blanc de Yves Saint-Laurent. Comme tous les ans, la fête de la Saint-Jean se déroule selon un protocole fixé par lui. Les amis de ses parents occupent la grande table jaune de la serre. Celle qu'Amanda recouvre d'une belle nappe cirée blanche, imprimée de minuscules fleurs de lys bleues.

Les camarades de Fa, quatre, jamais plus, sont réunies autour d'une autre table, ronde en bois blond, celle que la famille utilise habituellement quand elle ne reçoit pas d'invités.

De dix-neuf à vingt-deux heures, tout le monde mange copieusement. Le menu ne varie pratiquement pas, d'une année à l'autre: méchoui, salade, gâteau aux noisettes décoré de fleurs de lys en chocolat, et champagne. Les jeunes ont droit à un demi-litre de vin rosé allégé d'eau Perrier.

À vingt-deux heures, Edgar se lève, éteint les lumières et les bougies et il se rend dans le jardin où il donne son spectacle «son et lumière». Cette année, Mahler est au menu.

Les camarades de Fa applaudissent généreusement l'artiste. Mélissa, excitée par le vin, lance à Fa, tout en tortillant l'ourlet de sa jupe:

– Quelle chance tu as, Fa, ton père est tout simplement sensas!

Peu importe qui elle invite, chaque année, il se trouve toujours une copine envieuse de son sort et qui succombe au charme des yeux gris glacier de son père. C'est le moment que choisit Fa pour s'éclipser en douce, en prétextant un quelconque malaise. De toute manière, les parents de ses amies ne tardent jamais à arriver... Ce faisant, elle s'épargne la cérémonie des adieux, les baisers mouillés de Rapsodie, la fille de Christine, la rédactrice en chef d'*Ève*, et surtout les remarques doucereuses des parents de ses amies, invariablement étonnés de sa silhouette gracile.

– Vous êtes sûrs qu'elle n'est pas anorexique? Non? Évidemment, avec un médecin dans la famille... vous êtes bien placés pour savoir...

Fa dérobe un morceau de gâteau et un fond de bouteille de champagne. Elle sait d'expérience qu'en entrant dans sa chambre, elle aura très faim...

Amusant, cette histoire d'anorexie... Le mois dernier, Amanda a passé vingt minutes à répondre aux interrogations impatientes d'Edgar.

– Tu es sûre de ton diagnostic? Freudia n'est pas anorexique? C'est une maladie ridicule que je ne saurais supporter.

Amanda s'est faite rassurante, comme toujours:

– Fa est en parfaite santé. Elle mange bien tous les jours de la semaine, sauf le dimanche, en ta présence... Le jour où tu cesseras de la harceler pour qu'elle vide ses assiettes, elle arrêtera son manège. De toute façon, quand elle ne mange pas devant toi, elle mange derrière. Elle apporte de la nourriture dans sa chambre. Il est évident qu'elle te tient tête. Tu la cherches et tu la trouves, mon ami. Fa te ressemble pour certaines choses: elle ne supporte pas qu'on gère la plus petite parcelle de son existence, ni qu'on décide à sa place, au nom de son bien, de son enfance, ou de son inexpérience...

Après cette conversation, surprise un certain samedi matin, Fa s'est demandé s'il n'y avait pas lieu de poursuivre sa stratégie. Mais comment tromper Amanda? Comment cacher le fait qu'elle est dotée d'un excellent appétit qui chute lamentablement chaque fois qu'elle entend pérorer son père, chaque fois qu'elle sent sur elle le poids de son regard de justicier...

60

Leur entente s'est, au fil des mois, progressivement étiolée. Les petits déjeuners ont recommencé. Plus tranquilles qu'avant, heureusement. Fa n'a plus besoin de courber les épaules en prévision des orages verbaux. Désormais le silence règne. Edgar mastique consciencieusement sa nourriture tout en parcourant quelques dossiers. De temps en temps, il monte à l'étage. Il va chez Amanda. Pour parler. Le soir, il ne rentre presque jamais avant vingt-deux heures. Si Fa est encore debout, il la salue avec un excès de politesse froide. Brr! Ça lui fait chaque fois l'effet d'un glaçon dans le cou!

Depuis peu, les pénibles cauchemars qui ont empoisonné les nuits de son enfance ont recommencé. Cette ombre, toujours, qui la recouvre pour l'étouffer... Après, elle n'arrive pas à se rendormir et, jusqu'au petit matin, elle réfléchit. Elle se demande ce qui fait le plus mal: l'extrême sévérité paternelle qui était son lot, avant l'entente, ou l'indifférence de maintenant... Si elle était belle, peut-être serait-elle aimée? Elle a de plus en plus l'impression que c'est son corps qu'Edgar abomine. Et peut-être aussi sa vivacité d'esprit, son sens de la repartie, sa façon de bouger dans l'espace, de réclamer son attention... Elle est, dans son histoire, l'événement qu'il voudrait effacer. Même pas recommencer. Mais un enfant ne s'efface pas. À l'école, pendant un cours de sciences humaines, Bertrand, un de ses professeurs, a raconté que les pères chinois, dans certains cantons, tuaient délibérément leurs filles nouveau-nées, coupables de n'être pas nées garçons. Edgar voulait peut-être avoir un garçon... Mais Fa est contente d'être une fille. De ne pas avoir ce curieux machin qui pendouille entre les deux jambes. De ne pas être obligée de jouer des muscles et de faire la brute. Elle aime sa peau, ses cheveux, ses yeux, son petit sexe qui, sa mère l'a prévenue, laissera très bientôt échapper, tous les mois, un joli filet de sang...

61

Dire «je te hais». Fa tourne la phrase dans sa bouche. Sur et sous sa langue. La puissance des mots, leur corrosivité crispent douloureusement sa mâchoire et font palpiter les ailes de son petit nez. Elle se demande quel a été le premier humain à prononcer cette phrase maléfique. Un homme à propos d'une femme ou d'un autre homme, ou une femme à propos d'un homme ou d'une autre femme? Qu'a-t-il ou qu'a-t-elle fait après avoir libéré les mots? Fa, elle, est encore incapable de les prononcer à haute et intelligible voix. Alors, quand les mots menacent de déverser à force de gonfler dans sa bouche, elle sait qu'il est temps de les enrouler dans une gaine de froidure pour ne pas être brûlée... Un jour, bientôt, elle osera affronter son père et alors il saura ce qu'elle pense de lui. Qu'il n'est pas un vrai père.

Fa soupire en pensant à ce que sera ce grand moment de vérité. Elle quitte son siège. La voilà arrivée. L'autobus 24 s'immobilise juste avant l'arrêt de la rue University, à cause de la chaussée en réparation. Elle descend et contemple avec intérêt les glaçons qui se sont formés à partir du toit du Royal Victoria College. Le soleil de mars, en léchant la neige accumulée depuis le début de l'hiver, a fabriqué un impressionnant rideau de cristal formé en réalité d'une myriade de grands glaçons pointus comme des poignards.

Cette sculpture hivernale convient bien à l'humeur de Fa ce matin... Elle s'avère même inspirante. La fée Morgane a emprisonné Merlin l'enchanteur dans une voûte de glace, dit-on. Elle songe à son père, à cet enchanteur de pacotille qui s'acharne, jour après jour, à faire noircir le papier de son journal par des gens dont il croit diriger les cerveaux et les émotions. Elle s'imagine en Morgane, accomplissant le rituel d'ensorcellement destiné à s'en débarrasser.

«Tu n'es pas un dieu, tu n'es pas un homme, tu n'es rien... *Anal natars our par speset doriel diem vè!*»

Si Fa était Morgane, c'en serait fait de l'enchanteur Edgar Paris. À l'instant où la chape de glace s'abattrait sur lui, le figeant dans cette pose directoriale qu'il affectionne, corps droit, coudes serrés le long du corps et mains sévèrement nouées, Fa serait libérée...

Fa est contente de ce nouveau fantasme que vient de lui inspirer la sculpture de glace. Un beau cadeau imprévu de l'hiver. Rajustant les courroies de son sac sur ses épaules, elle se met à courir et arrive à l'école juste au moment où la cloche sonne.

62

La salle de rédaction de *La Petite Patrie* se fige soudain comme un décor de théâtre surpris par les projecteurs. Edgar vient d'arriver, le cou enfoncé dans les épaules, crispé, blanc et menaçant. Il brandit à bout de bras les épreuves du prochain supplément d'*Ève*.

– Christine! Fabien! Dans mon bureau, tout de suite!

Christine, qui vient juste d'arriver, lève les yeux au ciel. Elle repousse la boîte d'échantillons de mascara que la maison Germaine Monteil lui a fait livrer par messager, la veille.

Depuis quelques mois, elle et Edgar ont des échanges de plus en plus acerbes. Il n'est pas d'accord sur la manière dont elle dirige *Ève*. Il lui reproche de publier des reportages trop dérangeants, trop subversifs. D'avoir avec les pigistes des rapports par trop égalitaires. De nuire au service de publicité en publiant des articles qui dénoncent l'inutilité ou même le danger de certains produits. D'adopter, un peu trop souvent, un ton ouvertement féministe qui fait tiquer les annonceurs. Et surtout, surtout, il lui en veut de s'être entichée de ce Fabien Dostie, d'en avoir fait son confident, son complice, peut-être même son amant. Sur le plan professionnel, Christine est beaucoup trop indulgente avec lui, estime-t-il. Elle accepte d'emblée toutes ses propositions de reportages, signe sans questionner ses comptes de dépenses et ferme les yeux sur ses excentricités vestimentaires, inacceptables quand on représente un supplément aussi prestigieux qu'*Ève*.

En fait, Christine elle-même se laisse aller, selon lui. Elle ose maintenant travailler en jean et en surchemise. Edgar est persuadé que Fabien est le principal responsable de la mutation physique et psychologique de Christine. Son influence se fait d'ailleurs sentir dans toute la salle de rédaction. Cette façon qu'il a de serrer les femmes dans ses bras, de s'asseoir sur les pupitres ou même par terre. Ce ton intimiste qu'il prend pour décrire ses états d'âme pendant les entrevues...

Christine se lève, demande à Vickie, sa secrétaire, de lui préparer un café bien noir et de le lui apporter dans le bureau d'Edgar.

Elle entre, s'assoit, ôte ses chaussures et étire ses jambes.

– Fabien n'est pas encore rentré, Ed.

– Comment ça, pas rentré? Il est plus de dix heures!

– Et après? Mes journalistes n'ont pas à pointer comme les métallos de Canadair. Tu oublies que certains d'entre eux travaillent fréquemment le soir et aussi les fins de semaine. Pourvu que leurs articles soient remis à temps, je me fiche pas mal de savoir à quelle heure ils arrivent le matin.

Edgar se sent la bouche amère comme si on l'avait obligé à avaler un jus de citron. Il est nerveux, tendu. Il marche de long en large derrière son bureau en faisant du vent avec les épreuves qu'il a entre les mains. Christine le suit des yeux. Elle remarque que son visage est marqué de placards rouges. Mais elle ne dit rien. Elle attend qu'il déballe sa marchandise. Edgar est irrité par le silence désinvolte de Christine. Il la regarde, espérant, attendant qu'elle se trouble, qu'elle ouvre le feu.

– Cesse de courir le marathon, veux-tu, et vide ton sac qu'on en finisse. Qu'est-ce que tu nous reproches cette fois à Fabien et à moi?

Edgar lance, avec une violence délibérée, les épreuves sur son bureau.

– Ça! Ce numéro est infect! Inacceptable! Ça ne va plus du tout! Il y a deux semaines, tu as publié un article sur les méfaits de la cigarette tout en sachant très bien que deux de nos plus gros commanditaires sont des compagnies de tabac. Cette semaine, tu remets ça en offrant à nos lectrices la traduction d'un reportage paru dans *M* sur l'inefficacité des crèmes antirides. Or tu sais parfaitement, je t'avais prévenue, que Dior, Revlon et Lancôme ont acheté des encarts pour le premier numéro de septembre afin de lancer leurs nouvelles crèmes hydratantes! Tu as fait interviewer, par ton cher soprano à voile et à vapeur, et probablement à grands frais, une certaine Adrienne Rich, une théoricienne du féminisme que personne ne connaît, complètement siphonnée, si tu veux mon avis, et tu es passée à côté de Sophia Loren qui a séjourné pendant trois jours dans un hôtel situé à dix minutes d'ici! Mais le comble, la Chantilly sur le coulis, comme tu dis, c'est ce reportage sur les femmes terroristes auquel tu accordes quatre pages entières! Et je ne parle pas du témoignage de cette femme qui a assisté au suicide de son fils de 17 ans! C'est réjouissant à lire pour inaugurer un week-end!

Là-dessus la porte s'ouvre et la secrétaire de Christine entre avec Fabien sur les talons. Le journaliste est vêtu d'une camisole noire à tête de pirate et d'un pantalon de marin blanc. Il est bronzé et porte au poignet droit un bracelet d'argent massif. Il s'incline.

– Me voici, le corps raide et les oreilles molles. Parlant d'oreilles, elles me bourdonnent depuis que je suis entré... Je suis sûr que vous parlez de moi. Alors, que se passe-t-il?

Christine lui jette un regard implorant, lourd d'avertissements. Edgar s'assoit enfin. Il toise Fabien tout en joignant l'extrémité de ses doigts.

– Toi, sors d'ici! Dans une demi-heure, je te ferai parvenir, par écrit, mes commentaires sur ton dernier papier. Tu as trois heures pour me proposer autre chose.

Fabien regarde Christine, comprend ce qu'elle attend de lui, s'incline à nouveau et réplique avec une exquise obséquiosité:

– Mais c'est comme monsieur voudra...

Et il sort, après avoir salué à la façon des hindous.

Christine, tendue, avale son café d'une seul trait et elle apostrophe Edgar.

– Soyons méthodiques, Ed. Problème numéro un, le papier de Fabien. Problème numéro deux, «ma» politique rédactionnelle. Problème numéro trois, si on a le temps, la personne de Fabien. Alors, que reproches-tu au juste au reportage sur les femmes terroristes?

– Si tu n'as rien compris, je ne vais pas perdre mon temps à te faire un dessin. Tu liras, si tu y tiens, mes commentaires à ton rédacteur.

– Ed, je ne te comprends pas. Ce reportage est formidable! Fabien y a travaillé pendant un mois entier, avec des criminologues et des spécialistes de la question. Il nous présente ces femmes sous un éclairage enfin nouveau. Il débanalise et désexualise la question.

– Assez! Je ne discuterai pas avec toi, ma chère. Je vais me borner simplement à te rappeler que les femmes terroristes sont, dans la grande majorité des cas, des criminelles et des malades. Et maintenant abordons la question de ta politique rédactionnelle. Tu essaies de faire d'*Ève* un supplément engagé et ça ne me plaît pas du tout. Ça ne plaît pas non plus au conseil d'administration qui m'a déjà envoyé deux avis. Si la cause des femmes, comme tu dis, t'intéresse tant, si tu veux travailler pour faire plaisir aux radicales de ton groupe féministe, fais-toi engager chez *Isis*. *Ève* est un supplément qui s'adresse à la famille et plus spécifiquement aux femmes. Des femmes qui veulent être informées et diverties, pas endoctrinées, pas fanatisées. C'est mon dernier avertissement.

– Ed, je suis dans cette boîte depuis plus longtemps que toi. Tu peux toujours flanquer Fabien à la porte, mais avec moi, je t'avertis, tu auras du fil à retordre. Si tu le fais, ça va te coûter gros. Et maintenant je m'en vais te dire une chose: le pouvoir t'a monté à la tête. Tu es devenu sec comme un vieux biscuit Ritz et fielleux comme un baril de saumure. Il se passe des choses importantes au Québec. Comment fais-tu pour avoir l'air de les ignorer? Tu te conduis comme si tu avais l'air de tout connaître... c'est vexant! Et maintenant je sors avant de manquer d'air!

– Minute! Pas avant d'avoir réglé ton problème numéro trois. La personne de ton Fabien Dostie, comme tu dis, rétorque Edgar en insistant sur le ton.

– O.K. Je vais y aller a capella, sans fioritures. Tu es incapable d'accepter cet homme...

– Ah! Parce que c'est un homme!

Christine fait comme si elle n'avait pas entendu et poursuit:

– ...parce qu'il est beau, qu'il écrit magnifiquement et qu'il est homosexuel! Tu es jaloux! Tu aurais besoin d'une bonne thérapie, Ed. Tu devrais en parler à ta femme, si tant est que vous vous parlez encore. Tu es frustré de partout. De la tête et de la «pine»! Et puis tu as peur des sentiments, des émotions. Tu es devenu une machine. Tu ne peux même pas aller pisser sans apporter un livre ou un texte avec toi de peur de sentir ton corps se soulager... Ça fait rigoler tes rédacteurs!

Hors de lui, Edgar lance un cri qui fait vibrer les vitres de son bureau et sursauter le personnel de la salle de rédaction.

– Dehors! Va donc te faire enculer par ton beau Fabien!

Christine sort si vite qu'elle en oublie ses chaussures.

Edgar les aperçoit, s'en saisit, la suit et les lance aussi loin qu'il peut dans la salle de rédaction.

– Les godasses de madame!

Christine réplique, sur un ton sarcastique:

– Nous avons un rédacteur en chef qui manque d'émotion, d'imagination, mais pas de voix! Me faire enculer par Fabien. (Elle le cherche des yeux et ne le voit pas.) Quelle idée! Ce sont les hommes qu'il encule, mon cher. Avec les femmes, il utilise leur petit con, en bon étalon. Ton insulte trahit peut-être une envie cachée?

Sous l'insinuation, Edgar, les yeux hors de la tête, recule, se retourne et donne dans le mur un formidable coup de pied qui brise littéralement le plâtre.

Christine commente:

– Quel tonus! Pour enculer un mur, il est de première force, notre distingué rédacteur en chef!

63

Une heure plus tard, Fabien trouve sur son bureau, sous pli cacheté, la lettre promise par Edgar.

Ton texte sur les femmes terroristes, que Christine a eu le malheur d'accepter, ne passera pas dans Ève. *Uniquement inspiré de sources gauchistes (Maspero, entre autres), parasité par un féminisme primaire, il est une apologie et défense du terrorisme. Or tous les terrorismes sont criminels, qu'ils soient de droite ou de gauche, pratiqués par les hommes ou les femmes. Non seulement il est exclu qu'un tel texte soit publié chez nous, mais je t'interdis formellement de le vendre ou donner à toute autre publication, au Québec comme en Europe où je sais que tu as des amis, tant et aussi longtemps que tu feras partie de mon équipe. Je m'oppose en effet à ce que le nom de mon supplément soit associé, même indirectement, aux opinions professées dans ton texte.*

Fabien replie la lettre et émet un long sifflement. Il sait que désormais, ses jours sont comptés.

Le plâtrier, mandé pour réparer les dégâts commis par la colère d'Edgar, lisse une dernière fois le plâtre avec la truelle, tout en lorgnant les jambes de la secrétaire assise non loin de là. Un journaliste s'approche de lui, un doigt sur les lèvres. Il colle au mur une affichette où il est écrit: *Ce lieu, «sanctifié» par la basse partie patronale, portera désormais le nom de Mur des lamentations.*

Edgar, décidé à en finir avec le vent de contestation qui court dans la salle de rédaction, fait venir Fabien dans son bureau. Il lui tend une enveloppe.

Fabien ne l'ouvre pas. Il sait.

– Je suis *kapout*, n'est-ce pas?

– Remercié, avec trois mois de salaire et une lettre de recommandation que j'ai voulue d'une bienveillante neutralité pour tempérer celle, enflammée, que Christine ne manquera pas de te donner. Je tiens énormément à ce que tu débarrasses le plancher le plus vite et le plus discrètement possible. Ça veut dire que j'espère ne plus te revoir, à partir de demain matin. Suis-je assez clair?

– Oui. Vous êtes bon avec moi. Merci beaucoup. Quittons-nous vite, de peur de nous mettre à pleurer.

Il se lève et ajoute, la main sur la poignée de la porte.

– Dites... ça doit être lourd à porter une tête comme la vôtre. Et fatigant à entretenir, un corps aussi empesé.

Et il sort en déclamant:

– Son parfum s'appelait Suffisance. Il en usait et abusait, jusqu'à ce qu'un jour un liquide verdâtre se mette à couler de ses oreilles. Il courut chez un médecin qui lui dit: «Mon ami, c'est votre cerveau qui fuit qui fuit qui fuit... cui cui cui...»

64

Roland Garneau est mécontent.

– Vous n'êtes pas capables de me «crisser» patience une semaine! Quand ce n'est pas toi, Edgar, qui te plains de Christine, c'est elle qui se lamente d'être sabotée par toi! T'es rédacteur en chef de *La Petite Patrie* et directeur de *Ève*. Alors débrouille-toi donc avec tes troubles! Si tu veux mettre Christine dehors, fais-le, mais je te préviens que tu vas avoir son mari sur le dos, à moins que tu ne lui donnes une bonne année de salaire en guise de dédommagement. Penses-y bien. Christine est une fille remarquable. Elle sera difficile à remplacer. Ses emballements de féministe, ça va lui passer. Elle suit la mode, comme elle l'a toujours fait. Et la mode est aux féministes. Vous seriez mieux de vous entendre au lieu de vous tirer continuellement dans les pattes.

65

Nu, dégoulinant d'eau, Edgar se contemple dans le miroir en pied de la salle de bains. Il glisse un doigt le long des deux rides gothiques qui encadrent son nez et sa bouche. Il vieillit, mais bien. Il se tourne légèrement pour étudier la ligne de son dos. Il est toujours très droit. Rien à voir avec la silhouette voûtée de son père. Il est mince, son ventre est plat et ses chairs encore fermes. Il faut dire qu'il prend soin de lui. Il avale, depuis peu, des suppléments de vitamines A, C et E prescrits par son médecin qu'il consulte une fois l'an; et il fait du conditionnement physique deux fois par semaine dans un club Nautilus.

Aujourd'hui, il a décidé de raser sa moustache. Au début, il y a un peu plus d'un an, lorsqu'il a eu l'idée de s'en laisser pousser une, juste pour voir, il avait aimé. Mais maintenant qu'il y a découvert quelques poils blancs, il n'en veut plus. Il doit paraître aussi jeune que possible. Il a une nouvelle maîtresse, Barbie. Un jeune mannequin anglais aux cheveux blond platine coupés très court, bouclés comme un mouton, et aux admirables yeux bleus.

Barbie ressemble tout à fait à la poupée dont elle porte le nom. Elle a des seins haut perchés, une taille de guêpe et une paire de jambes minces et interminables que les compagnies de bas et de chaussures et les photographes de mode s'arrachent. Dans les défilés, c'est toujours elle qui est choisie pour porter la traditionnelle et virginale robe de mariée de la finale. L'agence pour laquelle elle travaille compte la lancer sur le marché américain d'ici peu, et Edgar a convenu avec elle d'un arrangement. Barbie fera la une d'*Ève,* avec évidemment un reportage en bonne place, dès que le premier gros contrat sera signé.

La photo de couverture est déjà prête. Barbie est photographiée de dos et elle porte, pour tout vêtement, un jupon de soie à l'effigie du drapeau américain. Sa jolie tête, tournée, regarde l'objectif avec des yeux effrontés et une moue boudeuse de Lolita. Le bas de vignette est prêt, lui aussi. *Barbie, 19 ans,* top model *au Québec, à l'assaut du géant américain.*

Barbie ne parle pas un mot de français. Elle est née à Londres, d'une mère québécoise et d'un père anglais. Lorsque le couple a divorcé, elle avait 14 ans. Elle a suivi sa mère au Canada et depuis, elle a vécu avec elle, jusqu'à sa majorité, dans une maison cossue de Notre-Dame-de-Grâce. Edgar la trouve séduisante, très *sexy,* drôle et pas compliquée. Il est, comme elle dit en plissant son joli nez, son *french lover.* Il possède la clé de son appartement, situé rue Sherbrooke ouest, dans un vieil édifice en pierre, à deux pas du Musée des beaux-arts. Tous les murs de son trois pièces sont tendus de tissu Laura Hashley, présent de son premier amant, un homme d'affaires londonien, d'abord ami de sa mère. Il voulait un écrin de fleurs des champs pour rendre hommage à ses yeux.

Edgar a rencontré Barbie lors de la présentation saisonnière de la collection du modéliste Léo Chevalier. Il accompagnait Christine et il lui a demandé de la lui présenter. Depuis, ils se voient une ou deux fois par semaine. Ils ne font pas l'amour très souvent. En fait, Barbie préfère les caresses, les jeux de mains, les préliminaires de l'amour. Elle a toujours peur d'attraper un bébé, ce qui mettrait un point final à sa carrière, lui a-t-on affirmé à plusieurs reprises. Comme elle refuse de prendre la pilule pour éviter tout gain de poids et aussi l'apparition de petites taches brunes sur sa peau de blonde, Edgar utilise des préservatifs, les rares fois où ils vont jusqu'au bout. Mais Barbie se plaint que le latex l'irrite.

Un soir, donc, il s'est décidé à aller discuter de contraception avec Amanda. Outre les capotes, existe-t-il un autre moyen fiable? Amanda a tout de suite deviné le pourquoi de sa curiosité.

– Je parie que tu as une nouvelle petite amie... Je suis contente pour toi.

Elle lui a parlé des gelées spermicides tout en spécifiant que, employées seules, elles n'étaient pas une garantie absolue de protection. Par contre, la combinaison gelée et condom s'avérait une méthode assez sûre. L'utilisation de gelée irriterait peut-être moins sa partenaire...

À partir de ce soir-là, Edgar est retourné voir Amanda dans sa chambre à plusieurs reprises pour lui parler de «sa» Barbie. Il aime bien discuter avec elle. Évidemment elle en profite chaque fois pour essayer de lui causer de Fa. Il fait comme s'il n'entendait pas ou alors, il aborde un autre sujet. Le travail au journal, ses employés, Christine, qui fréquente de plus en plus les milieux féministes et qui ne porte plus de maquillage. Il estime que sa démarche est devenue excessive et il n'aime pas ça. La question du féminisme est à la mode, d'accord, et il trouve ça amusant, voire intéressant sous certains aspects, à la condition qu'on n'en fasse pas un drame historique comme le fait *Isis*, mois après mois.

Des coups secs, frappés à la porte de la salle de bains, interrompent brutalement sa réflexion. Il lave soigneusement son rasoir et éponge son visage.

– Oui... qu'est-ce qu'il y a?

– J'ai besoin de la toilette...

Il reconnaît la voix de Fa.

– J'achève. Encore cinq minutes.

S'il n'était pas si pressé, il la ferait attendre, cette sale gamine qui trouve moyen de lui gâcher son samedi matin. Mais Barbie, qui a congé aujourd'hui – habituellement, le samedi, elle travaille en studio –, compte sur lui pour le dîner. Il enfile son peignoir, jette un dernier coup d'œil à son nouveau visage glabre, et il sort. Il passe à côté de sa fille sans même la regarder.

– Tu aurais pu nettoyer le lavabo, quand même!

La remarque l'atteint alors qu'il allait descendre l'escalier. Il revient sur ses pas.

– Pardon?

Fa ouvre la porte d'un geste sec.

– Ces poils sur le comptoir et dans l'évier, c'est franchement dégueulasse!

– Si tu n'avais pas été si pressée, j'aurais eu le temps de nettoyer.

Comme d'habitude, Fa rouspète en le regardant d'un air impertinent.

– Je n'étais pas pressée du tout. J'ai juste frappé et dit que j'avais besoin de la salle de bains.

Edgar serre si fort la ceinture de son peignoir que ses jointures blanchissent.

– Et puis il y a une salle de bains en bas. Dans «tes» quartiers.

– Exact, mais il n'y a pas de baignoire en bas. Seulement une douche. Et moi je voulais prendre un bain. De toute manière, je suis chez moi dans cette maison.

– La maison de ma mère, tu veux dire...

Fa aperçoit le visage sans moustache de son père. Lui, note sa nouvelle coiffure. Les cheveux de sa fille sont ramassés en queue de cheval et attachés très haut sur le côté droit de sa tête. Cette asymétrie lui paraît ridicule.

– Qu'est-ce que c'est que cette queue de cheval d'infirme?

– Une petite fantaisie. Il n'y a pas que ta *mousmé* qui a le droit de faire des drôleries en matière de mode...

Edgar, surpris, lâche les pans de sa ceinture.

– Ma... *mousmé*!

– Tu as bien entendu. Tu crois que je ne suis pas au courant que tu te balades partout avec une catin blonde qui pourrait être ma sœur aînée?

La gifle part. Elle atterrit sur la joue droite de Fa qui lève aussitôt sa main pour se protéger. En moins de deux, elle est empoignée par les épaules, soulevée de terre et tassée sur le comptoir du lavabo.

– Lâche-moi! Tu es cinglé! J'espère qu'Amanda va te chasser d'ici!

Edgar est surpris par la force peu commune de sa fille. Une petite furie dotée d'un tonus vocal surprenant.

– Personne ne t'aime. Le sais-tu? Pas même ta poupée Barbie! Personne ne t'a jamais aimé. Tu es heureux seulement quand tu te sens le plus fort! Attends! Je vais prendre des cours d'aïkido et je vais t'obliger à me respecter.

Il ne se possède plus. Jamais personne ne l'a affronté avec autant de véhémence. Alors il se met à frapper et les claques tombent dru sur la tête de Fa qui riposte avec des coups de pieds et de genoux. Elle vise habilement et délibérément le bas-ventre de son père.

– Espèce de petite mocheté! Si tu t'imagines que je vais te laisser continuer à m'insulter, tu te trompes! Je vais t'apprendre la politesse et le respect dû aux parents!

– Je vais le dire à grand-mère que tu m'as frappée! Tense non plus ne t'aime pas. Le sais-tu?

Plus agile qu'Edgar, Fa parvient à s'échapper. Elle descend l'escalier, court vers la porte d'entrée, sans même se soucier d'être encore en pyjama. Elle voit du sang couler sur ses mains. Mais elle ne pleure pas. Elle traverse le trottoir, s'approche de la rue et hèle un taxi.

– Conduisez-moi à l'hôpital Saint-Luc. J'ai eu un petit accident. Ma mère vous paiera. Elle est médecin, là...

66

Amanda regarde attentivement le visage de sa fille. Le médecin qui l'a examinée sommairement lui a dit de ne pas s'inquiéter. Fa est seulement tombée dans l'escalier. Elle saigne un peu du nez, elle a quelques ecchymoses mais rien de cassé.

Plus Amanda écoute les yeux de Fa, plus elle acquiert la certitude que l'escalier est un alibi.

– Tu n'es pas tombée, Fa...

Elle attendait la question et elle répond, avec une sorte de fierté dans la voix.

– Non. Il m'a battue. Mais je voulais le dire à toi seulement.

Puis elle ajoute, en évitant de regarder sa mère.

– J'ai dû lui faire mal parce que je lui ai donné plein de coups dans les parties...

Amanda avertit les membres de son équipe qu'elle va s'absenter pour une heure, puis elle rentre à la maison avec sa fille, tombée dans un mutisme étrangement serein. Elle a raconté l'incident avec une grande économie de mots, ce qui déjà ne lui ressemble guère. Est-elle en colère? A-t-elle du chagrin? Difficile de savoir avec la tête bizarre qu'elle a.

Sitôt arrivée, Fa, comme si rien ne s'était passé, lance à la cantonade:

– J'ai faim! Une vraiment très grosse faim. Je vais à la

cuisine faire une belle pizza au saumon... comme il les aime...

Amanda est désarçonnée. Normalement Fa devrait être ivre de colère, charger comme un taurillon blessé. Or elle parle de bouffe et elle chantonne avec un sourire de victoire. Amanda monte à l'étage. Edgar s'est réfugié dans sa chambre. Il est affalé sur son lit et souffre visiblement beaucoup.

– Te voilà enfin... J'ai essayé de t'appeler à l'hôpital... On m'a dit que tu étais en route. Aide-moi... Je n'ai pas eu la force de descendre dans mes appartements... J'ai l'impression que je vais m'évanouir...

Amanda dénoue son peignoir et l'examine.

– Te voilà «amanché» comme le suisse Nicolas dans le roman de *Clochemerle*. Tes couilles ont presque doublé de volume. La seule différence, c'est qu'il ne s'agit pas d'une bagarre d'église mais d'un duel avec ta fille!

Amanda soulève les genoux d'Edgar et glisse un oreiller dessous.

– Ne bouge pas. Je vais préparer des sacs de glace. C'est souverain dans ton état. Et pour soulager la douleur, je vais te donner un comprimé de Percodan avec un verre de lait, pour éviter l'irritation gastrique... Je reviens...

Dans la cuisine, Fa a préparé un plateau pour son père. Amanda lui explique que le moment n'est peut-être pas idéal pour lui offrir son amuse-gueule favori. Dans une petite heure peut-être. Puis elle monte avec les sacs et un verre de lait. Elle place les sacs, enveloppés dans une serviette mince, entre les cuisses d'Edgar, puis elle l'aide à s'asseoir et lui tend le verre et le calmant.

– Je ne vais pas jouer au détective et enquêter pour savoir qui a commencé à frapper l'autre et qui a dit quoi. Je constate seulement que votre conflit s'est aggravé au point que vous en êtes venus aux coups.

– Je regrette de l'avoir frappée mais elle l'avait bien cherché.

Amanda lève une main pacifique en signe d'objection.

– Non non... je t'en prie. Pas d'excuse. Ta fille t'a cherché comme elle te cherche depuis qu'elle est toute petite. Tu n'as jamais voulu le reconnaître.

– Mais bon Dieu, je suis là! J'ai toujours été là. Comme notre contrat le voulait.

– Tu es là de corps, oui. Mais ça ne fait pas de toi un père pour autant! Quand l'as-tu bercée? Quand lui as-tu raconté des histoires? Quand as-tu joué avec elle? Quand t'es-tu montré fier d'elle? Quand es-tu allé l'entendre chanter à l'école? Quand lui as-tu parlé de toi, de ton enfance, de ton travail?

– Fa est ma fille. Je l'ai officiellement reconnue. Elle porte mon nom. Je subviens à ses besoins. Je ne sais pas ce que tu attendais d'autre de moi. Je ne suis pas un éducateur de maternelle! Tu as engagé un type, quand elle est née. Il n'arrêtait pas de la promener dans toute la maison en lui serinant je ne sais trop quelle mélopée... Il a joué le rôle de la nounou à la perfection. Il ne lui manquait que les seins! Après, ça a été ta maudite Prouut qui nous a empoisonné l'atmosphère et qui n'a rien su faire d'autre que gâter Freudia. Et puis ma mère a pris la relève... Fa n'a vraiment pas manqué d'attention!

– Je suis d'accord avec toi sur un point. Tu as subvenu aux besoins matériels de ta fille. Mais à tous ses autres besoins, tu n'as jamais répondu. Le jeune étudiant et Prouut ont joué le rôle de gardiens. Seulement de gardiens. Et ta mère, celui, bien normal, de grand-mère. Mais aucun ne pouvait te remplacer...

Edgar ferme les yeux. Il en a marre. Il voudrait n'avoir jamais rencontré Amanda.

– Fa te demandait une seule chose. De l'aimer!

Il tressaille. Il a froid. Il se sent mal. Qu'ont donc les gens à s'enfarger l'esprit dans le verbe aimer? «Personne ne t'aime. Personne ne t'a jamais aimé.» Il entend encore sa fille lui cracher ces mots au visage. Bon, c'est vrai. Il n'est pas aimé. Ni par son personnel, ni par Amanda. Ni par sa mère qui lui a toujours préféré Alain, il le sait. Mais son père l'a aimé. Il était son préféré. De ça il est sûr. Il revoit son père. Il essaie de retrouver des preuves de l'amour qu'il lui portait. Il n'y arrive pas mais, curieusement, il se souvient d'une phrase que servait fréquemment sa mère à ceux qui s'étonnaient du sale caractère de Charles. «Il n'aime personne à l'exception de son ombre. Il est né comme ça. Ça lui passera avec la vie... Et Edgar prendra la relève. C'est son père tout craché.» Alors voilà. Lui, le favori de Me Paris, a hérité du flambeau. Lui non plus n'aime personne. Il est né inapte à l'amour. *And so what!* Ça n'empêche pas de vivre et de réussir, ça. Aimer. Qu'est-ce que ça veut dire, aimer? Il peut dire, lui, qu'il a aimé Fumio, et puis Amanda; et après, Catherine et Mariette et Chantale. Et maintenant il aime Barbie.

À bien y penser, il aimait aussi l'image de la petite fille qu'il avait imaginée sienne. Des boucles blondes, légères comme un souffle. Des yeux bleus, fondants, une bouche pulpeuse, rieuse. Une Barbie enfant, charmante, charmeuse, ensorceleuse. Il l'aurait certainement prise sur ses genoux. Il l'aurait câlinée. Il l'aurait embrassée. Il aurait glissé une main avide dans ses beaux cheveux. Mais voilà. Fa était née, maigrichonne, fragile, noire et braillarde. Elle était exactement l'inverse de ce qu'il attendait. En grandissant, Fa n'avait rien révélé de positif. Ses traits disgracieux avaient pris un air maladif. Ses yeux, trop grands, et ses cheveux, trop lisses, lui conféraient une allure de Pierrot en détresse tandis que sa voix, haut perchée, et ses manières brusques la faisaient ressembler à un petit pantin mécanique déréglé... Le diminutif musical de Fa, dont Amanda l'avait gratifiée, ne lui convenait absolument pas; et c'est la raison pour laquelle il se sentait incapable de l'utiliser lorsqu'il s'adressait à elle. Freudia convenait mieux, dans les circonstances.

– Edgar, je voudrais que nous fassions une ultime tentative de conciliation. Je vais demander à un de mes amis, Jocelyn Laberge, qui est psychiatre pour enfants, de voir Fa en consultation. Mais je voudrais que toi aussi, tu acceptes de le rencontrer. Si nous ne trouvons pas une manière acceptable de vivre ensemble, il faudra que nous envisagions la séparation, nous n'avons vraiment plus le choix. D'ici là, j'exige de ta part un cessez-le-feu total.

– Alors, parle à Freudia. Je ne veux plus être insulté par elle, ni importuné, ni qu'elle se mêle de juger ma vie privée.

– Je le ferai. Mais en ce moment, c'est à toi que je parle...

Edgar ouvre les yeux et fixe Amanda d'un air las.

– D'accord, d'accord, je verrai ton psy.

67

Jocelyn Laberge, dans le but de ne pas donner à sa rencontre avec la fille d'Amanda une aura médicale, reçoit Fa chez lui, dans son logement de la rue Saint-Kevin, à Côte-des-Neiges. Quand Amanda lui a raconté l'incident et décrit l'étonnante réaction de sa fille, il a réfléchi et proposé une explication. Fa, par tous les moyens, cherche à obtenir la tendresse et l'attention de son père. Jusqu'à maintenant, elle n'a réussi à lui soutirer que des sarcasmes et des reproches. Et voilà que, tout à coup, elle obtient une réaction violente et très corporelle. Il la frappe. Ce n'est évidemment pas ce qu'elle attendait, mais c'est enfin un geste tangible. Un geste qu'elle, sa mère, risque fort de ne pas accepter.

Et maintenant, elle attend que quelque chose se passe entre eux. Amanda a écouté et n'a rien dit.

Jocelyn fait entrer Fa et il dépose son manteau et son bonnet sur une patère. Puis il lui offre une infusion de tilleul-menthe et il lui désigne une chaise en cuir noir. Il s'assoit en face d'elle.

– Parle-moi de toi et de ton père. Dis-moi ce que tu veux. Ce qui te vient spontanément à l'esprit...

Fa boit sa tisane à petites gorgées. Jocelyn la détaille discrètement. Il ne l'avait pas vue au cours des deux dernières années. Il la trouve changée. On devine que l'adolescence se faufile en douce dans ce corps de petite fille et que la transformation sera spectaculaire. Fa sent le regard du spécialiste posé sur elle et, au lieu de baisser les yeux, elle le regarde bien en face.

– Vous savez ce qui me ferait plaisir? Pouvoir dire à mon père: «Tu es un homme raté et un... impuissant!»

– Et tu ne le peux pas?

– Objectivement, comme il dit, il a toujours ce mot à la bouche, Edgar Paris, non, je ne peux pas... C'est un bourreau de travail, un gros producteur qui a incontestablement réussi... Au début, quand il a été nommé rédacteur en chef, il avait cinq ou six employés sous ses ordres. Maintenant, il en a trois fois plus. Il est archi-connu. Au journal et dans le milieu du journalisme, son pouvoir est énorme. Et puis... c'est un macho de la tête! Ce sont les pires, il paraît. Mais il y a des femmes qui ont l'air d'aimer le genre. Il a eu quelques aventures, je le sais. Et actuellement, sa petite amie est une grande blonde un peu fofolle qui pourrait être ma sœur aînée, je le lui ai dit. C'est vraiment étonnant... Il y a tellement de femmes qui lui tournent autour que s'il le voulait, il pourrait en changer tous les mois. On se bouscule au portillon... comme dit Amanda, quand une «candidate» téléphone à la maison. Généralement un mannequin ou une journaliste débutante...

– Les femmes l'aiment donc tant que ça, ton père?

– Elles lui trouvent des yeux magnétiques, ir-ré-sis-tibles! Il plaît même aux adolescentes... À Poppy par exemple.

– Qui est Poppy?

– Une fille de ma classe avec qui mon père voudrait beaucoup que je sois amie.

Fa imite la voix et les intonations de son père:

«C'est la plus séduisante, la plus drôle, la plus imprévisible jeune fille que j'ai jamais vue...» Il n'arrête pas de vanter ses charmes. On dirait qu'il est chargé de faire sa promotion!

– D'après toi, il a raison?

Fa soulève les épaules, s'agite un peu sur sa chaise en passant une main dans ses cheveux.

– Poppy est très jolie, oui. Mais c'est une manipulatrice, une enjôleuse, une profiteuse. Elle a fait sa cour auprès de mon père parce qu'elle voulait qu'il l'engage comme mannequin pour ses pages de mode junior. Et mon père a marché... Depuis, il l'invite souvent à la maison, le dimanche. À table, il n'arrête pas de la regarder, de vanter l'originalité de ses coiffures, de ses vêtements, la grâce inimitable de sa démarche... Le mois dernier, il a suggéré qu'elle m'accompagne pour m'aider à choisir mon manteau du printemps.

Fa tortille le cordonnet de laine du col de son chandail et ajoute:

– Un jour, il lui a même baisé la main! Je crois que ma mère l'a trouvé ridicule. En tout cas elle a souri... un petit rire en coin, vous savez comme elle fait, n'est-ce pas?

– Et toi, que penses-tu de la situation? demande le docteur Laberge en déplaçant légèrement sa chaise pour être plus près de Fa.

Elle se lève. Elle sent qu'elle va dire quelque chose qu'elle n'a plus envie de cacher. C'est un secret qui lui fait mal depuis trop longtemps. Et elle a trouvé, croit-elle, l'interlocuteur idéal. Elle ouvre la bouche et constate, étonnée, que malgré son désir de parler, pas un son ne sort. Une douleur familière, celle-là même qui l'étouffait à son coucher, lorsqu'elle était toute petite, monte dans sa gorge, la brûle, la fait suffoquer presque. Elle prend une grande respiration, tout comme Amanda fait lorsqu'elle vit des situations difficiles, mordille l'ongle de son index gauche, contourne la chaise, marche jusqu'à la fenêtre et pose son front sur la vitre froide. Elle a l'impression que la douleur respire à sa place et s'amuse à déchirer ses bronches. Elle aspire l'air à nouveau et reconnaît l'odeur de la pipe que Jocelyn Laberge vient d'allumer. Elle a tout de suite aimé cet homme, ses yeux de collie patient, sa voix tranquille, chaleureuse, et surtout cette impression qu'il donne d'envelopper la personne à qui il s'adresse. Pourquoi son père ne ressemble-t-il pas à ce médecin bon et sensible? Pourquoi sa mère n'a-t-elle pas épousé un type dans son genre?

Sans se retourner, Fa commence sa douloureuse confession:

– Je pense que mon père aurait aimé avoir une fille comme Poppy. C'est vraiment la fille de ses rêves. Tout ce qu'il lui dit, tout ce qu'il ne me dit pas, aboutit à me faire comprendre que je ne suis pas celle qu'il désirait. Il voulait une fille très belle. Et moi, je ne suis pas belle. J'offense quotidiennement son regard, je le sais bien. Ce n'est pas sans intention qu'il couvre Poppy de compliments devant moi, qu'il la serre dans ses bras, qu'il chavire des yeux chaque fois qu'elle quitte la maison, comme s'il craignait qu'elle ne revienne pas. Il m'envoie un message: «Tu es une erreur regrettable. Essaie au moins de la réparer en ressemblant à Poppy, en imitant sa façon de parler, de s'habiller, de se peigner.»

Fa cache son visage dans ses mains. Ses joues humides de larmes l'étonnent. Il y a si longtemps qu'elle a pleuré. Affaissée contre la fenêtre, Fa ressemble à une poupée de chiffon. Ses oreilles bourdonnent. Elle a l'impression que quelqu'un émet un message en morse dans sa tête.

– Mon père n'a jamais rien fait pour moi. Pour sa fameuse Anglaise, Barbie, il a coupé sa moustache. Vous vous rendez compte? Et ma mère! Ma mère qui ne dit rien! Ça fait un drôle de couple. Elle sait qu'il couche avec une autre. Et qu'après une, c'est l'autre! Ma mère, je sais qu'elle a un amant. Je ne sais pas qui c'est. J'ai pensé que c'était vous, pendant un temps... Finalement, j'ai l'impression qu'Edgar, elle et moi, on est trois morceaux de casse-tête placés ensemble mais qu'on n'est pas faits pour vivre ensemble. On ne colle pas! Mon père, il cherche une fille qui n'est pas moi. Ma mère, je ne sais pas ce qu'elle cherche. Et moi, je cherche un père qui n'est pas le mien. Je sais ça. Je le sens là.

Fa, de ses doigts réunis, touche son estomac. Jocelyn tire sur sa pipe et hoche la tête.

– Je te résume: tu estimes que ton père t'a donné la vie physiologiquement, mais qu'il refuse de te reconnaître comme sa fille parce que tu es laide, que tu ne corresponds pas à son idéal. Et pour te le prouver, il adopte, d'une certaine manière, une de tes camarades, jolie et intelligente, certes, mais qui te tape particulièrement sur les nerfs... Mais... il y a encore plus grave, n'est-ce pas?

Fa secoue la tête, revient à sa chaise et regarde consciencieusement ses chaussures:

– Poppy peut prendre ma place. Je ne veux pas du père que j'ai.

– Tu n'en as pas d'autre pourtant.

– Mais je n'y peux rien! Depuis que je suis née, ses yeux m'évitent, ou alors me jugent. Je ne fais jamais ce qu'il voudrait que je fasse. Je hais ses yeux. Je ne comprends pas qu'on les trouve beaux. Ils me font peur... Ils passent à travers moi et me blessent... Ils me tuent!

Fa gémit et se recroqueville sur sa chaise. Elle cache son visage dans ses mains. Elle ne veut pas que Jocelyn la regarde en cet instant. Une scène s'impose à elle, brutalement. Une scène enfouie si loin qu'elle croyait l'avoir oubliée tout à fait...

Jocelyn est touché par la souffrance de Fa. Quelque chose d'aigu, de puissant passe de l'enfant à lui. Il goûte sa souffrance, et son corps d'homme, qui a déjà été enfant, panique. Il comprend qu'une barrière est sur le point de céder, que Fa est prête à livrer son grand secret.

Comme dans un film au ralenti, mollement, Fa se laisse glisser par terre. Elle se couche sur le tapis, se recroqueville et s'abandonne à la tempête qui gronde dans sa tête.

Jocelyn se lève et se penche sur elle.

– L'ombre... l'ombre est là, chuchote Fa en se raidissant, en se tassant.

– Ne repousse pas les images qui viennent, Fa...

L'enfant touche sa gorge comme si un obstacle ou une main cherchait à l'étouffer, et elle gémit. Sa respiration est saccadée, pénible. Elle ouvre les yeux et Jocelyn comprend qu'elle accepte d'affronter l'ombre, enfin.

Lorsqu'elle est née, quelqu'un s'est penché au-dessus d'elle, tout comme le fait Jocelyn en ce moment. Ce quelqu'un, c'était son père. C'est lorsqu'il l'a recouvert de son ombre qu'elle a senti pour la première fois sa cage thoracique broyée par la peur et la souffrance. Aujourd'hui, elle découvre la vérité:

– Il... il a voulu que je meure. Mon père a essayé de m'étouffer, peut-être bien avec ses mains, ou avec un oreiller! C'est lui, c'est lui l'ombre malfaisante!

Bouleversé, Jocelyn ne sait pas quoi dire à cette enfant blessée qui pleure comme un nourrisson... Il prend Fa dans ses bras, il la berce, il embrasse ses cheveux et ses tempes qui palpitent.. Il attend que la tempête se calme. Cela lui rappelle qu'il a un jour bercé Amanda, alors qu'elle était enceinte et déçue du désintérêt d'Edgar vis-à-vis de sa grossesse. Après, ils avaient fait l'amour et ils avaient parlé de la paternité. Jocelyn était persuadé que beaucoup d'hommes étaient effrayés par la paternité. Effrayés au point de fuir. D'autres se détachaient de leur compagne, ou alors ils prenaient une maîtresse. Edgar, lui, semblait avoir choisi de s'enfermer dans une bulle d'indifférence.

Jocelyn avait dit à Amanda: «Il est probable que quand le bébé sera là, ton mari sortira de sa bulle.» Plus tard, beaucoup plus tard, Fa devait avoir deux ou trois ans, Amanda, étonnée du peu d'intérêt que son mari manifestait à l'égard de leur fille, lui avait parlé du fameux pacte. Sidéré, il n'avait su quoi dire. Alors il s'était tu, comme aujourd'hui. Après la mère, la fille.

Peu à peu, les hoquets font place aux soupirs. Fa enfouit et frotte son visage dans la chemise de flanelle de Jocelyn. Elle aime l'odeur qui émane de cet homme: un mélange de tabac, de citron et de basilic, cette herbe qu'elle préfère entre toutes.

– Est-ce qu'on a le droit de refuser d'être la fille du père qu'on a?

Jocelyn sait combien sa réponse est importante.

– Tu as le droit de ne pas aimer l'homme qui est ton père.

– Tu dis ça parce que tu voudrais me faire comprendre que mon père a lui aussi le droit de ne pas m'aimer?

– Personne n'est obligé d'aimer quelqu'un, c'est un fait. L'amour, c'est gratuit, tu le sais bien...

– Mais il n'y a pas que l'amour que mon père m'a refusé. Il a voulu que je meure!

Jocelyn met quelque temps avant de répondre et Fa entend les battements de son cœur. Le rythme entre dans son oreille et circule dans son corps. Elle a l'impression qu'une drogue douce l'envahit. Elle aimerait s'endormir, là, tout de suite.

– Il arrive qu'un homme ne sache pas être père. Il arrive aussi qu'un homme souhaite inconsciemment la mort de son enfant. Remarque, la chose peut aussi arriver à une mère. Cela peut même arriver aux enfants... Ce qui est important, c'est la réalité. Et la réalité, c'est que tu as survécu à la famine de l'amour paternel. Ce qui est aussi important, c'est l'existence de ce souhait de mort que tu portes en toi depuis l'instant de ta naissance, un souhait qui se bat avec ton furieux désir de vivre. Qu'il soit vrai ou simplement le produit d'un fantasme importe peu. Ce qui compte, c'est la blessure, aujourd'hui enfin mise à nue. C'est la manière dont tu comptes la soigner. Maintenant que tu as identifié l'ombre...

Jocelyn n'a pas le temps de finir sa phrase. Fa, vivement, s'écarte de lui, se lève, tire sur son chandail et lance:

– Je ne veux pas rentrer chez nous!

Jocelyn ne bronche pas:

– O.K. Où veux-tu aller?

– Je ne sais pas. Ou plutôt si. Chez ma grand-mère... elle est revenue de Floride, Amanda lui a parlé hier soir...

– D'accord. Je préviens ta mère. Mais j'aimerais tout de même que tu envisages la suite. Tu ne vas pas habiter chez ta grand-mère toute ta vie! Il te faudra retourner chez tes parents. Il se peut que ton père vienne me voir dans une quinzaine. Nous allons tenter de négocier un nouveau type de relation... J'aimerais bien vous revoir tous les deux, ensuite.

Les yeux de Fa brillent dans la pénombre de la pièce. Il doit être dix-sept heures... Jocelyn se dirige vers le bonheur du jour en pin où trône une lampe ancienne et il tire sur le cordonnet. La réponse de Fa jaillit en même temps que la lumière.

– Jamais! Jamais! Je ne veux plus avoir affaire à lui. Je suis capable de me passer de lui désormais. Qu'il joue au père modèle avec Poppy. Avec moi, il est trop tard. Et si Amanda persiste à vouloir rester avec lui, bientôt il lui faudra choisir entre lui et moi.

Fa enfile son manteau, enfouit rageusement ses cheveux dans son bonnet de laine et ramasse sa serviette mauve.

– Comment comptes-tu étancher ta soif, Fa?

– Quelle soif?

– Tu as besoin de l'amour et de la présence d'un père. Il vaudrait mieux que tu reconnaisses ce besoin-là maintenant.

68

Christine jubile. Elle dépose sur le bureau d'Edgar le dernier numéro d'*Isis* et elle colle une petite note sur la couverture. *Voir page 15.* Elle s'accorde le plaisir d'un dernier coup d'œil à cette fameuse page.

Isis, *rompant avec sa politique rédactionnelle, publie pour la première fois de son histoire un reportage écrit par un homme. Terrorisme: Dans l'ombre des femmes de choc, par Fabien Dostie.*

En guise de présentation, un encadré avec une petite photo de l'auteur.

*Refusé par la direction d'*Ève*, ce reportage exceptionnel trouve naturellement sa place dans les pages de notre magazine. Quant à l'auteur, remercié pour avoir osé soulever certaines couvertures sexistes et capitalistes, nous apprenons, au moment d'aller sous presse, qu'il vient d'être choisi par* Radio-Québec *pour animer une nouvelle émission hebdomadaire d'une heure:* L'autre actualité. *En cette époque de désinformation galopante, il fera bon faire le plein là où coule une eau non encore trafiquée.*

En trouvant le mot laissé par Christine, Edgar échappe un pfff! blasé. Mais il ne peut s'empêcher de relire le fameux article qui l'a tant indigné.

Au lieu de nous dire qu'elles sont belles, laides ou perverses, bonnes baiseuses ou frustrées, nymphomanes ou lesbiennes, on ferait mieux de chercher à comprendre pourquoi elles ont choisi de lutter avec violence. Au lieu de parfumer leur condamnation et leur mort d'une fragrance de morale bourgeoise et de vertu outragée, on ferait mieux de questionner la vie qui fut la leur. On le fait bien pour un homme terroriste et on est soulagé quand on peut conclure que ses crimes sont le fait d'une mère indigne ou trop possessive ou d'un père ivrogne ou batteur...

Paris, 17 novembre 1986. Georges Besse, p.-d.g. de la régie Renault, rentre chez lui après une journée de travail. Des coups de feu claquent. Besse n'a pas le temps de franchir le seuil de sa porte. Il s'écroule sur le trottoir. Plusieurs témoins rapportent avoir vu deux femmes tirer.

L'attentat est rapidement revendiqué par la cellule Pierre Overnay (Pierre Overnay est un jeune ouvrier qui a été tué par un vigile de la régie Renault en 1972) de Action directe, (AD). La police française, se fiant aux témoignages recueillis, soupçonne des membres des FARL (Factions armées révolutionnaires libanaises), un groupe terroriste qui a des accointances, depuis peu, avec AD, d'avoir commis l'assassinat: Nathalie Ménigon et Joëlle Aubron.

Les médias du monde entier rapportent la nouvelle. Stupéfiant. Voilà maintenant que les femmes assassinent comme des hommes! S'agit-il d'un nouveau phénomène de société? Pas vraiment. Un document de police, rédigé sous l'égide du ministre de l'Intérieur de la Russie de 1878, révèle la «participation très considérable de l'élément féminin à toutes les phases de l'activité révolutionnaire» de l'époque.

En Irlande, depuis 1914, il y a toujours eu des femmes qui ont participé aux mouvements de libération de leur pays. Même chose en France, en Italie, au Japon, en Uruguay. Les femmes terroristes de 1987, particulièrement nombreuses dans certains pays – Werner Jubelius, professeur à l'Université de Münster, parle d'une participation féminine de 60 % aux activités terroristes en RFA –, ont des ancêtres qui remontent au moins jusqu'à la très sainte Jeanne d'Arc...

Récemment le Nouvel Observateur *faisait remarquer que «désormais, les femmes sont présentes tout au long de la chaîne terroriste: de la conception à l'action». Cette constatation a choqué bien des gens. Comment les femmes, si douces de nature – c'est ce qu'on entend un peu partout –, peuvent-elles jouer au jeu des hommes? Pour beaucoup, en effet, le terrorisme, la violence, la guerre, le crime, l'enlèvement politique sont des activités d'hommes. Se pourrait-il alors que les femmes ne soient pas aussi douces et innocentes qu'on le croit?*

Marie-Andrée Bertrand, professeure au département de criminologie de l'Université de Montréal, a mené plusieurs études sur la criminalité et la violence. Elle a tout particulièrement analysé celle qu'on impute aux femmes. «Parmi les personnes dont la criminalité est officiellement reconnue et sanctionnée, les femmes, depuis toujours, n'ont représenté que de 3 à 20 % des criminels connus. Rayon homicide: 10 à 12 %. Rayon vol à main armée: 2,3 %. Il est donc vrai que les crimes qu'on impute aux femmes ne sont pas les plus violents. Par contre, dans certains crimes, elles constituent près de la moitié des criminels: délinquance contre la propriété, par exemple. Depuis peu, on sait aussi, grâce aux travaux des spécialistes Marc Leblanc et Louise Biron, entre autres, que la criminalité cachée des femmes est plus importante que celle des hommes.» Par criminalité cachée, Mme Bertrand entend: petits vols à l'étalage, larcins sur les lieux de travail, fausses déclarations, usages de faux, imitations de signatures, etc. «Depuis peu, les jeunes femmes s'adonnent aussi à la fraude informatique, ajoute la spécialiste. Par conséquent il est fort probable que dans beaucoup de délits, un délinquant sur trois soit une femme.»

Les statistiques nous obligent à constater que les femmes sont violentes, mais pas forcément à la manière des hommes. «Les filles sont éduquées de façon beaucoup plus conformiste que les garçons», fait remarquer Marie-Andrée Bertrand. Et souvent leur violence s'exprime autrement. Plusieurs études démontrent clairement que les femmes excellent dans l'art de retourner leur violence contre elles-mêmes: ou elles deviennent des victimes et subissent la violence des autres, ou elles choisissent de vivre leur violence via la maladie. À moins qu'elles ne se vengent sur leurs enfants. D'après Élisabeth Badinter, des milliers de mères françaises ont concouru à la mort de leurs enfants, du XIVe au XVIe siècle. Et il ne faut pas oublier que, de tout temps, les femmes ont su manier les poisons...»

La société a toujours préféré imaginer que les femmes étaient des êtres doux de nature. Ce n'est pas le cas. Aussi, lorsque la violence des femmes prend la couleur du terrorisme et recèle un fumet de dynamite, elle est souvent niée ou... maquillée. Comme le dit Marie-Andrée Bertrand, «Ça énerve beaucoup, la question des femmes terroristes.»

Ida Faré et Franca Spirito, deux spécialistes en matière de terrorisme italien, ont publié chez Maspéro, en 1979, un livre intitulé Mara et les autres. *Elles ont passé en revue toute l'histoire des Brigades rouges, le compte rendu des procès, les articles publiés en Italie sur la question. Elles ont aussi rencontré plusieurs femmes terroristes. Et elles ont découvert que l'État a d'abord tenté de discréditer le rôle tenu par les femmes au sein des Brigades rouges.*

Ayant sur les bras deux cadavres de femmes terroristes dont il lui fallait justifier – et rapidement – la mort extrêmement violente, la première dans un champ et la deuxième dans son appartement, la police a décrit, aux journalistes, l'une d'elles comme étant une «poupée sans cervelle qui suivait son homme, comme on l'attend de n'importe quelle femme». En réalité, il s'agissait de Margherita Cagol, une des fondatrices des BR (Brigades rouges). La deuxième, Anna-Maria Mantini, a été présentée à la presse comme «une jeune fille douce, hélas enrôlée par son frère».

*Terroristes par amour de leur jules, par désir de vengeance ou... par hystérie, les femmes n'ont pas le droit d'avoir, comme les hommes, de motivations politiques. «La société utilise énormément le système du double étiquetage», comme le dit Mme Bertrand. «Quand un terroriste tire, on dit qu'il est allé au bout de son acte. Quand une femme tire, on dit qu'elle est folle. Je n'oublierai jamais comment on a traité Patricia Hearst – elle militait contre le capitalisme et braquait les banques –, Lynn Fromm – de la famille Manson –, et Sara Moore– une écologiste qui voulait protéger les grands arbres de la Californie. Une équipe de journalistes de l'*Express *a préparé un dossier sur ces trois femmes. Ils l'ont titré: Les trois folles de Californie.»*

La presse, lorsqu'elle s'intéresse aux agissements des femmes terroristes, leur réserve, la plupart du temps, un traitement non politique. «On ne fait pas de discours d'analyse, on ne fait pas appel aux comparaisons historiques avec d'autres pays; on recourt et on joue plutôt l'attaque personnelle, sans négliger les éléments touchant à la sexualité», affirment les spécialistes Faré et Spirito. «Les guérilleras sont toutes des pasionarias, des walkyries, des BB de la mitraillette, des secrétaires qui manient le pistolet comme si elles faisaient l'amour.»

Deux poids deux mesures

Les médias s'intéressent énormément au passé des hommes terroristes. À leur cheminement idéologique, à leurs qualités de stratège. Les femmes terroristes soulèvent, elles, un intérêt bien différent. «Elles savent se grimer avec art, se travestir avec ruse. La scène et les coulisses n'ont plus de mystère pour elles. On dirait qu'elles ont toutes suivi un cours d'art dramatique, entre deux cavales, entre un accouchement et un cambriolage. Elles font pitié...» écrit la presse italienne.

La presse française, pour sa part, paraît fascinée par la beauté, la laideur et... les préférences sexuelles des femmes terroristes. «Gloria Argano, ravissante, exquise, un modèle réduit de la grâce féminine. Son arme, un colt 45, prenait dans ses mains graciles les dimensions d'un bazooka.» «Helyette Besse, quinquagénaire, ne dédaignerait pas, selon les rumeurs, les plaisirs de Sapho...»

Récemment la police française arrêtait un groupe de terroristes, deux hommes et deux femmes, réfugiés depuis plusieurs mois dans une maisonnette de banlieue. Les journalistes ont publié un dossier spécial sur l'une des femmes – fille de parents richissimes –, illustré de photos-chocs comme de raison. Un des clichés représentait une adolescente, dans le château de ses parents. Un autre, pris manifestement par un petit ami, montrait sa dulcinée nue jusqu'à la ceinture dans une pause alanguie.

Les bas de vignette accompagnant les photos sont éloquents: «Le regard déjà fou, XX regarde l'objectif avec un sourire lascif. Elle aura le même quand elle tirera sur les policiers venus arrêter son fiancé.»

La police, les médias et... même les hommes d'État ont parfois l'injure facile quand ils parlent des femmes terroristes. Deux exemples récents: le 3 avril 1982, un diplomate de Jérusalem, Yaacov Barsimantov, est assassiné dans l'entrée de l'immeuble qu'il habite à Boulogne. La presse française écrit: «Cette fois, la police possède un signalement précis des "tueurs": une jeune femme aux dents écartées et au gros derrière boudiné dans un blue-jean qui lui vaudra une fiche de recherche sous le sobriquet de "Gros cul"».

À Paris, le ministre Chirac apprenant la mort de Georges Besse – et l'identité présumée des deux tueuses – commente, bouleversé: «C'est un crime bestial!»

Lors du procès de Nezar Hindavir, accusé d'avoir tenté de poser une bombe à bord d'un avion de El Al en la glissant dans le bagage à main de sa fiancée enceinte de lui de cinq mois, personne n'a mis en doute son équilibre mental. Dans tous les articles consacrés à Abou Nidal, le terroriste le plus dangereux du monde – on lui attribue une centaine d'attentats –, personne n'a qualifié l'un ou l'autre de ses crimes de bestial.

Rien de nouveau sous le soleil. Police, médias et hommes d'État réagissent exactement comme... leurs ancêtres. En 1881, lors du procès de Sophie Perovskaïa, accusée d'avoir dirigé les conspirateurs qui ont assassiné le tsar Alexandre II, l'accusateur public Mouraviev déclare: «Une femme qui mène avec autant de compétence et de présence d'esprit des opérations paramilitaires d'une telle envergure échappe définitivement à tous les traits distinctifs de son sexe et ne peut être qu'un monstre, d'où une accusation de bestialité, cruauté et amoralité.»

Beaucoup de clichés et peu de vraies interrogations ou d'amorces de réflexion. Mais peut-on reprocher aux médias de ne pas réfléchir, là où ceux qui sont censés le faire échouent? Le Parti chrétien démocrate organisait en Allemagne, il y a quelque temps, un congrès d'experts, rappelle Lisa Reldan, criminaliste. «La question à l'ordre du jour était: Le chemin vers la violence. Pas une seule femme parmi les 16 conférenciers. Dans les actes publiés (219 pages), la question des femmes terroristes occupe exactement 18 lignes qui se terminent par une citation de Goethe: "Sur le chemin qui conduit au démon, la femme a 1 000 pas d'avance."»

Trois réputés chercheurs américains, Ineke Marshall, Vincent Webb et Dennis Hoffman, de l'Université du Nebraska à Omaha, ont publié en 1984 une intéressante communication intitulée «Les femmes s'en prennent à l'État». Ils ont passé en revue une cinquantaine des plus importants articles écrits sur la question des femmes terroristes. Chacun des signataires, psychologue, psychiatre, psychanalyste, avocat, juge, journaliste, etc., a tenté d'expliquer pourquoi des femmes deviennent terroristes. Voici résumées leurs opinions: «Parce qu'elles ont des problèmes à régler. Des problèmes d'identité.» «Elles nient leur sexe et souhaitent être des hommes.» «Elles ont manifestement des problèmes de sexualité: l'envie du pénis!» «La possession et la manipulation d'une arme remplacent le pénis qu'elles n'ont pas.» «Elles agissent par désespoir, par frustrations trop longtemps accumulées, par sentiment d'autodestruction.» «Pour beaucoup de ces femmes, issues de milieux aisés, le terrorisme résoud le problème de la culpabilité.» «Les femmes terroristes veulent être les égales des hommes jusque dans le meurtre.»

Aucun de ces auteurs, selon les chercheurs, n'a pu justifier, avec impartialité et rigueur, ses affirmations. Des hypothèses donc, rien que des hypothèses.

De plus, les spécialistes ont noté, non sans surprise, que la plupart des analyses étaient en fait fort rudimentaires; et, curieusement, elles avaient presque toutes un point en commun: «La plupart se rapportent au sexe des femmes. Nulle part il n'est fait mention qu'une femme peut déboucher sur le terrorisme par réflexion intellectuelle, par volonté politique.»

Et si les femmes devenaient terroristes pour les mêmes raisons qui font qu'un homme peut le devenir, tout simplement? C'est le point de vue que défendent nombre de femmes spécialistes, dont Ida Faré et Franca Spirito: «Il n'y a pas de question "des femmes" dans la lutte armée. Il n'y en a pas; il n'y en a pas eu, jamais. Les questions ne sont que d'ordre général: l'exploitation, la "vie de merde", le désir de révolution; ce sont des raisons neutres, qui appartiennent aux hommes comme aux femmes.»

Excédé, scandalisé, Edgar est incapable d'en lire davantage. Il referme la revue et la jette au panier. Qu'*Isis* ait prestement sauté sur ce reportage échevelé et naïf ne l'étonne ni ne le mortifie. Les marginales qui le liront vont certainement râler de plaisir, et la grosse Raymonde pavoiser en s'imaginant avoir réussi le coup de l'année. Il se demande s'il ne devrait pas écrire un billet dans *La Petite Patrie* pour expliquer sa décision de non-publication et surtout pour dénoncer vigoureusement cette forme de journalisme insidieusement subversive et dangereuse... comme Freudia. Il prononce son nom à haute voix et, surpris, se demande quel lien il fait entre sa fille et l'article de Fabien. Sa fille n'est pas une terroriste. Mais au fond, en y pensant bien, elle a tout ce qu'il faut pour le devenir... Il persiste à penser qu'elle n'est pas une enfant normale. Et Fabien Dostie non plus n'est pas normal. Mais pas pour les mêmes raisons...

Il appuie sur le bouton de l'interphone et appelle sa nouvelle secrétaire, Marjolaine. Il a mal à la tête et au ventre. Une drôle de douleur qui a commencé voilà un peu plus de vingt-quatre heures et qui maintenant irradie jusque dans son dos et semble aller en s'intensifiant. Il se sent fiévreux et a vaguement mal au cœur. Un cachet d'aspirine lui fera du bien...

69

D'une main tremblante, Marjolaine compose le 911 et demande qu'on envoie une ambulance à la rédaction de *La Petite Patrie*. Lorsqu'elle est entrée dans le grand bureau, le rédacteur en chef s'est effondré dans ses bras...

Transporté à l'Hôpital Général de Montréal, Edgar évolue, depuis qu'on lui a administré une bonne dose de calmant, dans un pays ouaté où tout se déroule au ralenti. Des médecins l'examinent et le questionnent. On le place sur une civière. On le pousse dans un long corridor qui semble n'avoir pas de fin. On l'ausculte avec un objet métallique froid comme un glaçon... On chuchote. Les médecins du service des urgences diagnostiquent une inflammation aiguë de la vésicule biliaire. Grâce à une échographie, ils découvrent la présence d'un énorme calcul dans la voie biliaire principale du foie d'Edgar, et ils affirment qu'une opération d'urgence s'impose...

70

Amanda est à son chevet lorsqu'il reprend conscience. Mais elle n'est pas seule. À ses côtés, l'œil narquois, les lèvres pincées, se tient sa grande ennemie, Prouut. Prouut, l'ineffable et increvable amie de sa femme, est de retour au Québec. Peu après la naissance de Freudia, elle était venue à la maison. Et quinze minutes après son arrivée, ils avaient failli en venir aux mains, elle et lui. Elle l'avait trouvé infect et lui l'avait qualifiée d'imbuvable. Elle avait osé, devant lui, demander à Amanda ce qu'elle faisait avec ce pantin empesé comme une bavette de frère des Écoles chrétiennes. «J'ai déjà vu des alliances insolites, mais comme la vôtre alors, jamais!» Edgar avait prié sa femme de ne plus inviter cette cinglée à la maison lorsqu'il serait présent.

– Elle est sage-femme, dis-tu? Moi, je la vois très bien trafiquer le ventre des femmes avec des aiguilles à tricoter ou une seringue d'eau de javel. Elle a le profil pour commettre ce genre d'horreur...

À partir de ce moment, pour faire enrager Edgar, Prouut s'était pointée au moins deux fois par semaine chez Amanda, histoire de prendre soin de Freudia. Elle avait fini par quitter l'hôpital, écœurée de voir sa compétence de sage-femme ignorée et tournée en ridicule, et elle avait signé un contrat avec l'Agence canadienne de développement international. En attendant son départ, elle voulait faire le plein d'innocence freudienne, comme elle disait en agitant frénétiquement ses deux index.

Quand elle et Edgar avaient le malheur de se croiser, elle lui disait:

– Je ne vous vois pas, je ne vous entends pas. Je passe mon chemin et je tiens ma langue en laisse...

Le jour de son départ, Edgar l'avait l'apostrophée:

– Demain matin, l'indice de pollution de Montréal aura descendu d'au moins dix degrés, grâce à vous!

Et voilà que cette drôlesse réapparaît, après onze années d'absence, alors qu'il est couché, faible et incapable de se défendre. Même si le Canada, et particulièrement le Québec, refuse de reconnaître le métier de sage-femme, contrairement à ce qu'ont fait une bonne centaine d'autres pays, elle a, lui explique brièvement Amanda, décidé de revenir lutter pour la reconnaissance de sa profession.

Prouut, dont les cheveux sont désormais blancs, plaque sur l'épaule d'Edgar une main ferme. Elle se penche sur lui.

– On ne s'aime pas, c'est entendu. Mais comme vous êtes malade, vous êtes devenu pour moi une personne dans le besoin. C'est uniquement pour venir en aide à Amanda que j'ai accepté d'être, pour quarante-huit heures, votre infirmière privée. C'est elle qui le veut. Alors vous et moi, on fait une trêve. Vous vous laissez soigner sans ronchonner, d'accord? Je promets de ne pas vous mordre, de ne pas vous empoisonner, de ne pas vous vampiriser. Ça vous va?

Sitôt sortie dans le corridor, Prouut ne peut retenir plus longtemps ses commentaires:

– Il était déjà pas très réjouissant à regarder, ton type, mais maintenant... Il ressemble à un ecclésiastique saucé dans le caca d'oie! Et toi, ma cocotte en sucre du pays, toi! Parlons-en donc. Tu m'inquiètes... Tu as une peine d'amour, je le sais! Je le sens!

– Mais non... qu'est-ce que tu vas chercher là... Je travaille trop depuis quelque temps... et puis je vieillis! Tu oublies qu'on a été onze ans sans se voir, ma belle Prouut!

– Ouais... tu ne veux pas parler, ça te regarde. Mais moi je sais que tu files un mauvais coton et ce coton-là a une queue! J'en donnerais mes seins à couper. Bon, si le rôle de poisson dans un bocal te plaît, à ta guise. Mais si jamais tu changes d'idée et que tu veux accoucher de ton chagrin, t'as beau... tu sais qu'on a déjà fait du bon boulot ensemble...

71

Edgar est submergé de travail. Sa maladie et le départ brutal de Christine ont bouleversé la vie du quotidien. C'est un commissionnaire de chez Madame Lespérance, réputée fleuriste de la très bourgeoise rue Laurier, qui lui remet sa lettre de démission, accompagnée de trois bouquets, avec chacun une carte. La première, attachée à une petite touffe de violettes, dit:

Ces quelques fleurs, en souvenir du jeune Edgar des premiers jours, naïf et encore tendre. Tu étais émouvant d'ardeur et si affamé d'écriture... T'en souviens-tu seulement?

Le deuxième bouquet est composé de ronces avec au milieu un oiseau du paradis.

Et puis tu as mué. Tu es devenu magnifique et sûr de toi. Et ta soif de pouvoir a fait place à celle de l'écriture. Regarde-toi: la grande fleur orange, qui te ressemble, a la tête bien loin du sol. Elle est figée et solitaire. Autour d'elle, elle a fait le vide et les mauvaises herbes ont envahi la place... Te vois-tu seulement?

Il n'y a pas réellement de troisième bouquet. Seulement une fleur. Une rose jaune. Le message est bref, cette fois:

Puisses-tu trouver ta rose, ta crique, ta princesse ou... ton petit prince, afin que fonde ta carapace. Sans rancune, malgré tout.

La lettre de démission, elle, est on ne peut plus laconique. Edgar la relit, étonné par sa sobriété.

Monsieur, étant donné que je suis à nouveau enceinte et souhaite prendre une année sabbatique, je vous remets ma démission.

Il replie la lettre et la porte à son nez. Le papier dégage un léger parfum. Celui de Christine. Joy, de Patou. Il range la feuille parfumée et son enveloppe dans un dossier. Affaire classée. Évidemment Christine va lui manquer. Mais en même temps, il se sent soulagé. Ses accointances avec les féministes radicales lui ont fait perdre toute crédibilité aux yeux du conseil d'administration. Même Garneau ne s'opposait plus à son départ. Et puis force lui est d'avouer qu'ils ne s'entendaient plus. Elle réclamait plus de pouvoir, plus de liberté d'action. Ils auraient fini par se déchirer comme des loups en chicane pour la place du meneur au sein de la meute. Or le chef de meute de *La Petite Patrie*, c'est lui. Et pour longtemps. Il a trop travaillé pour arriver là où il est. Il ne se laissera déloger par personne. Ni par un homme, encore moins par une femme, même très talentueuse.

Avec le nouveau rédacteur en chef adjoint qu'il vient d'engager, il ne risque pas de voir son titre convoité. Il a eu la prudence de choisir un journaliste à vocation d'éternel second. Jean-François Couture est, depuis plusieurs années, un de ses fans. Ils se sont rencontrés au cours d'un colloque de la Fédération professionnelle des journalistes du Québec. Il travaillait pour un hebdomadaire francophone de la région de l'Outaouais et aspirait depuis longtemps à changer de milieu. Il rêvait de se retrouver au sein d'une grosse boîte... Edgar a joué au Père Noël avec lui. Il a exaucé ses deux vœux.

Jean-François est un homme paisible, consciencieux, patient, cultivé, un peu timide, introverti, célibataire, et il ne demande qu'à dire «oui, Ed». Le genre de journaliste qui aspire à servir, qui ne réclame jamais rien, qui ne pose aucune question gênante. Le parfait exécutant...

Maintenant que Jean-François connaît suffisamment la routine et le personnel, Edgar se sent soulagé et libre de rattraper certains rendez-vous manqués. Par exemple, celui qu'Amanda a pris pour lui avec le fameux psychiatre qui a vu Freudia, il y a de cela six mois déjà.

Il se demande à quoi cette rencontre pourra bien servir. Les choses ont l'air d'aller mieux. Fa passe tout son temps dans sa chambre. Elle se conduit comme si la maison était un monastère et ne sort qu'à l'heure des repas. Elle mange en silence, répondant à ses questions, de pure politesse, par des monosyllabes: «Ouais, non, bof, ptêtre, saitpas» .

72

– Parlez-moi de vous quand vous étiez enfant. Dites ce qui vous vient à l'esprit... Ce que vous voyez...

– Non. Je ne suis pas venu ici pour subir une thérapie; pour répondre à des questions qui me concernent... je veux dire personnellement.

– Je comprends votre réticence. Néanmoins je réitère ma question, en plus précis, parce que je n'ai pas le choix. Pour arriver à comprendre ce qui se passe entre vous et votre fille, il faut que j'aie une certaine idée de ce que vous avez vécu lorsque vous étiez jeune. Votre enfance vous a certainement laissé des souvenirs. Tout ce que je vous demande, c'est de ne pas sélectionner, de ne pas organiser votre réponse. Qu'est-ce que vous voyez quand je vous demande de me parler de cette période de votre vie?

– Je vois mon père, la personne que j'admirais le plus au monde.

– Vous aimiez beaucoup votre père?

– Si aimer veut dire respecter, mettre tout en œuvre pour ressembler à celui qu'on admire, alors oui, je l'aimais. Sans doute. Je voulais vraiment lui ressembler. C'était un homme redoutable. Un leader. Estimé et craint par ses pairs. Il a exercé son métier d'avocat avec un exceptionnel talent. On peut dire qu'il a pleinement réussi sa vie... Pour moi, ça ne fait aucun doute. Aucun.

– Et lui, il vous a aimé?

– J'étais son préféré. Celui qui lui ressemblait le plus. Physiquement et moralement. Il se reconnaissait certainement en moi. C'est important pour un père de pouvoir se reconnaître dans ses enfants. Évidemment, le jour où j'ai quitté le droit, je sais que je l'ai déçu. Mais s'il avait vécu encore quelques années, il aurait assisté à mon succès. Moi aussi j'ai réussi à m'imposer dans ma profession. Je suis parvenu, comme lui, au sommet de la montagne, si l'on peut dire...

– Vous êtes conscient que ça ne va pas très fort entre vous et votre fille. Voulez-vous m'en parler?

– Pour vous dire quoi? J'ignore ce qu'Amanda et Freudia vous ont raconté. Je n'ai jamais compris ce qu'elles attendaient de moi au juste. Je suis un bon père, un bon époux. Je suis évidemment très occupé mais malgré tout très présent.

– Vous vous intéressez à ce que fait votre fille? À ses études, à ses loisirs?

– Freudia fréquente une école publique, protestante et française, plus ou moins alternative, que je n'apprécie pas beaucoup. On utilise les beaux-arts comme levier pour faire passer les vraies matières académiques, le français, les maths. Drôle d'idée. Les professeurs ne sont pas assez sévères. Ma fille a d'énormes défauts. Ils ont l'air de ne pas les voir. Vous-même ne semblez pas être au courant... Freudia est renfermée au point d'en être asociale. Elle n'est guère soucieuse de son apparence physique et à mon avis, elle devrait faire un effort parce que la nature ne l'a pas particulièrement gâtée... Elle est nerveuse, émotive, frondeuse, baveuse, enquiquineuse, chipoteuse, exaltée...

– Amanda m'a dit que Freudia avait d'excellentes notes et qu'elle était estimée par ses camarades et ses professeurs.

– Les notes ne disent pas tout. Vous devriez savoir ça... Elles ne disent pas les problèmes de comportement. Elles n'ont rien à voir avec la conduite à la maison... Freudia ne supporte aucune remarque venant de moi. Elle est capable de fondre en larmes pour une peccadille. Elle a aussi beaucoup trop d'imagination. C'est malsain. Et l'école, au lieu de resserrer la discipline, indispensable pour des garçons et des filles de son âge, s'entête à clamer «L'enfant, c'est une personne». Et elle permet tout ou presque...

– Monsieur Paris, j'aimerais que vous soyez franc. Freudia, telle qu'elle est, avec ses qualités – j'ai constaté que vous n'en avez souligné aucune – et ses défauts, ne vous touche pas, pour des raisons que j'ignore. Qu'avez-vous ressenti, dites-moi, quand vous avez vu votre fille pour la première fois?

– Écoutez, docteur, je ne suis pas venu ici pour subir une thérapie, je vous le répète. Je me sens tout à fait bien dans ma peau pour employer votre... jargon. Je suis tout disposé à changer d'attitude avec Freudia. Je l'ai dit déjà à Amanda. En fait, j'ai déjà changé... Je ne vois pas ce que je peux faire de plus!

– Ça veut dire quoi, changer d'attitude?

– Depuis une certaine scène, assez pénible entre elle et moi, je suis infiniment prudent avec ma fille. J'évite tout sujet de discussion. Je la laisse ergoter à sa guise. Je suis devenu un père inodore, incolore et sans saveur. Nos personnalités n'étant pas faites pour se plaire, je mets quotidiennement de l'eau dans mon vin... Et j'attends qu'elle en fasse autant. À défaut d'être unis, nous serons courtois... Et maintenant, si vous me permettez, je retourne à la rédaction où l'on m'attend pour une importante réunion.

– Je suppose que vous n'êtes pas intéressé à savoir ce que je pense de ma rencontre avec Fa, sur le plan thérapeutique?

– Que pourriez-vous donc m'apprendre que je ne sache déjà? Freudia a un sérieux problème de comportement. Le fait qu'Amanda ne l'ait pas vu à ce stade me stupéfie. Je suppose que les femmes sont comme ça... Aveugles pour les choses qui les concernent de trop près. Et incapables de voir ce qui se rapporte à leurs enfants... Freudia est une enfant déséquilibrée, cela se voit et cela s'entend. Nous vivons ensemble depuis treize ans, alors vous pensez... j'en sais un bout. Un peu plus long que vous qui ne l'avez entendue et vue que pendant une ou deux heures. Docteur... si vous voulez bien m'envoyer votre compte d'honoraires... Je me ferai un devoir de les acquitter. Bonsoir.

Jocelyn Laberge ferme le magnétophone. Il a écouté à deux reprises la bande enregistrée de sa conversation avec Edgar Paris. Il se rappelle l'homme, sa bouche mince laissant échapper des phrases acérées comme des épines. Ses gestes défensifs, la main droite pointée vers lui, le poing gauche serré, les genoux et les pieds joints, exprimant, mieux que ses paroles, sa volonté de ne pas aborder ses problèmes avec sa fille. Mais selon Jocelyn, Fa l'y contraindra et le jour n'est pas loin où il y aura entre elle et lui un affrontement ultime.

Pour l'instant, puisque ni l'un ni l'autre ne veulent se rencontrer en sa présence, il devra se contenter d'écouter Fa chaque fois qu'elle sentira le besoin de parler. Quant à Amanda... son obstination à cohabiter avec ce curieux personnage qu'est Edgar Paris lui paraît être un moyen désespéré de fuir, de se protéger de quelque chose. Ou de quelqu'un. À quoi bon lui en parler? Elle le sait déjà mais elle refuse, elle aussi, d'affronter sa vérité.

73

Quand Amanda veut se faire plaisir, elle commence sa journée en allant déjeuner à *La Tulipe noire,* après avoir déposé Fa à son école. Parfois, sa belle-mère vient la rejoindre et elles font une orgie de croissants et de chocolatines tout en parlant de Fa, de feu Me Paris à qui Edgar ressemble comme un clone, selon sa mère, en vieillissant. Mais aujourd'hui, la jeune femme a choisi la solitude.

Les chaises blanches à grands dossiers ronds cannelés du restaurant lui plaisent énormément. C'est ce matin qu'elle finit par en trouver la raison. La terrasse La Mauve surgit soudain, inondée de soleil, derrière ses yeux. Tout autour de la table de bois, il y a six chaises, blanches, en osier, dotées de grands dossiers ronds cannelés... La terrasse et son soleil envahissent toute sa mémoire. Et le visage de l'homme apparaît. Il est là, dans sa tête. Il a toujours été là. L'image est si intense qu'elle se sent mal et est incapable de finir son croissant. Elle croyait avoir oublié. Elle croyait vraiment avoir tout réglé. La colère l'envahit. Ça ne va pas durer jusqu'à sa mort, cette folie. La voilà prête à chavirer, cœur et corps par terre, seulement parce que de simples chaises ont le malheur de ressembler à celles qui se trouvaient chez Clara. Elle se secoue. «Tu vas te soigner, docteur... et tout de suite. Tu vas réagir, larguer le piège à souvenirs une fois pour toutes. Sinon tu finiras plus schizophrène que tes malades...»

Elle paie sa note et sort presque en courant. Elle ouvre la porte de sa Honda et s'accorde quelques minutes de réflexion avant de démarrer. Évidemment elle mène une vie plutôt sobre. Le travail à l'hôpital. Fa. Fa et Edgar qu'il faut constamment surveiller. Des amours tranquilles et discrètes. Depuis trois ans, elle a le même amant. Simon Lamarche, un physiothérapeute dont elle a traité la mère gravement dépressive. Leur relation est agréable, confortable, sans plus.

Le cocon qu'elle a patiemment construit autour de son chagrin est manifestement archi-usé. Plus rien ne la protège et elle est devenue infiniment vulnérable. La douleur tapie au fond de sa chair vieillissante remonte à la surface, et elle ne peut plus l'ignorer comme elle l'a fait pendant ces vingt-cinq dernières années. Amanda démarre nerveusement et noie le moteur. Elle donne un coup de poing sur le volant, maudissant sa maladresse et sa douleur. La tempête gronde en elle. Elle doit faire quelque chose avant de sombrer, d'éclater comme une supernova. Un proverbe japonais, lu dans un roman, *La Dame de Kyoto*, lui revient en mémoire. «La douleur ne doit pas être plus grande que l'espace qui lui est accordé par la vie.»

En arrivant à l'hôpital, Amanda avale deux comprimés de Valium. Elle doit faire sa journée comme si de rien n'était. Elle recevra les malades et ce soir, si elle en a le courage, elle s'occupera d'un gros cas, le sien.

En se couchant, elle s'octroie un cadeau: elle s'imagine avec l'homme. Elle revit la journée de Salerne. Leur dernière scène, dans la maison de Cassis. Elle brode autour, imagine ce qui n'est pas arrivé. Elle a gardé sa petite jupe provençale mais pas sa culotte et les bruits de l'étoffe froissée modulent la respiration de l'homme. Il la touche. Il la caresse. Il prend possession d'elle, l'embrasse, la goûte, l'avale. Elle est son festin, son gâteau d'anniversaire et elle s'allume pour devenir son feu d'artifice. Jamais jusqu'à ce soir, elle n'avait osé s'accorder un tel plaisir. Par peur de basculer dans la folie. Il y a des fantasmes qui vous entraînent dans un autre univers en moins de deux.

74

Valium, jamais plus de 30 mg par jour, et fantasme, jamais plus de vingt minutes par soir. Amanda sait qu'elle ne règle rien avec une telle ordonnance, aussi inefficace que dangereuse. Mais elle veut remettre à plus tard l'échéance. Elle voudrait pouvoir tenir jusqu'à ce que Fa ait 15 ans. À ce moment-là, elle quittera Edgar...

Prouut, qu'elle voit régulièrement, l'asticote, la brutalise avec ses mots d'amie inquiète.

– T'as vu ta mine? On dirait que tu répètes le rôle de la dame aux hortensias...

– Aux camélias, tu veux dire.

– Bah! Camélias, si tu veux. Une fleur ou une autre... quand le cœur «consomptionne», il ne voit pas la différence.

Tout dire à Prouut. Se faire secouer la pomme par cette femme énergique, habituée à valser avec la douleur. C'est tentant. Mais Amanda résiste. Elle préfère garder ses secrets. Maintenant, quand elle se couche, elle parle à l'homme. Il finira peut-être par lui répondre. Mais si elle se confesse à Prouut, tout le fragile décor qu'elle a construit autour de lui va disparaître. Elle va se réveiller...

75

Après le concert de Noël donné par la chorale de l'école Face, Amanda invite Fa au restaurant.

– Je t'emmène où tu veux. Qu'est-ce que tu choisis? Salon de thé, petit café, *Le Commensal*?

– Allons au *Lux*. C'est super cette grande salle avec son dôme d'observatoire et ses étalages de revues... On ne sait pas si on est dans une fusée, un bateau, ou simplement dans un rêve un peu dingue. Et puis j'ai le goût d'un gros plat de bonnes frites avec un bol de café au lait brûlant...

Le contraste entre le hall surchauffé et enfumé de l'école et l'extérieur est saisissant. Il fait un froid sec qui mordille la peau et pince le nez. Mère et fille, bras dessus bras dessous, traversent la grande cour en courant presque et filent, dos courbés contre le vent, jusqu'au boulevard du Président-Kennedy où Amanda a réussi à garer son auto. Une mince couche de givre a recouvert les vitres. Fa s'empare du grattoir rangé dans le coffre à gants et nettoie le pare-brise en chantonnant un des airs du concert.

– Mamande, tu as remarqué que j'ai encore grandi? Bientôt, je ne serai plus la «petite» de mon groupe...

Amanda attend que sa fille ait refermé la portière et mis sa ceinture avant d'engager la clé de contact.

– Tu grandis, bien sûr. Regarde ton manteau. Je le trouve un peu court des manches. On profitera des soldes de janvier pour t'en trouver un autre. As-tu remarqué que les traits de ton visage changent aussi?

Fa lui jette un sourire en coin.

– As-tu remarqué que je joue au courant d'air avec Edgar? Il a l'air d'aimer ça. Au fond, c'est ce qu'il voulait.

À défaut de ne pas pouvoir me retourner d'où je viens, il m'a imposé un rôle difficile à tenir: respirer sans que ça se voie. Vivre sans que ça s'entende. Être sans laisser de trace... Et toi, tu es d'accord avec lui, on dirait!

Amanda conduit prudemment car la chaussée est glissante malgré le sable épandu. Fa la regarde. Elle attend une réponse. La soirée risque d'être celle des grandes explications... Amanda entend encore Jocelyn la prévenir: «Tôt ou tard, ta fille voudra savoir ce qui te retient de rompre avec ton mari. Tu ferais bien de trouver la réponse avant qu'elle ne te pose la question.»

– Non, Fa. Je ne suis pas d'accord et tu le sais.

– Il se conduit mal avec moi. Et aussi avec toi!

– Il ne se conduit pas mal. Ton père est un homme peu démonstratif, froid de tempérament. Et le tempérament, ça ne se change pas...

– Froid! Le pôle Nord comparé à son tempérament, c'est une fournaise ardente! Et tu voudrais que je m'adapte à cette espèce de congélateur sur pattes? Et toi, toi si vivante, si belle, qu'est-ce que tu fabriques avec lui? Ne me dis pas que tu l'aimes! Ne me dis pas qu'il baise bien! Ne me dis pas qu'il te nourrit! Qu'est-ce que tu me caches, maman? J'aurai bientôt 14 ans. J'ai le droit de savoir!

Le boulevard Saint-Laurent est achalandé, brouillon, fellinien et il respire partout la fantaisie colorée des Fêtes toutes proches. Les passants déambulent les bras chargés de colis. Un espace se libère en face du *Lux*, juste comme Amanda arrive. Elle se gare et les deux femmes entrent vite dans le restaurant en secouant leurs bottes. Elles choisissent une petite table loin du bar. Amanda enlève sa pelisse et s'enroule dedans. Elle doit répondre à la question de sa fille. Elle n'a plus le choix.

– Écoute, Fa, j'ai choisi de vivre avec ton père et j'ai aussi choisi de t'avoir avec lui. En nous mariant, nous avons conclu une entente. Chacun devait se sentir libre d'avoir, s'il en éprouvait le désir, des relations extra-conjugales, mais sans toutefois quitter son port d'attache: toi. Nous avons choisi, Edgar et moi, d'être fidèles à notre enfant. Et jusqu'à maintenant, nous avons tenu notre promesse... Un enfant a besoin de stabilité autour de lui. D'un père et d'une mère solidement amarrés... Entre Edgar et moi, ça n'a jamais été le fol amour, et après? Le fol amour ne dure jamais... Mais les ententes raisonnées, planifiées, avec un but qui en vaut la peine, cela peut durer longtemps. Malgré les inévitables frictions...

– J'aurais préféré que vous vous soyez aimés d'amour, même si cela devait avoir une fin! J'aurais préféré que vous divorciez alors, comme l'ont fait la plupart des parents de mes copines. J'aurais voulu te voir aimer un homme avec passion et en être aimée... Comment tu fais pour vivre sans amoureux, Mamande? Moi, dès que je pourrai, j'en aurai un. Je m'arrangerai pour en avoir un, toujours.

– Qui te dit que je n'ai pas d'amoureux?

– Si tu en as un, il ne te réussit pas. L'amour, il paraît que ça se voit beaucoup. Que ça fait les yeux brillants, la peau radieuse, la voix bizarre... Ça fait circuler les hormones... je ne sais plus trop lesquelles... tu dois savoir ça, toi, la scientifique!

Amanda ne sait pas quelle attitude elle doit adopter. Faut-il qu'elle parle de son grand amour provençal à sa fille? Faut-il lui avouer les vrais termes de son pacte avec Edgar? Elle choisit de se taire. Si elle livre son secret, elle va se mettre à pleurer, à hurler. On la prendra pour une folle...

76

Cher journal,

Tense, ma belle grand-mère, est morte ce matin. D'un arrêt de son cœur fatigué. Je l'ai appris en arrivant de l'école. Maintenant, elle sera partout, comme elle le voulait. Dans l'air, dans les nuages, dans la lumière et, quand j'en aurai besoin, dans le creux de ma main. Et aussi dans les fleurs qui pousseront ce printemps et qui me feront me sentir toute drôle.

Je n'irai pas au salon mortuaire. Par contre, j'irai au cimetière. Et je te lancerai sur son cercueil, après t'avoir réduit en confettis. Tu seras, je le veux, son petit manteau de papier. Et tu la garderas au chaud avec mes secrets. Il y en a des gros, des mastocs, comme dirait Prouut, et des petits, légers comme des zéphyrs. Tu seras, cher journal, sa parure de partance. Je t'embrasse, d'un baiser qui sait le chemin pour dépasser la mort...

77

La forêt en hiver. La nuit a posé des châles de neige sur les branches des conifères. Fa sort, sur la pointe des pieds, suivie de son amie Marie-Sophie. Elle ferme la porte du chalet sans faire de bruit.

– Tu peux la claquer si tu veux. Ils ne risquent pas de t'entendre. Sont bien trop occupés à «baisouiller» sous les couvertes. Quand je me lève le dimanche et que leur porte est fermée, je sais qu'ils ont décidé de s'offrir une partie de lit.

– Ils s'aiment, tes parents... T'es chanceuse.

Fa a accepté de passer le dernier week-end de mars avec son amie dont le père et la mère possèdent une maison de campagne à Saint-Édouard. Le temps est doux et les deux adolescentes, éblouies par la réverbération du soleil sur la neige fraîchement tombée, clignent des yeux. Elles s'avancent sur le chemin qui mène à la route et prennent plaisir à tasser les flocons avec leurs bottillons.

– Alors, Fa, c'est quoi ton grand secret?

– Tu jures de garder pour toi ce que je vais te dire?

– Ben oui! Envoye, *shoote*! Je suis ton amie. Je sais tenir ma langue, tu me connais!

– À la fin de l'année, je vais m'enfuir de la maison.

Marie-Sophie regarde Fa avec des yeux de boules de billard.

– T'es folle?

– J'en ai assez...

– Je te comprends pas. Vraiment, Fa, ta mère est super, non?

– Oui, et mon père aussi, dans son genre, il est super!

– Mais c'est pas une raison pour t'enfuir, ça?

– Si. Y a plus rien qui bouge! Ma mère est comme morte à l'intérieur. Elle s'accroche à son mariage... Moi, je veux qu'elle divorce. Pas seulement pour moi, pour elle aussi.

– S'enfuir de la maison, c'est grave! Et dangereux à part ça... Et tu iras où? Et tu feras quoi?

– T'en fais pas. J'ai un plan. J'aurai besoin de toi... juste le matin où je partirai. Tu devras dire à Christine, mon professeur titulaire, que je t'ai téléphoné pour t'avertir que je n'irais pas à l'école cette journée-là. Pour cause de maladie. Un gros mal de ventre. O.K.? Tu comprends, si on ne s'aperçoit de ma disparition que le soir, j'aurai eu le temps de me cacher...

– Eh que j'aime donc pas ça... Et après qu'on te retrouve et qu'on s'aperçoive que j'ai menti, hein?

– On me trouvera pas. Pas si tu acceptes de faire un léger mensonge...

– Tu vas me donner de tes nouvelles?

– Pas au début. Tu comprends, on pourrait me retracer à cause du cachet de la poste. On va sûrement te questionner, vu que tu es ma meilleure amie... On va peut-être te cuisiner... Faudra que tu fasses attention à toutes tes réponses...

– O.K. Tu peux compter sur moi! Ce qui m'inquiète, c'est ce qui peut t'arriver...

– Tu n'as pas à avoir peur pour moi. Je serai dans un endroit très chouette. Dans une petite campagne. Et puis je vais laisser une lettre d'explications à ma mère pour pas qu'elle panique.

– T'auras besoin d'argent...

– J'ai une idée pour ça aussi. Je ne manquerai de rien, je t'assure. Je suis débrouillarde, tu le sais...

– Moi qui pensais qu'on passerait une partie de l'été ensemble, ici. Ta mère était d'accord, tout. Tu peux pas savoir comme c'est beau, ce coin. Y a des fleurs partout. Tout le temps! La terre pisse des fleurs tous les matins, comme dit mon père... Et puis il y a toujours quelque chose de bon à cueillir. D'abord les fraises sauvages, pas plus grosses que des petits pois. Ça parfume les doigts pour la journée. Et puis les framboises. Un peu de bleuets. Beaucoup de mûres. Après les mûres, l'été commence à cogner des clous... Il fait frais dès le coucher du soleil... Dix degrés de moins qu'à Montréal... Le soir, on fait des grands feux de bois... On compte les étoiles et on regarde passer les satellites.

– L'an prochain, peut-être bien que je serai avec toi pour les compter, les étoiles... Quand ma mère et moi on aura divorcé d'avec Edgar Paris. Mon plan ne peut pas échouer. Tu verras.

78

Bertrand plaque un doigt sur ses lèvres pour demander le silence à ses élèves et il s'approche de Fa, occupée à écrire dans un cahier. Il cogne sur son front avec son index replié.

– Hello! Il y a quelqu'un au bout du fil, Fa?

Elle sursaute et toute la classe éclate de rire.

– Ben oui... on dirait que t'as un abonnement avec le cosmos depuis quelques jours, toi... C'est le mois de mai qui te dérange? Si tu veux bien me faire l'honneur d'atterrir dans mon cours, je vais pouvoir continuer mes explications. Je disais donc que le grand capitaine des Onondagas avait pour nom «Soleil qui marche» et c'est aux gens des tribus iroquoises qu'il le devait. Pour les Français, ce capitaine justifie le sens de son nom en devenant le premier de sa race à vouloir faire la paix avec eux. Garakontié est, à compter de 1654, l'allié le plus formidable qu'ils aient jamais connu...

À la fin du cours d'histoire, Bertrand garde Fa en retenue. Tout en s'amusant à faire sauter la craie qu'il a encore en main, il la questionne avec une affection bourrue:

– C'est quoi ton problème, fille?

– Rien... C'est vrai que je suis un peu distraite ces temps-ci. Je sais vraiment pas pourquoi. Peut-être la fatigue des examens... la fatigue de l'année?

Elle évite soigneusement de regarder son professeur en face et suit des yeux les mouvements de la craie qui monte et descend comme une balle. Bertrand est doué d'une intuition peu commune. Il sait quand un ou une de ses élèves est préoccupé ou vit une situation difficile... Elle ne veut surtout pas qu'il appelle sa mère pour se plaindre de sa conduite étrange. Personne ne doit se douter de rien. Dans quinze jours, le dernier vendredi du mois, elle mettra son plan à exécution. À cette idée, un sourire heureux s'épanouit sur son visage...

79

De la fenêtre de sa chambre, Fa observe discrètement le départ de ses parents, Amanda pour l'hôpital et Edgar pour le journal. Elle bénéficie d'un congé pédagogique qu'elle attendait avec impatience. Dès que les autos ne sont plus visibles, elle descend au rez-de-chaussée et se dirige vers le bureau de son père. La vue des tentures lui fait se souvenir d'une scène pénible vécue lorsqu'elle avait tout juste six ans. Elle était entrée dans la pièce pour vérifier si des maringouins ne s'étaient pas réfugiés dans les tentures, comme certains l'avaient fait dans sa chambre. Son père était arrivé par derrière et l'avait surprise à secouer les tentures. Il l'avait attrapée rudement par les épaules et s'était mis à la disputer:

– C'est une entreprise de vandalisme ou quoi? Qu'est-ce que c'est que ces manières de sauvagesse? Tu n'es vraiment pas endurable... ce n'est pas possible!

Fa, surprise, avait tenté de s'expliquer.

– J'ai seulement essayé de trouver des maringouins en faisant frissonner les rideaux... Lâche-moi, tu me fais mal...

Fa se rappelle et croit sentir dans la chair de ses épaules les mains en serre d'Edgar. Ses yeux font lentement le tour de la pièce. C'est le seul endroit de la maison où elle ne se sent pas chez elle. Rien ne lui plaît dans l'agencement du lieu signé par le grand décorateur Angelo Bardi, la diva des ministres et des artistes arrivés.

Elle contemple du seuil le papier velours à rayures vert bronze des murs, la moquette à chevrons du même ton, les lourdes tentures vertes dont le tissu rappelle le motif du tapis, l'imposant bureau Empire, la lampe-bouillotte qui orne son coin droit, «une copie d'une lampe du Grand Trianon que convoitait le maire Drapeau», comme se plaît à dire son père quand on le complimente.

Son regard s'arrête enfin sur l'accessoire le plus hideux de la pièce, selon elle: le grand lévrier de céramique blanche aux yeux de cristal noirs qui trône juste à côté du fauteuil où son père s'assoit quand il donne audience. Le chien de salon la fait frissonner et pour conjurer son malaise, Fa lui adresse une grimace, lèvres retroussées et sourcils braqués.

Elle s'approche de la grande carte géographique accrochée au mur du fond. Son père sait-il qu'elle connaît le secret de cette mappemonde qui s'ouvre par le milieu pour mettre à découvert les projets et les stratégies du réputé rédacteur en chef de *La Petite Patrie*? Tous les noms des journalistes et reporters qui travaillent pour Edgar, imprimés sur des cartons noirs, sont épinglés sur un feutre coquille d'œuf. Les projets de grands reportages intemporels et les enquêtes des six mois à venir sont inscrits sur des cartons rouges. Les noms des personnes qui seront interviewées par le journal prochainement figurent sur des cartons jaunes, les dossiers à étudier, sur des cartons verts, les hommes publics et les scientifiques à surveiller de près, sur des cartons mauves. Le feutre constitue un grand échiquier sur lequel Edgar Paris joue la vie de son journal en déplaçant les cartons-pions au gré de sa fantaisie.

Soudain Fa éprouve une tentation: celle d'ouvrir la mappemonde, de copier les noms inscrits sur une feuille de papier et d'envoyer le tout au rédacteur en chef de *La Presse* avec une note, «Maintenant que vous connaissez les plans de votre adversaire, amusez-vous un peu...»

Elle hésite une minute et finalement renonce à concrétiser son idée. Ce qu'elle souhaite n'est pas de faire mal ou de nuire à son père mais seulement de l'effacer. Pouvoir vivre sans lui. Oublier son visage qui ne sourit jamais, sa moue inconsciente de dépit quand il la regarde, l'éclat gênant de ses yeux métalliques, le son cassant de sa voix qui a toujours raison, qui a toujours le dernier mot.

C'est pour y arriver qu'elle est venue dans ce bureau. Quelque part est cachée la clé de la maison de Guy Tremblay. Il lui faut la trouver.

Méthodiquement, elle fouille le bureau paternel, tiroir par tiroir. Carnets d'adresses, agendas, chéquiers, étui à lunettes, papier à lettres, enveloppes, chemises contenant des coupures de presse... le dernier tiroir contient deux boîtes métalliques laquées noires. Dans la première, sont rangées des photographies, des lettres et des diapositives. Dans la deuxième, un couteau à manche d'ébène incrusté d'une chiastolite, cadeau d'Amanda, des crayons feutre, un vieux portefeuille vide, des pièces de monnaie étrangère et des clés. Il y en a six, chacune soigneusement étiquetée. La clé de la maison de Guy Tremblay est là. Fa respire, soulagée. Tout va bien...

Reste maintenant à faire exécuter un double de la clé. L'affaire d'une heure. Soigneusement, Fa range les boîtes noires et referme les tiroirs. Un doute surgit dans son esprit: et si monsieur Tremblay avait fait changer la serrure de la porte d'entrée? Il a remis la clé de la maison à ses parents voilà bien huit ans... Fa se rappelle l'incident qui remonte à ses vacances avec Amanda et Edgar dans le comté de Charlevoix...

Une fenêtre comme un écran de cinéma. Le spectacle est dépouillé et reposant. Deux arbres. Deux acteurs immobiles dans un ciel éperdu de rose, de mauve et d'indigo qui change de minute en minute et s'apprête pour l'arrivée de la nuit.

Fa, de son lit, contemple les égarements du rose et le chant mystique de l'indigo. On l'a couchée à l'étage, dans la chambre de monsieur Tremblay. Ses parents, qui ont loué la maison voisine pour l'été, ont accepté de souper avec lui.

Ils ont fait la connaissance de monsieur Tremblay sur les rivages sablonneux de Cap-aux-Oies. Il était arrivé un matin, à marée descendante, juste avant le passage du train, et le conducteur de la locomotive lui avait longuement envoyé la main. Monsieur Tremblay est bien connu dans Charlevoix. Son père et sa mère sont nés aux Éboulements, le cahoteux et paisible petit village juché tout en haut du fleuve. C'est le père de monsieur Tremblay qui a construit la belle maison québécoise où réside son fils.

Monsieur Tremblay est un homme bizarre. Il peut rester des heures sans dire un mot. Et puis brusquement il se met à parler, à parler, et il donne alors l'impression de ne pas pouvoir s'arrêter. Il y a deux ans, monsieur Tremblay a eu un grave accident d'auto. Il s'en est sorti miraculeusement indemne, mais sa femme, Dolorès, est morte, littéralement décapitée par le pare-brise.

Depuis la tragédie, le vieil homme n'habite plus sa grande maison où flottent encore le parfum sucré et les rires en trille de Dolorès. Il s'est trouvé un petit appartement dans un immeuble neuf de Sainte-Foy; de la fenêtre de sa cuisine, il peut voir le fleuve, et penser à sa femme.

Le drap remonté jusqu'au nez, Fa entend les voix de ses parents et celle, un peu cassée, de monsieur Tremblay. Ils sont en bas dans la cuisine.

– Je suis venu mettre un peu d'ordre. Quand ma fille reviendra d'Abidjan, je lui ferai cadeau de cette maison. Si elle n'en veut pas, ça se pourrait, alors peut-être bien que je la louerai à des étranges de la ville... à moins que je ne me décide à vendre.

Fa entend le bruit de l'eau qui bout, de la chaise que doit repousser monsieur Tremblay, d'une armoire ouverte et refermée. Elle ferme les yeux et laisse la conversation monter jusqu'à elle.

– Je voulais rester seulement vingt-quatre heures, mais les souvenirs me sont tombés dessus à bras raccourcis. Et puis il y a eu ma rencontre avec vous. Quand je vous ai aperçus, la semaine dernière, sur la plage, avec votre petite fille, ça m'a ramené vingt ans en arrière... Dolorès, Viviane et moi, on venait souvent se promener et ramasser des cailloux... Ça tire fort les vieux souvenirs. Ça fait mal et ça fait du bien en même temps. Je vous ai regardés longtemps avant de me décider à venir vous jaser. Faut bien que j'ouvre la bouche de temps en temps... pour pas devenir complètement sauvage! Je me sens bien seul depuis le départ de Viviane. Pendant une grosse année, je l'ai boudée, ma Viviane. Je lui en ai voulu de m'avoir laissé tout seul. Elle, elle a décidé de partir pour oublier l'accident. C'était sa façon de tourner la page. Elle est jeune... l'aventure ne lui fait pas peur et puis c'est une femme forte, comme sa mère...

La voix froide d'Edgar vient briser le monologue cousu de mélancolie de monsieur Tremblay.

– Vous devriez vendre votre maison, cher monsieur. Elle vous enfonce dans votre malheur. Vous devriez tout liquider et partir en Floride, acheter un condominium et possiblement faire des rencontres féminines intéressantes. Vous savez que vous auriez un bon prix pour cette maison? Elle est belle, solide, typique d'une certaine époque et admirablement située. Un peu retirée, avec le fleuve à deux pas... Tenez... moi, je vous ferais bien une offre. Je songe justement à m'acheter une propriété pour les vacances d'été. Il y a deux ans, ma femme et moi nous sommes allés en Normandie. Nous avons séjourné dans une superbe maison entièrement rénovée. Ça m'a donné des idées. Vraiment, si vous avez l'intention de vendre, je pourrais bien me montrer intéressé...

Gênée par la proposition brutale d'Edgar, Amanda intervient d'une voix posée:

– Vous avez raison de penser à votre fille, monsieur Tremblay. Il est très probable qu'elle sera heureuse de retrouver la maison de son enfance... Qu'est-ce qu'elle fait en Afrique, votre fille?

– Elle est infirmière; elle a accepté un poste dans un petit hôpital. De temps à autre je reçois une lettre... parfois elle m'envoie aussi des photos. Moi, j'aurais préféré qu'elle continue à travailler à l'hôpital de Baie-Saint-Paul. Je pense évidemment à moi quand je dis ça...

Le lendemain, Amanda a pris une longue marche avec monsieur Tremblay. Il l'a emmenée jusqu'au phare. Au retour, il avait son bras droit maladroitement enroulé autour de ses épaules. Tous les jours de la semaine qui suivit, le vieil homme vint chercher Amanda pour sa promenade thérapeutique, comme il disait.

C'est sur la plage, juste avant de partir, qu'il a remis la clé à ses parents.

– Je vous donne la mienne et je garde celle de ma femme... J'ai pensé que vous pourriez peut-être venir ici l'an prochain. Moi, c'est fini. Je n'y mettrai plus jamais les pieds. Mais c'est pas une raison pour que ma maison finisse comme la Belle au bois dormant...

Amanda, émue, a commencé par refuser. Le vieil homme s'est mis à la disputer.

– Dis donc, toi, madame Docteur, tu serais pas un peu «zozote», par hasard? Regarde un peu les joues de ta petite fille. Elles sont toutes roses. L'air d'ici est bon pour elle. Tatata! Arrête un peu tes «jaspinages» et prends cette clé, ma belle grande fille. Si tu décides de ne pas venir, tu la remettras à ma fille quand elle sera de retour.

Tous les ans, à partir de ce moment, monsieur Tremblay n'a jamais manqué d'envoyer une belle carte de souhaits à Amanda. Tous les ans, cette carte parlait du retour probable de sa fille. Tous les ans, ses propos se terminaient par: «J'espère que vous avez gardé la clé... des fois que l'air de Cap-aux-Oies vous manquerait.»

L'an dernier, monsieur Tremblay n'a rien envoyé. Edgar, avec son cynisme habituel, a décrété que le vieux fou avait probablement levé les pattes. En juin, une lettre d'un notaire de Baie-Saint-Paul est arrivée, porteuse de la triste nouvelle. Monsieur Tremblay était effectivement mort, le jour du Mardi gras, après une semaine de maladie. Il priait madame Paris de bien vouloir, comme le stipulait monsieur Tremblay dans son testament, garder la clé de sa maison de Cap-aux-Oies jusqu'au retour de sa fille...

80

Fa dépose son grand sac noir par terre. Elle ne croyait pas que de simples vêtements pouvaient peser aussi lourd. Elle s'assoit dessus et regarde le paysage. La maison de monsieur Tremblay est là, juste en bas de la côte. Le fleuve est gris et tranquille ce soir. L'adolescente sort la clé de son petit sac mauve et elle reprend la route.

La porte de la maison cède immédiatement. La serrure n'a donc pas été changée. Sitôt le seuil franchi, Fa capte une bonne odeur de soupe. Les sens en alerte, elle avance précautionneusement. Sur la table de la cuisine, un couvert est mis. Il y a une grosse miche sur la planche à pain. Elle a l'impression de vivre l'histoire de la petite fille et des trois ours.

– Qu'est-ce que vous faites là?

Elle se retourne. Un homme d'environ 35 ans vient d'entrer. Un grand type maigre, barbu, la détaille avec des yeux brillants. Elle n'a pas peur. Manifestement, l'homme n'est pas dangereux. Elle le regarde et se demande si le reste de la famille Ours va suivre. L'homme s'avance, se dirige vers le buffet et prend une paire de lunettes qu'il pose sur son nez, long, droit et mince. Fa, intriguée, lui retourne sa question.

– Et vous, que faites-vous ici? C'est la maison de monsieur Tremblay. Je ne suis pas une voleuse. Voyez, j'ai une clé...

– Moi aussi, j'ai une clé, répond l'homme. Je suis l'ami de Viviane, la fille de monsieur Tremblay. Vous êtes toute seule? Comment êtes-vous arrivée jusqu'ici?

Fa, prudente, pèse chacune de ses paroles.

– Je suis seule. Ça se voit... Vous parlez avec un accent. Vous êtes Français?

– C'est vous qui avez un accent. Vous êtes Québécoise?

Fa dépose son grand sac sur le sol et elle frotte ses mains endolories. L'homme s'avance vers elle.

– Je pense qu'il vaut mieux qu'on se présente dans les règles. Je suis Français. Je m'appelle Ludovic Charrière. Je suis venu ici en convalescence, avec la permission de Viviane, bien sûr, qui a écrit au notaire de son pauvre père. J'ai subi une grave opération à un rein il y a six semaines. J'ai besoin de repos... de silence... Viviane viendra me rejoindre en septembre... On est comme fiancés tous les deux... À vous maintenant.

– Moi, je suis venue ici pour passer quelques semaines de vacances. Pour me reposer du cirque de la grande ville... J'ai rien d'autre à vous dire. Sauf que je ne peux pas repartir, même si ma présence vous déplaît. En tout cas, pas ce soir. Ni demain...

L'homme sourit. Il passe une main dans sa tignasse blonde mal peignée et rajuste ses lunettes métalliques ovales sur son nez. Fa regarde ses mains. Les doigts sont longs, spatulés et ils tremblent légèrement.

– C'est l'heure de la bouffe. Je peux vous offrir un bol de potage avec du fromage et du pain?

Fa accepte avec plaisir. Elle dévorerait la louche et la planche à pain tant elle a faim. Sa longue marche au soleil l'a épuisée.

– Vous avez du lait? J'ai très soif.

– Comment vous appelez-vous?

– Louise. Louise... Dupont.

Fa a trop hésité à répondre. Elle sent que l'homme ne la croit pas.

– Vous avez quel âge, Louise?

Fa ne répond pas. Elle avale d'un trait le verre de lait que l'homme lui a servi. Puis elle s'attaque au potage en évitant de regarder son interlocuteur.

– O.K. Cartes sur table. Je suis prêt à partager la maison avec vous si vous me dites la vérité. Qui vous êtes et pourquoi vous êtes ici.

Fa réfléchit aussi vite qu'elle peut. Elle aussi est d'avis qu'il vaut mieux jouer franc jeu. Peut-être que l'homme acceptera d'être son complice...

– Je m'appelle Fa et je vais avoir 15 ans dans quelques jours. Je me suis enfuie de chez moi pour des raisons qui ne regardent que moi. Si vous me dénoncez, je m'enfuirai à nouveau. Je ne retournerai jamais chez moi. Jamais! Et ce n'est pas la force qui me fera changer d'idée.

– Je voudrais que vous compreniez une chose, Fa. Si jamais on vous trouvait ici, en ma compagnie, ça ferait beaucoup de bruit, et pas dans le bon sens. Je pourrais être accusé de séquestration de mineure, de viol... Y a-t-il une personne que je pourrais prévenir, discrètement?

– Je voudrais que vous admettiez une chose, monsieur

Ludovic. Personne ne pourra me trouver ici... à moins que vous ne me dénonciez!

– Vous avez pensé aux voisins, aux éventuels passants? Le coin est retiré mais quelqu'un finira inévitablement par vous apercevoir.

– Et alors? Je pourrais être votre cousine, votre sœur... votre fille, à la limite.

– Et la police? Vos parents les mettront forcément au courant de votre fugue. On publiera votre photo dans les journaux, je présume...

– J'ai laissé une lettre à ma mère. Je lui demande de me faire confiance. De ne pas s'inquiéter. J'ai d'ailleurs l'intention de lui donner de mes nouvelles de temps à autre.

Ludovic ramasse son bol et le sien. Il se lève pour porter la vaisselle sale dans l'évier. Fa en profite pour le regarder à la dérobée. Sa démarche est nonchalante, ses yeux, cernés, son teint, pâle. Il revient s'asseoir et sort de sa poche un paquet de Gitanes. Il porte une grande chemise bleue à moitié boutonnée et froissée et un jean rapiécé un peu trop grand pour lui.

– Faisons un marché. J'accepte de vous aider, à la condition que votre mère soit prévenue de l'endroit où vous êtes et qu'elle soit d'accord pour que vous restiez ici. Vous ne vous rendez pas bien compte que vous me mettez dans une situation très délicate...

– Je ne pouvais pas savoir qu'il y aurait quelqu'un...

– Vous ne m'écoutez pas. Pensez un peu à tout ce qui pourrait arriver. Vous pourriez tomber malade, par exemple. J'ai beau être médecin, je n'ai ni trousse, ni médicament.

– Ma mère aussi est médecin!

Fa se mord furieusement la lèvre inférieure. Elle vient de donner étourdiment un précieux indice qui pourrait permettre à l'homme de retracer sa famille.

– Quand êtes-vous partie?

– Ce matin. J'ai fait semblant d'aller à l'école. En réalité, j'ai pris l'autobus au terminus Voyageur rue Berri...

– C'est à Montréal ça, non?

Fa avale sa salive. Elle vient de donner un autre indice.

– À cette heure, vos parents ont certainement découvert votre lettre...

– C'est forcé. D'habitude, je rentre vers seize heures quinze.

– Fa... sincèrement, je pense qu'il est préférable de téléphoner à votre mère.

– Pour que mon père rapplique demain matin les yeux en trous de fusil et l'écume au bord des lèvres!

– Vous n'aimez pas votre père, on dirait.

– C'est lui que j'ai fui! Je ne peux plus supporter d'habiter sous le même toit que lui! Il me déteste depuis ma naissance. Il m'empêche de grandir, d'être moi-même! Regardez-moi. J'ai 15 ans. C'est la vérité. Mais je sais bien que je ne les fais pas. C'est à cause de lui. Pouvez-vous comprendre ça? Je me demande ce que ma mère a pu trouver à ce type... Je suis sûre qu'elle souhaite qu'il parte. Il n'y a rien entre eux!

– Et vous... Vous n'êtes pas rien? Vous êtes leur fille et vous êtes vivante!

– Vivante! Plus pour longtemps... Si jamais mon père me trouve et m'oblige à rentrer à cause de vous, je me tuerai! Vous êtes prévenu. Si vous appelez ma mère, dites-lui ça aussi!

– Vous êtes d'accord pour que je lui parle alors?

– Vous ne me donnez guère le choix!

– Parfait. Alors je vais aller téléphoner au village.

– Vous avez une auto?

– Mais oui. Elle est garée derrière, juste à côté du ruisseau. En attendant mon retour, installez-vous. Faites comme chez vous.

– D'accord. Je vais déballer mes affaires. Rappelez-vous. Si vous me trahissez, je me tuerai. Je vais vous écrire le numéro. Si c'est une voix d'homme qui répond, raccrochez. Ne parlez qu'à ma mère.

– Entendu. Où voulez-vous coucher?

– Je m'en fiche. Quelle chambre avez-vous prise?

– Celle de Viviane.

– O.K. Je vais prendre celle de monsieur Tremblay. Je la connais. J'y ai déjà couché quand j'étais petite...

81

En reprenant la route de Cap-aux-Oies, Ludovic se remémore l'entretien qu'il vient d'avoir avec Amanda.

– Ma fille vit un grave conflit. Elle a malheureusement raison quand elle dit que son père la déteste. Depuis plusieurs mois, elle est en thérapie avec un de mes collègues. Nous sentions tous les deux qu'une crise allait survenir. Je ne peux pas tout vous dire – j'ai horreur des conversations par téléphone –, mais il est certain que j'ai une grande part de responsabilité dans le drame que vit Fa...

Amanda croit qu'en laissant Fa affirmer sa colère et agir à sa manière sur sa douleur, le conflit pourra être résolu, du moins partiellement. C'est ce qu'elle a expliqué à Ludovic qui a trouvé son attitude réaliste et intelligente, dans les circonstances.

– Si je vous proposais de garder Fa... pendant quelque temps? Le temps que je règle ici la part du conflit qui me concerne... Je peux vous faire confiance?

– Mais oui. Absolument! D'ailleurs ce sera donnant donnant. Je crois que votre fille pourra éventuellement m'aider à récupérer... À oublier un peu mes inquiétudes. J'ai subi une opération très importante, il y a six semaines, et j'ai cru que la solitude totale me serait profitable. Or je m'ennuie terriblement. De mon pays, de mon amie Viviane... Et puis le métier me manque.

– Vous êtes généraliste?

– Chirurgien plasticien. Pour l'instant, mes mains tremblent tellement que je ne serais pas foutu de recoudre un bouton de culotte sans gâchis. Les médicaments que je dois prendre n'aident évidemment pas.

– Êtes-vous sûr que Fa ne vous fatiguera pas?

– Mais non, mais non, c'est le moral qui ne va pas. Je suis un peu déprimé et surtout... inquiet. On m'a affirmé que l'opération était une réussite totale. Mais m'a-t-on dit toute la vérité? J'ai des doutes. Les médecins font les pires malades qui soient. Vous devez savoir ça...

– Bon... Écoutez: j'aimerais beaucoup vous rencontrer. Le plus vite sera le mieux. Pouvez-vous me rappeler d'ici quarante-huit heures? Je vais voir mes horaires et m'arranger pour obtenir une journée de liberté... Je ne crois pas me tromper en acceptant la décision que Fa nous impose à son père et à moi. Nous allons voir comment le temps va agir. Évidemment si elle a besoin d'argent ou de quoi que ce soit, vous m'appelez, à l'hôpital ou à la maison.

– D'accord. Vous pouvez compter sur moi, madame...

82

Fa a laissé un mot sur la table de la cuisine:

Un mille à pied, ça use très énormément les souliers, comme dit la chanson... et aussi les fugueuses. Nous nous reparlerons demain matin, au déjeuner. Je sais faire de bonnes omelettes. Si vous êtes d'accord avec mon programme, signez ici....................
Bonne nuit!

Il monte à l'étage et constate qu'elle a laissé la porte de la chambre entrouverte. Il s'approche et la regarde dormir pendant quelques secondes, vaguement ému, sans trop savoir pourquoi. Il ne connaît rien aux enfants, encore moins aux adolescentes. Et pourtant, malgré ses problèmes personnels, il se sent sollicité. Un être humain souffre. Saura-t-il trouver les bons mots, les bons gestes? Ses études de médecine, son expérience de clinicien, lui seront-elles utiles pour ramener à la réalité cette enfant révoltée et déterminée à lutter jusqu'au suicide contre son oppresseur? Comment un père peut-il devenir un ennemi pour son propre enfant? Mais Fa ne fabulerait-elle pas?

83

Confortablement installé dans la serre, pièce qu'il affectionne particulièrement à cause de sa grande luminosité, Edgar révise la trentaine de reportages reçus au cours des deux derniers mois et déjà cotés par son adjoint. Il parcourt rapidement ceux qui ont obtenu la note C ou B mais il lit et parfois relit ceux qui ont mérité un A. Certains de ces textes sont signés par des journalistes chevronnés, en poste à l'étranger.

Amanda l'a entendu arriver. Mais elle a volontairement laissé passer une bonne demi-heure avant d'aller le rejoindre. Dès qu'il l'aperçoit, il referme son dossier.

– On mange bientôt, j'espère... J'ai une importante nouvelle à t'apprendre... Tu fais une drôle de tête. Es-tu malade?

Debout, Amanda le fixe, visiblement tendue.

– Non. Ça va. Seulement j'ai une nouvelle à t'apprendre, moi aussi. Je voudrais que tu gardes ton calme...

Les mâchoires d'Edgar se contractent.

– Ça y est. Freudia a encore commis une extravagance dont elle seule a le secret!

– Elle a fugué.

– Quoi?

– Elle est partie. Probablement tôt, ce matin. J'ai trouvé une lettre dans ma chambre en rentrant. Elle s'engage à donner de ses nouvelles un peu plus tard. Elle affirme aussi qu'il n'est pas question qu'elle remette les pieds dans cette maison.

– C'est le bouquet! Fuguer! À 15 ans! Me faire ça à moi! Le jour même où la Ville de Montréal me nomme Grand Montréalais! Cette enfant est une calamité! J'ai toujours pensé qu'elle ne pouvait que mal finir!

– Je t'ai demandé de garder ton calme, Edgar. Je suis aussi énervée que toi. J'avais le pressentiment qu'elle mijotait quelque chose ces derniers temps. Mais je ne pouvais pas deviner...

– Depuis qu'elle est née qu'elle mijote! Elle ressemble à Paul, mon frère, le bienheureux et chic marginal de la famille! Eh bien tant pis! Je vais faire ce que mon père a fait lorsque Paul s'est enfui du Séminaire. Je vais oublier que j'ai une fille. Je vais rayer purement et simplement cette petite écervelée de ma vie! J'espère que tu n'as pas l'intention d'appeler la police!

Amanda, visiblement ébranlée par l'événement, passe une main sur son front et pousse un profond soupir.

– Non. Parce que je sais où elle s'est réfugiée. J'ai déjà été rejointe par une personne qui m'a promis de veiller sur elle. J'ai décidé de laisser Fa vivre sa fugue pendant un certain temps et de ne pas intervenir... Son absence va me permettre de faire ce qui aurait dû être fait depuis plusieurs années: parler avec toi de notre séparation définitive.

– Alors, toi aussi, tu veux t'y mettre pour gâcher ma carrière... Tu vois ça d'ici qu'on apprenne que le nouveau Grand Montréalais du monde du journalisme est aux prises avec une fille qui joue la nouille de l'air et une épouse qui demande le divorce!

– Ah! Toujours les grands mots! Toujours toi, toujours ta carrière! J'en ai vraiment assez! Je t'en prie, Edgar, essaie de comprendre que nous avons atteint tous les deux depuis longtemps un point de non-retour. Il aura fallu que Fa fasse un éclat pour que je trouve le courage de passer aux actes, comme elle... Je n'ai pas l'intention de demander le divorce. Pas tout de suite. Ni non plus d'informer qui que ce soit du départ de Fa. Nous allons prendre le temps nécessaire, toi et moi, pour larguer les amarres avec sérénité, en restant amis, ce que je souhaite. Ne ricane pas, je suis sincère. Je compte prendre trois mois de congé sabbatique à partir de septembre. Cela nous donnera donc tout l'été pour prendre nos distances, pour nous réorganiser. Pour faire les choses sans nous blesser inutilement. Évidemment, je prendrai Fa avec moi...

Depuis le début de leur entretien, Edgar n'a pas bougé d'un cil. Il est assis, droit, maître de ses réflexes. Seuls ses yeux brillent d'un éclat menaçant.

– J'aurais dû me douter dès le début que je serais un jour le grand perdant dans toute cette histoire. Un beau merdier que je n'ai pas mérité. Mais je te préviens. Si jamais ma réputation souffre à cause des stupides inconséquences de Freudia, je verrai à ce qu'elle paie la note. Je te rappelle qu'elle est encore mineure. Si jamais elle revient de son escapade enceinte, ou si elle est coincée dans une histoire de fraude, de drogue, ou de prostitution, j'informerai personnellement le Tribunal de la jeunesse de ce qu'elle a fait. On verra à quel point tu t'es montrée faible et complaisante avec ta fille...

– Tu es incroyablement tordu et cynique, Edgar. Il n'y a pas une once de compassion, d'inquiétude, de chagrin en toi pour Fa, qui reste ta fille, que tu le veuilles ou non! Je me sens responsable de sa fugue, je l'avoue, mais certainement pas à cause de l'éducation qu'elle a reçue!

Amanda regarde le creux de ses mains. Elles sont moites. Elle a chaud et froid en même temps. Elle se sent pleine de ressentiment envers Edgar. Il est assis devant elle, la mine impassible, et il la toise comme si elle venait d'avouer une faute grave. Il se comporte en justicier et en victime tout à la fois. Il ne lui viendrait pas à l'idée d'examiner sa propre conscience, d'admettre que la révolte de Fa le renvoie à ses relations avec elle. Il est persuadé qu'il s'est comporté en parfait père. Eh bien, tant pis pour lui. À ce stade de leur histoire, elle ne va plus essayer de susciter la moindre petite prise de conscience. Mais elle va quand même lui dire ce qu'elle pense de la situation.

– J'estime que c'est une excellente chose, ce qui nous arrive. Fa est finalement plus saine, plus lucide que toi et moi, si tu veux mon opinion. Tu connais les mécanismes de l'inhibition de l'action du professeur Henri Laborit... Fa a bougé, pour ne pas périr étouffée. Je suis psychiatre et je n'ai rien vu!

Amanda soupire encore et s'adosse avec lassitude contre la table. Elle a du mal à respirer et elle reconnaît tous les symptômes de l'hyperventilation. Elle touche sa gorge et tente de se calmer. Il y a encore une chose qu'elle doit dire à Edgar.

– Vois-tu, j'ai cru, lorsque je t'ai rencontré, que tu pourrais désirer avoir un enfant avec moi. Que tu parviendrais à l'aimer, à avoir du plaisir à vivre avec. Je me suis trompée. C'est moi la première coupable et je le reconnais. Toi, tu as fait ton possible, compte tenu de ce que tu pouvais investir... Mais le rôle que tu as accepté de tenir à mes côtés ne te convenait pas. Après, j'ai fait celle qui a refusé de voir la vérité en face. Je voulais me protéger de mon passé, de la douleur qu'il recèle... Et j'ai toléré trop longtemps une situation impossible.

– Tu as raison. Je n'ai jamais voulu d'enfant. Et j'ai été passablement déçu de te savoir enceinte un mois à peine après notre mariage. Je rêvais seulement de faire carrière à tes côtés. J'aurais voulu que, toi aussi, tu accèdes à un poste de commande, comme moi. Je n'ai jamais compris que tu aies refusé la fonction de directeur adjoint de ton service, il y a six ans... Je croyais que tu avais de l'ambition...

– Je t'ai expliqué plusieurs fois que les fonctions d'administration ne m'intéressent pas. Je n'ai pas fait onze années d'études de médecine pour me retrouver assise derrière un bureau à remplir des formulaires, signer des rapports et jongler avec des budgets...

Edgar empoigne ses dossiers et se lève.

– Bon... finissons-en, puisque c'est ce que tu veux. Je vais te libérer de ma présence plus vite que tu ne le crois. J'ai été invité à un voyage de presse de trois semaines en Irlande à la fin de juin. Ensuite, je vais me payer quinze jours de vacances aux États-Unis et un séminaire de gestion en Californie quelque part en août. Je vais te demander une seule chose. Ta présence, dans une semaine, au gala des Grands Montréalais. Ta présence et ton silence. Un silence total jusqu'en septembre.

Amanda hoche la tête.

– Accordé. Je serai là, souriante et muette.

Elle n'ose pas ajouter: «Comme ta fille, depuis un an.»

Edgar passe devant elle, avec l'air digne du magistrat qui a rendu un jugement difficile, et il se dirige vers la cuisine.

– Maintenant, si tu n'y vois pas d'inconvénient, je vais sortir et aller m'offrir le repas du condamné au Beaver Club. À partir de maintenant, je m'estime libéré de notre entente. Je serai donc souvent absent. Si tu as besoin de me parler, passe par ma secrétaire... Tu comptes garder la maison, je suppose? Quand veux-tu que je te soulage de mes effets personnels?

– Tu peux rester ici tant que tu veux, Edgar. C'est moi qui vais aller m'installer ailleurs, dès septembre. Si la maison t'intéresse, je pourrai te la louer ou te la vendre, à ta convenance.

– Bien, je vais y penser et consulter un avocat.

– Barbie peut venir s'installer ici si tu le désires... Maintenant que Fa n'est plus là...

– C'est fini depuis longtemps avec elle. Je me contente désormais d'être son père spirituel... Depuis six mois, je sors avec une avocate, doublée d'une économiste. Une femme brillante. Mais nous ne tenons pas à nous afficher ensemble pour l'instant... Je suppose que tu as un homme dans ta vie? J'aimerais que tu continues à être discrète pour quelques mois encore. Bonsoir...

Amanda regarde Edgar sortir de la pièce. Voilà. Pour lui, tout est réglé. Elle et Fa sont sorties de sa vie sans qu'il exprime la moindre souffrance, le moindre regret. Il a craint un moment pour sa réputation, pour sa carrière. Mais son cœur n'a rien senti. Seulement, comment pourrait-elle lui en vouloir? Au fond, Edgar a hérité du cœur métallique de son père. Hortense l'avait mise en garde. Quand elle demandait des nouvelles de son fils, les derniers mois qui ont précédé sa mort, elle disait: «Comment va le grand journaliste en fer-blanc?»

Amanda comprend l'attitude d'Edgar. Il a dû se dépêcher de devenir un adulte pour plaire à Me Paris, infiniment réfractaire à l'univers et à la magie des enfants. Et il a dû larguer toutes les émotions qui habitaient son enfance.

84

Le joyeux babillage de Fa plaît beaucoup à Ludovic. Il n'est plus seul à compter les marées. À marcher le long de la voie ferrée. À explorer les battures. Et puis Fa dit des choses surprenantes pour son âge. Dès les premiers jours, ils ont décidé de se tutoyer et d'être totalement francs, l'un envers l'autre, de se dire tout ce qui viendrait chatouiller le bout de leur langue. Ils ont fait connaissance doucement, sans se presser. Ils ont parlé de leur passé. Et, petit à petit, ils en sont venus à parler des choses importantes de leur avenir, qui, invariablement, les ramènent à leur passé, sans même qu'ils s'en rendent compte.

– Tu crois que tu auras une fille un jour? Enfin je veux dire une fille... ou un garçon.

– Je ne sais pas du tout. Si je guéris, peut-être. Je pense que Viviane désire avoir un enfant avec moi. Nous n'en avons encore jamais vraiment parlé. Mais ce sont des choses qui se devinent. Surtout quand on aime une femme.

– En tout cas, moi, je te vois assez en père... d'une fille plus que d'un garçon. Je suis sûre que tu l'aimerais bien.

– C'est probable... Surtout si elle ressemble à Viviane... ou encore à toi!

– Je connais des hommes qui ne sont pas du tout doués

pour la paternité. Le mien par exemple. Il aurait dû faire un nœud à son salsifis celui-là...

Ludovic sourit et se penche vers elle. Ils mangent tous les deux avec appétit des crudités et des fromages disposés sur un grand plateau.

– S'il avait noué sa «quéquette» comme tu dis, tu ne serais pas là à te prélasser au soleil de Cap-aux-Oies, ma cocotte. Tu n'aurais pas eu à partir en cavale. Il est donc si affreux que ça, ton père? Parfois, quand on passe de l'enfance au stade adulte, on se croit détesté, rejeté, parce qu'on se déteste soi-même... C'est vachement compliqué de grandir.

D'indignation, Fa pique son couteau dans le morceau de Cheddar doux.

– Hé! Ho! Tu n'es pas obligée de trucider le fromage parce que tu n'es pas d'accord!

Le visage de Fa est cramoisi. Elle le dévisage, tête penchée, insultée, avec dans les yeux des éclairs de colère.

– Tu me crois en pleine crise d'adolescence, hein?

– Bon. Quel âge as-tu donc, Fa?

– L'âge d'avoir derrière moi quatorze années de désert et de mépris! Ce n'est pas nouveau mon ressentiment, ma peur, ma peine! Je suis une adolescente, c'est vrai. Mais mon adolescence est arrivée à point. Elle m'a donné la force de fuir Edgar Paris. J'ai été en mesure d'agir et j'ai choisi de mettre une énorme distance entre lui et moi. Tu sais pourquoi je suis venue ici? Je vais te dire et ça va t'en boucher un coin. Pour perdre mon père, pour le noyer dans le fleuve! Je veux aussi que ma mère réalise à quel point ce que je vis est grave. Pour moi et pour elle. Parce qu'elle aussi elle a un foutu gros problème à régler avec lui!

Des larmes jaillissent de ses yeux. Elle se lève de table et sort sur le grand perron. Ludovic l'entend piaffer et maugréer. Il ne fait pas un geste pour la retenir. Il sait combien la solitude peut agir à la façon d'un calmant sur une plaie. Il essaie d'imaginer le père et la mère de son étrange compagne et n'y arrive pas. Il verra Amanda dans deux jours. Elle lui a fixé rendez-vous, pour midi, au restaurant *Le Mouton noir* de Baie-Saint-Paul. Il n'a encore rien dit à Fa. Il repousse son assiette et étire ses jambes sous la table. Pour la première fois depuis qu'il est arrivé à Cap-aux-Oies, il se sent presque bien. Il fait beau dehors. Son regard fait le tour de la grande cuisine. Fa a laissé traîner une paire de chaussettes noires sur le paillasson. Il sourit. Cette gamine pleine de vitalité et de sensibilité lui plaît décidément beaucoup. Comme si elle réveillait l'enfant en lui. Mais lui est un garçon, pas une fille. Et comme il n'a pas eu de sœur, il ne sait pas ce que c'est, être fille.

85

Quelques heures plus tard, sur la plage, Fa, qu'il est allé rejoindre après avoir fait la vaisselle, sort enfin de son mutisme.

– On dirait que le fleuve respire plus fort aujourd'hui. On dirait qu'il va faire une crise d'asthme. Écoute-le... Il ronfle et il siffle... Va falloir que tu le soignes! C'est là que je vais savoir si tu es un bon docteur...

Elle s'accroupit sur le sol et gratte le sable avec ses doigts.

– Tu sais quoi? Quand je serai morte, je reviendrai ici et je m'amuserai avec le temps. Je ferai pousser des fleurs de neige sur cette plage et je les baptiserai des «ludovines». Je ferai aussi pousser des framboises glacées en bordure...

– N'oublie pas de m'inviter, j'adore les sorbets!

Fa le regarde gravement.

– C'est noté là... précise-t-elle en se touchant le front.

86

Ludovic revient de Baie-Saint-Paul. Sa rencontre avec Amanda Doré a été cordiale. Ils ont parlé, beaucoup de Fa et un peu de leur métier.

– Décidément, vous et moi traversons une zone de grande turbulence, lui a-t-elle lancé à la fin du repas.

– Oui, mais moi je suis célibataire. Vous, vous êtes mariée et vous avez une fille dans la tempête. Elle est très sympa, vous savez. Transparente. Son visage dit tout. Et quel tempérament!

– Fa ressemble beaucoup à ses deux grands-mères. C'est ce qui la sauve. Elle a aussi quelque chose de son père... Mais elle n'aimerait certainement pas m'entendre faire ce genre de commentaire!

– Ça alors non! Quand elle me parle d'Edgar Paris – c'est comme ça qu'elle l'appelle le plus souvent –, elle est impitoyable. Hier, elle a commencé à creuser un trou dans le sable pour «enterrer qui tu sais jusqu'à la fin des temps», a-t-elle précisé... Je me suis demandé comment il fallait réagir. Elle m'a annoncé son projet avec un air si grave, si déterminé que j'ai finalement décidé de ne pas intervenir et surtout de ne rien dire.

– Il vaut mieux la laisser faire, vous avez raison. C'est étrange ce que vous me dites... Moi, je suis en ce moment irrésistiblement attirée par la tombe de mes parents. Je suis allée me recueillir au cimetière, à quelques reprises. Je n'ai pas eu vraiment de chagrin quand ils sont morts. On dirait que c'est seulement aujourd'hui que leur deuil me rattrape...

Ludovic lui a parlé de ses parents à lui. De son père surtout, un homme exceptionnellement chaleureux, médecin généraliste.

– Quand il voyait que j'avais un chagrin, il ouvrait ses deux bras et il me disait de sa voix profonde de baryton: «Viens dans le couvoir, récupérer...»

87

En arrivant à Cap-aux-Oies, il aperçoit Fa qui revient de la plage. Elle lui envoie la main. Puis elle se met à courir dans sa direction. Elle s'engouffre après lui dans la maison et l'apostrophe sans même lui donner le temps de placer un mot:

– J'en ai marre de me cacher. Demain tu m'emmènes au village, d'ac?

– Pas question. Rappelle-toi nos conventions.

– Une entente, c'est comme un règlement, c'est fait pour être changé quand il le faut. Et il le faut! J'ai besoin de serviettes sanitaires. J'en ai pas dans mes bagages. J'ai oublié ce petit détail... Et puis j'ai aussi besoin d'un maillot de bain. J'ai l'air d'un vrai bébé dans celui que j'ai apporté. Tu te vois aller au magasin général demander une boîte de Kotex et un maillot pour dame? Ça ferait drôlement jaser!

– Et si on allait plutôt faire une promenade à Québec? Ta mère m'a dit que tu adorais cette ville...

– Oh oui, oui!

– Mais tu caches tes mirettes dans le fond de la bagnole et tu fais gaffe jusqu'à ce qu'on soit sortis du village, vu?

– Tout ce que tu veux, Ludovic! Je peux même me déguiser... me faire des couettes. Ou m'arranger en mémère Bouchard si tu préfères... «Ça te va ti, cher?»

– Comment?

– Tu peux pas comprendre. Mémère Bouchard, c'est un personnage de téléroman. Ça se passe ici, dans le comté de Charlevoix. T'es Français, et on n'a pas la télé, alors tu peux pas savoir.

Fa dirige Ludovic et lui fait visiter Québec de fond en comble. Elle lui parle de Tense, sa belle grand-mère, morte il y a tout juste un an. De la grosse somme d'argent qu'elle lui a laissée – legs qui a choqué Edgar. Ludovic lui propose de souper dans un restaurant très chic, avec des bougies sur les tables. Fa commence par refuser parce qu'elle se trouve mal fagotée. Et elle ajoute, en le regardant d'un œil critique, que lui non plus ne paie pas de mine. À l'entendre, ils ont l'air de deux pauvres hippies de province qui n'ont pas entendu passer l'heure punk et l'heure *yuppie*. Alors Ludovic décrète qu'ils vont s'acheter des fripes de *yuppies* en vacances. Fa et lui se retrouvent au centre commercial de Sainte-Foy. Ils écument les boutiques et dénichent exactement ce qu'ils cherchent: des pantalons en lin blanc et des chemises en coton froissé. Plus en prime, pour Fa, un maillot de bain jaune importé d'Israël. Ludovic le lui offre en guise de cadeau d'anniversaire.

Le souper est une réussite. Ludovic découvre la fine cuisine du Québec et il mange avec appétit. Fa, sentant que son ami est détendu, ose enfin lui parler de sa maladie.

– Pourquoi t'as été opéré au juste, si c'est pas trop indiscret...

– Parce qu'il y avait une tumeur dans un de mes reins. Ça a commencé par des hématuries, des pertes de sang dans l'urine, assez abondantes. On m'a fait passer des radios... Et puis on m'a expédié au bloc opératoire. L'intervention a été plutôt délicate. Le chirurgien qui l'a pratiquée, un de mes collègues, a exploré ma tirelire et mes deux haricots – c'est comme ça qu'on désigne familièrement l'abdomen et les reins – et, selon lui, il n'y avait rien de suspect à l'exception de la tumeur, prétendument bénigne, dont il avait fait l'ablation... Seulement moi, j'étais loin d'être aussi optimiste et crédule. J'ai d'abord pensé que je souffrais d'une maladie polykystique du rein. J'ai demandé à voir mes radios. Je me suis palpé un nombre incalculable de fois, croyant chaque fois déceler ce qu'on appelle un gros rein... Après l'opération, il y a eu quelques petites complications. J'ai souffert d'incontinence et d'une ou deux autres malédictions physiologiques qui n'ont fait qu'ajouter à mes inquiétudes. J'ai vraiment cru que j'étais foutu.

– Ton amoureuse était avec toi?

– Viviane est venue passer quinze jours avec moi. Et c'est lorsqu'elle a constaté ma difficulté à remonter à la surface qu'elle m'a proposé d'aller passer quelques semaines à sa maison de Cap-aux-Oies. Dans ma tête, il n'était plus question de mariage... Tu comprends? On n'épouse pas une femme pour lui trépasser sur les genoux...

– Et maintenant, tu te sens mieux?

– Je commence à penser que mon collègue avait peut-être raison. Peut-être que la tumeur était bénigne. Je me sens mieux, ça c'est sûr. Et je ne souffre plus.

– Et t'as retrouvé ton appétit! Tu te rends compte de tout ce que tu as mangé ce soir? Si tu continues comme ça, dans six mois, tu seras obèse et il faudra une petite voiture pour te transporter.

– Et, bien sûr, c'est toi qui vas la pousser...

– Si tu me paies, certainement!

– Ce que tu es vénale!

– Ben, il faut que je gagne ma vie. Je suis une orpheline, moi, monsieur, maintenant. Z'avez pas vu la tombe de mon papa? Les traces sont encore fraîches...

Fa et Ludovic quittent Québec à la brunante, avec, sur la banquette arrière de l'auto, une belle provision de nourritures fines. Café frais moulu, chocolat de ménage, câpres, anchois, pâtes italiennes, safran, semoule de blé, sucre vanillé, noisettes, amandes, flageolets, sirop de cassis, vins, scones, infusions, moutarde de Dijon, sucre roux, foie de morue, sirop d'érable, saumon fumé, etc.

Ludovic, euphorique, se sent important comme un père de famille... «nombreuse!», précise-t-il. Fa lui répond qu'elle se sent comme une fille adoptée par un beau pacha au regard ténébreux... «malgré tes lunettes de prof», ajoute-t-elle avec une moue comique.

– Un peu de respect, ma fille. Sinon, je vous livre au

fouet de votre précepteur dès notre arrivée au château, foi de Oumpapa! Et vos cris et vos larmes n'y changeront rien!

Fa se met à hurler de joie. Ludovic fabule avec une facilité qui la renverse. Elle mord au scénario avec enthousiasme.

– Non, père, non! Pitié! Je ne voulais pas vous blesser, noble Oumpapa.

Puis, changeant brusquement de ton, elle s'esclaffe:

– Seigneur Dieu du ciel! Tu sais quoi? On a oublié les serviettes sanitaires!

En traversant Sainte-Anne de Beaupré, ils trouvent un dépanneur encore ouvert et Fa s'y précipite en courant.

– Je dirai que c'est pour ma mère qui vient d'accoucher de triplets, Amoune, Stramoune et Grammoune, non... Grammaire!

88

Occupés par le potager qu'ils ont décidé de séparer pour voir qui des deux a le meilleur pouce vert, par les repas souvent élaborés qu'ils préparent ensemble, s'apprenant l'un l'autre des recettes et des trucs de cuisine, et par les flâneries sur la plage pratiquement toujours déserte, sauf les fins de semaine, Ludovic et Fa ne voient pas le temps passer. Deux fois par semaine, Ludovic va au village chercher le courrier. Le vendredi, il renouvelle les provisions et, du magasin général, il téléphone à Amanda. Fa ne lui pose jamais de questions sur la nature des appels qu'il fait à Montréal – elle se doute qu'il s'agit de sa mère –, mais elle se montre très curieuse lorsqu'il rapporte une lettre de Viviane.

– Si elle ressemble à son père, elle doit être très gentille... Elle en a de la chance de t'avoir rencontré. Vous devez faire un beau couple tous les deux. Tu as souvent fait l'amour avec elle?

– Dis donc, cocotte, si tu t'occupais de ton persil! Mes relations avec Viviane, ça s'appelle «pas touche».

Fa pirouette.

– Je disais ça pour t'embêter. Je voulais savoir si tu rougirais... Allons, prends pas les nerfs, Oumpapa...

– Ça va... maintenant tu sais. Je ne rougis pas. Je laisse ça aux femmes!

– Espèce de macho!

– Prends pas les nerfs, nénette, c'était juste pour savoir si tu étais rapide à la détente... Allez... si tu passais un coup de serpillière sur le plancher, ça me permettrait de le laver cet après-midi en revenant de la plage.

– Serpillière! Ici, mon vieux, on dit une «moppe»!

89

Elle n'en finit pas de poser des questions.

– Pourquoi t'es devenu plasticien?

Il n'en finit pas de répondre, avec patience et plaisir.

– J'ai toujours cru que j'avais un tempérament d'artiste. Alors j'ai essayé de peindre, de sculpter. En vain. Je pense qu'il me manquait l'essentiel: l'inspiration, la matière première. Quand j'ai commencé mes études de médecine, pour perpétuer la tradition familiale, j'ai d'abord songé à me spécialiser en cardiologie, et c'est certainement ce qui me serait arrivé si je n'avais pas rencontré mon maître à penser, André Fardeau. Un soir, à l'urgence où j'étais de garde, on nous a amené un jeune garçon d'une douzaine d'années... je me souviens encore de son nom: Bernard Perris. Il avait été victime d'un accident de la route. Son visage était en bouillie. Dans le service, une phrase a couru sur toutes les lèvres: «C'est un cas pour le professeur André Fardeau.» Ledit professeur a été mandé. Il a opéré le gamin à trois reprises. Il l'a littéralement refait. J'ai assisté aux trois interventions, fasciné par la maîtrise de ce spécialiste. Il a dû finir par me repérer parce qu'à la fin de la troisième opération de reconstruction faciale, il s'est approché de moi et il m'a demandé si je voulais apprendre le métier. Je me suis entendu répondre un oui vibrant. Tu vois, ça s'est passé de façon curieuse. L'art a fini par me récupérer... Fardeau est un type fantastique dans sa profession et aussi dans la vie. Physiquement, c'est un colosse, une copie conforme, en plus mince, de Peter Ustinov, tu vois le genre? C'est lui qui m'a formé, qui m'a appris tout ce que je sais. Je me suis spécialisé dans les fissures labiales et palatines. Et ça m'a mené tout droit à Viviane.

Assise en face de lui, Fa équeute des cerises. Ils feront un clafoutis ce soir. Elle profite du moment où Ludovic allume une cigarette pour poser une question.

– Mais je croyais que ta Viviane travaillait en Afrique...

Ludovic hoche la tête et reprend son récit.

– L'hôpital Boucicaut où je pratiquais a reçu un jour une demande d'un hôpital d'Abidjan. Ils avaient besoin d'un plasticien en consultation. On m'a demandé si j'étais intéressé. J'ai dit oui, parce que ça me ferait voir du pays. Dès que je l'ai vue, Viviane, pas le pays, j'en suis tombé amoureux... Je suis quand même revenu à Paris et là j'ai accepté de faire un peu de chirurgie esthétique en clinique privée, histoire de gagner suffisamment d'argent pour nous permettre de nous voir fréquemment. C'est marrant... Ce sont des oreilles décollées, des nez navrés et des peaux fatiguées qui ont subventionné nos amours...

Fa pose le grand plat de cerises sur la table. Elle se lève et passe derrière Ludovic.

– Tu refais la tête des gens qui ne s'aiment pas...

Il se retourne pour lui répondre.

– Pas seulement des têtes... Je fais aussi pas mal de microchirurgie, des greffes de nerfs, de muscles... je recouds parfois des doigts sectionnés accidentellement. Je reconstruis des pouces abîmés par le rhumatisme – on appelle ça des rhizarthroses –, des seins avec des prothèses ou des muscles...

– Tu pourrais me refaire?

– Ça rime à quoi cette question? Te refaire... pourquoi?

– Parce que je suis un «pichou»...

– Comment dis-tu?

– Un «pi-chou»! Tu sais pas ce que ça veut dire? C'est pourtant français, pichou. Ça veut dire laid. *Laid comme un pichou*. C'est moi, ça.

– Mais tu n'es pas laide!

– O.K. Tu vas me dire que j'ai de beaux yeux, c'est ça, hein? Quand les gens, les hommes en particulier, sont gênés par la laideur d'une fille, ils sortent leur prix de consolation... ils se pâment sur ses yeux, même s'ils ont l'air de trous de suce!

– Je ne saisis pas le topo. Tu as un joli minois, très très typé, avec des pommettes hautes qu'on ne voit évidemment pas beaucoup à cause de tes cheveux longs...

Il s'approche d'elle et il soulève la masse de sa chevelure.

– Tu devrais dégager tes joues... Regardez-moi ça. Ça a de mignonnes oreilles, une paire d'yeux à réveiller Modigliani, un nez minuscule, une bouche bien ourlée, un menton un peu pointu pas du tout effacé, une très jolie peau et ça râle!... Qu'est-ce que tu veux de plus, dis?

Fa écoute ses propos avec attention. Elle passe une main hésitante sur son visage.

– D'après toi, il suffirait de dégager... Tu saurais me couper les cheveux?

– Je suis chirurgien, pas coiffeur. Mais je relève le défi. Je ne vais pas refuser une petite opération à une copine. Ça serait pas chic...

Il ne sait pas pourquoi il a dit ça. Il regrette de s'être offert. S'il rate la coupe, Fa en aura pour quelques mois à endurer le gâchis. Elle n'a pas l'air de craindre l'échec, elle, en tout cas. Elle galope comme un cabri jusqu'à l'étage et redescend avec une paire de ciseaux et un peigne. Il s'en empare et, quelques secondes plus tard, on n'entend plus dans la pièce que le cliquetis métallique des ciseaux et la voix d'Oumpapa qui chantonne un air de Brel: «Je vous ai apporté des bonbons...»

Elle se regarde dans le miroir de la salle de bains. Ludovic a raison, elle a une figure plutôt intéressante, pas ordinaire en tout cas. Il est là, derrière elle, un peu en retrait. Il lui sourit et paraît satisfait de son travail.

– Alors, mademoiselle Pichou... tu vois... il suffisait de faire les foins... Tiens, je n'avais jamais remarqué, tu as là un petit grain de beauté tout à fait troublant, ajoute-t-il en frôlant d'un doigt léger le bord de son maxillaire droit.

Fa se tourne et lui saute au cou.

– Merci, Ludovic... tu sais quoi? Je t'ai observé pendant que tu coupais mes cheveux... Tes mains n'ont pas tremblé une seule minute. Je suis certaine que tu es guéri et que tu vas pouvoir reprendre ton métier.

– Jamais de la vie! Je vais vendre ma collection de bistouris et m'acheter des ciseaux de maître coiffeur... Allez! On va fêter la naissance d'une nouvelle petite nana... On va se faire des kirs et on va trinquer! J'ai hâte que ta mère te voie...

90

Depuis deux jours, Cap-aux-Oies est assiégé par le brouillard. Le phare, tel un minaret, lance au loin sa prière mugissante et obsédante. Fa et Ludovic sont quand même descendus sur la plage. Ils ont dansé dans la buée, hurlé en compagnie de la sirène et joué au fantôme. Puis ils sont rentrés et ont lu tout le reste de la journée, enveloppés dans des couvertures. Fa a fait réchauffer un reste de couscous tandis que Ludovic a préparé une crème au citron. Ils ont mangé lentement et siroté un thé à la menthe.

– Demain c'est le 15 août.

– Pas déjà! s'exclame Fa en reposant sa tasse. Ton amie arrive dans quinze jours. Tu dois avoir hâte, hein?

Elle n'attend pas sa réponse et enchaîne vivement:

– Ça veut dire que mes vacances achèvent... Amanda va finir par venir me chercher...

– Pourquoi tu refuses toujours de lui écrire? Tu sais qu'elle pense énormément à toi? Chaque fois que je l'appelle du village, elle me pose un tas de questions: si tu dors bien, si tu manges bien, si tu ne manques de rien, si...

– Si je ne t'embête pas trop!

– Ah, mais pas du tout. Tu te goures, ma fille. Ta mère est une femme très bien... Elle a compris que tu voulais t'affirmer et elle a accepté de te laisser la bride sur le cou... C'est plutôt chic de sa part. Tu devrais l'inviter à venir passer quelques jours ici avec nous...

Fa ne répond rien. Elle se lève et dessert la table avec des petits gestes secs et précis.

– C'est mon jour pour la vaisselle aujourd'hui. Va donc prendre l'air, maudit Français, va prendre un bain dans la brume et fais attention à ne pas marcher sur la tombe d'Edgar Paris, il serait capable de te mordre les mollets!

– Tu as avalé ta brosse à dents ou quoi? Qu'est-ce que tu as, toi, aujourd'hui?

– T'es vraiment bête! Il faut tout te dire! Tu comprends pas que je suis bien ici, toute seule avec toi? Ça me met en fusil de te voir essayer de ramener ma mère dans le décor. Même si je sais que tu as raison. Alors ne me parle plus de ma mère, ni de ta blonde, O.K.?

Ludovic enfile un chandail et sort sur la galerie. La sirène du phare s'est tue... Le brouillard est moins épais. Le fleuve le boit en le lapant goulûment et on croirait entendre le bruit gourmand de ses berges qui s'essuient les lèvres de contentement.

91

Fa s'éveille brusquement. Sa nuque et son torse sont mouillés par la sueur. Elle vient de faire un rêve étrange, bouleversant et magnifique, comme elle les aime. Elle était dans une grande pièce blanche qu'elle ne connaissait pas. Une pièce à trois murs seulement, très hauts, avec un plafond blanc et lisse, sans aucune fioriture. Le quatrième mur n'existait pas. À sa place, il y avait la mer. Elle entrait dans la pièce tout naturellement, sans effort, avec une grâce de ballerine. Des petites vagues couraient sur le plancher fait de grandes dalles de céramique blanche, comme les murs. Elles léchaient le sol, voluptueusement, emportant avec elles tout ce qui s'y trouvait. Le doux clapotis de l'eau envahissait toute la pièce. À l'horizon, le ciel touchait la mer. La fin de l'un était le commencement de l'autre. En réalité, le ciel était liquide et la mer, incroyablement aérienne.

Seule dans la pièce, Fa était assise par terre, là où la céramique devenait sable. Ses jambes et ses cuisses étaient mouillées, à cause des vagues. Tout à coup, il y eut de grands cris d'oiseaux. Fa comprit qu'elle n'était plus seule. Elle se retourna et aperçut le corps nu d'un homme, couché sur le sol, au beau milieu de la pièce. Ses bras et ses jambes étaient légèrement écartés et son sexe, en érection. L'eau, qui léchait sa peau, se transformait en écume. Fa s'approcha. Elle regarda le visage de l'homme. C'était son ami Ludovic. Il la fixait avec des yeux vides de toute expression, sans bouger, sans rien dire. Il avait l'air d'un grand coquillage en attente.

92

– Ludovic, j'ai cueilli un grand bol de framboises. Je pense bien que ce sont les dernières...

– Formidable. Mets-les au frais, mais surtout pas dans le frigo.

– Ouais, je sais. Ça leur enlèverait tout le soleil de la peau... Bon, eh ben, je range les framboises, je lave mes cheveux et je te rejoins.

– Fais vite. Le soleil est sublime. Chaud juste ce qu'il faut. La marée descend. On va pouvoir marcher et ramasser des cailloux pour faire des sculptures...

Il se sent magnifiquement serein. Il n'y a pas de pèse-personne dans la maison de monsieur Tremblay mais il est sûr qu'il a pris trois ou quatre kilos. Il aimerait bien lire le résultat de sa formule sanguine, là, tout de suite. Connaître le nombre de ses globules blancs et rouges. Le nombre de basophiles, de neutrophiles et la vitesse de sédimentation des cellules de son sang, surtout. Peut-être que ses collègues ont raison. La tumeur qui a abîmé un de ses reins était probablement bénigne. Peut-être qu'il n'est pas obligé de mourir tout de suite. Peut-être qu'il a le temps de vivre heureux avec Viviane pendant quelques années... Ludovic étend ses mains devant lui. Elles ne tremblent plus comme avant, Fa a vu juste. Mais ça n'est quand même pas une preuve de guérison. Dans le cas de certaines maladies graves, il y a fréquemment une période d'apparente rémission avant la dégringolade finale. Il se lève, se dirige vers le talus et aperçoit Fa qui arrive enfin.

– Salut, grand chef. J'ai compté les œufs qui nous restent. On en a suffisamment pour se faire un soufflé au saumon. Avec les framboises après, on va se rouler par terre, comme tu dis...

Ludovic jette un coup d'œil discret à sa compagne. Ses

cheveux mouillés commencent déjà à sécher sur ses tempes. Elle aussi a pris du poids. Son visage s'est arrondi et coloré sous l'effet de la vie au grand air. Elle a grandi... et elle commence à avoir des seins. Il est impressionné par la métamorphose. Dans son maillot jaune, elle lui fait penser à une impertinente fleur de capucine.

– Pourquoi tu me regardes?

Il ramasse un tout petit caillou noir et le lance dans la direction de l'adolescente.

– Tu sais ce qu'on dit: un chien regarde bien un évêque. Sérieusement, je trouve que tu as énormément changé depuis que tu es arrivée ici. Tu grandis à vue d'œil. C'est... spectaculaire. Et tu as un de ces hâles... Évidemment avec ta peau de brune, tu as un avantage sur moi. Toi, tu bronzes, tandis que moi je brûle. Si je ne m'enduisais pas d'une crème à facteur de protection élevée, je ressemblerais à un homard des îles des Madeleines...

Fa l'écoute et lui jette un regard oblique.

– De la Madeleine. Pas des.

– J'ai pigé, d'ac.

Ils marchent ensemble sur la plage et finissent par s'étendre sur le sable à l'endroit où, certains soirs, ils font des feux de grève.

Elle ne parvient pas à chasser l'image du Ludovic de son rêve. Elle ne peut s'empêcher de loucher vers le bermuda de son ami. Dans son rêve, il était nu... Dans son rêve, son sexe était dressé... Elle se sent gênée tout à coup. Une gêne délicieuse qui lui donne chaud au ventre. Heureusement que Ludovic ne sait pas ce qu'elle pense...

Maintenant qu'il a fermé les yeux, elle s'octroie la permission de le regarder tout son saoul. Il est rudement beau ainsi, étendu au soleil, une jambe à plat et l'autre nonchalamment repliée en pyramide.

Elle le mange des yeux et épie chacun de ses gestes. Elle frémit en contemplant la toison blonde qui couvre ses bras, ses jambes et son torse. On dirait un habit de lumière dorée... Les yeux fermés, le corps à l'abandon, parfaitement ignorant de son regard, Ludovic écoute une cassette de musique, *Une nuit sur le mont Chauve,* de Moussorgsky. Elle suit et décode la chorégraphie qu'exécutent ses grandes mains dans l'espace. Puis elle remonte jusqu'au visage, qui n'est ni franchement beau, ni franchement laid, jusqu'à ses cheveux, pur chef-d'œuvre de rébellion capillaire, comme elle lui dit souvent. Que ressentirait-elle si elle passait une de ses mains dans cette chevelure couleur de blé délavé? Que se passerait-il si sa main se hasardait à poursuivre son exploration et glissait sur son torse, sur son ventre? Elle pense encore à son sexe. Si elle le caressait, ressemblerait-il à celui, triomphant, entrevu dans son rêve?

Le désir de s'approcher de ce grand corps dégingandé, à moitié nu, de le toucher et de l'explorer la taraude. Si elle le fait et si quelque chose arrive? On n'excite pas un homme indûment, paraît-il. Une petite voix lui souffle moqueusement: «Il va te tomber dessus. Et... t'en fais pas, tout sera expédié en cinq minutes.» À son école, des filles lui ont raconté comment elles ont vécu leur première expérience sexuelle. Elles ont été frappées par la rapidité de l'événement, tant désiré, et déçues par l'absence de plaisir. Ça n'avait rien à voir avec celui qu'elles étaient capables de se donner. Ce qui les a émues, par contre, à les écouter, c'est le tremblement convulsif du corps de leur partenaire, avant et pendant... Elles ont parlé de ces secondes avec un sentiment de toute-puissance de leur propre corps. Son corps à elle arriverait-il à faire vibrer Ludovic?

Ludovic caressant Viviane... Elle laisse son imagination mettre le thème en scène. Puis, à la dernière seconde, elle efface Viviane du décor et elle prend sa place. Elle se coule effrontément dans les bras de Ludovic. Et, pour accentuer la sensation trouble qui lève en elle, elle se tourne sur le ventre et referme ses mains sur le sable. Ludovic bouge à ses côtés. Il s'étire et se lève.

– Je rentre... Ta mère arrive la semaine prochaine et Viviane dans une quinzaine. J'ai décidé de repeindre la cuisine de fond en comble et de poser un nouveau papier peint dans la salle d'eau... Alors j'aimerais bien qu'on mange un peu plus tôt pour me permettre de bosser. Si tu rappliques dans trente minutes, le soufflé sera fin prêt pour satisfaire ton gros estomac.

Il s'étire, ramasse son magnétophone et sa couverture puis il quitte la plage en chantant d'une voix volontairement tonitruante et fausse la version de *La Marseillaise* qu'ils ont composée le soir du 14 juillet, en revenant d'une belle virée à Québec.

Allons zenfants de Charlevoix
Le jour de foire est arrivé
Il faudra libérer tous les rires
Et voter pour les clowns et les bulles
Vacarme pour le jour
Poésie pour la nuit
Hissez le drapeau fou
Poum poum poum poum
En l'honneur de Fa et Lu

93

En l'entendant entrer, Ludovic lève la tête. Il achève de mettre la table.

– Dépêche-toi... le soufflé est presque prêt.

Il la regarde et admire sa bonne mine.

– On dirait que l'été a élu domicile sur ta peau... Je n'ai jamais vu un hâle aussi insolent. Tu tiens vachement la forme, toi...

Fa s'approche de lui.

– Si je te plais, alors embrasse-moi...

Il plaque deux baisers sonores sur ses joues.

– Pas comme ça. Je veux un vrai baiser. Un baiser d'amoureux...

Il la regarde, immobile, et son visage reflète l'étonnement. Il lui sourit et elle trouve son sourire déplacé, choquant. Il fait comme s'il ne comprenait pas ce qu'elle attend de lui. Alors elle prend ses mains dont l'une est encore enfarinée, les pose sur ses hanches et se presse contre lui.

Ludovic, surpris, réagit en la repoussant et en la maintenant à bout de bras.

– Ho! Hé! Ho! Qu'est-ce qui te prend? Qu'est-ce qui t'arrive?

– Je veux qu'on joue aux amoureux tous les deux... C'est un jeu que je ne connais pas, mais tu peux m'apprendre. Tu es si gentil... Je ne suis plus une petite fille. Je voudrais savoir...

Elle essaie de lutter contre lui pour se blottir à nouveau dans ses bras. Elle veut prendre la place de Viviane, juste pour quelques minutes. Ça n'est pas la mort d'un homme, ça. Il continue à la maintenir loin de lui. Il vient de comprendre ce qu'elle attend de lui, mais il n'a pas l'air d'apprécier. Il la secoue, la rudoie presque.

– Pas question! Écoute-moi bien... Tu es mignonne, tu es même séduisante. Et tu pourrais me séduire si je n'étais pas ce que je suis... Je veux bien être ton ami, ton père symbolique, pour te consoler de celui que tu as boulé, mais ma relation avec toi s'arrête là! Ne compte pas sur moi pour te faire connaître le grand frisson... C'est hors de question. Vu?

Il la lâche enfin. Elle regarde ses bras et elle y voit l'empreinte de ses doigts. Il a serré fort. Mais ça n'avait rien d'une caresse.

Saisie par les propos de Ludovic, énoncés d'une voix forte, une voix nouvelle pour elle, Fa riposte, le front bas, les poings serrés.

– Je te déteste!

– Ah oui? Et tu vas m'enterrer dans le sable, moi aussi, je suppose? Tu es venue ici pour régler tes problèmes, m'as-tu dit quand tu es arrivée, alors sois un peu conséquente.

L'heure est venue pour toi de t'accepter. Pas de te donner. Pourquoi essaies-tu de jouer à la petite enjôleuse? Pour croire que tu existes? Mais tu es là! Plutôt deux fois qu'une. Tu es libre d'être toi. Et tu te trompes en pensant qu'il suffirait qu'un homme te prenne pour que tu aies subitement de la valeur. Tu es en train de devenir une femme, Fa... Une jolie femme. Alors, ne te gaspille pas... Ce n'est pas dans les bras d'un homme, et surtout pas dans les miens que tu trouveras la reconnaissance que tu cherches. J'ai l'impression qu'une cure de silence te serait profitable. Je vais faire un tour. Le soufflé doit être en train de rendre l'âme... Sers-toi...

Assis sur le sable gorgé du varech de la dernière marée, le menton lâche sur ses genoux, Ludovic entend le fleuve plus qu'il ne le voit. Il fait nuit. Il n'en est pas encore revenu de l'immensité de ce pays qui suinte l'eau, le sapin et le bouleau comme le Midi, la lavande, le cyprès et l'olivier. À quatre reprises déjà, il a vu des chevreuils sortir de la forêt pour venir tranquillement et longuement s'abreuver au fleuve. Ce soir, c'est lui la bête. Il est seul. Chaque fois qu'il aspire une bouffée de cigarette, un petit point lumineux déchire la noirceur, et la cendre incandescente joue au micro-météore avant de s'affaisser sur le sable humide. Il fait froid et il se décide à boutonner la vieille canadienne que Fa a dénichée dans la garde-robe de monsieur Tremblay.

Après l'avoir quittée, il est allé souper à Saint-Joseph-de-la-Rive et puis il est revenu en faisant un grand détour par le village de Petite-Rivière-Saint-François. Il a roulé un peu au hasard, en prenant son temps. Quand il est arrivé, la lumière était allumée dans la cuisine, mais Fa n'y était pas. Elle était probablement montée se coucher. C'est alors qu'il a décidé de descendre sur la plage, afin de mettre un peu d'ordre dans ses idées.

L'étrange comportement de Fa a réveillé en lui des sentiments contradictoires et violents. Il est en colère. Contre elle et contre lui. Il lui en veut de l'avoir troublé et il s'en veut de n'avoir pas vu venir l'événement. Combien de semaines pensait-il que ça pouvait durer, cette promiscuité, cette complicité, avant que le désir ne surgisse, chez lui ou chez elle? Fa n'est plus une petite fille. C'est elle qui le lui a signifié.

Depuis son opération, il avait perdu le goût de toute activité sexuelle, avec ou sans Viviane. Il était persuadé que sa fin était imminente. Il avait perdu successivement son intégrité physique, son métier, Viviane et sa capacité à faire l'amour. Il était venu se réfugier à Cap-aux-Oies, convaincu qu'il accumulerait d'autres pertes, plus triviales et plus humiliantes: le goût et la capacité de manger, de boire, de fumer, de lire, de respirer. Il s'était résigné à vivre caché les mille petites morts qui précèdent la grande. Et voilà qu'une drôle de gamine était venue s'ébrouer dans sa trajectoire. Et il n'avait rien fait pour s'en débarrasser. Au contraire. Il avait accepté, avec empressement, de jouer au saint-bernard, au Oumpapa avec elle.

À cause de Fa, et sans très bien s'en rendre compte, il a recommencé à manger, à picorer la vie, à espérer. En se jetant dans ses bras, en se pressant contre lui, Fa a réveillé son sexe, son désir de faire l'amour. Mais pas avec elle. De cela, il est sûr.

Un petit bateau passe, faiblement éclairé. L'écho amplifie le grondement des moteurs. Il s'imagine qu'il s'agit du traversier de la mort en quête d'une victime. Il suit les lumières des yeux, amusé et apaisé. Il aspire une dernière bouffée de cigarette, écrase le mégot dans le sable et montre le poing au bateau.

– Passe ton chemin, ange maudit. Mon heure n'est pas encore venue.

Un désir tout nouveau s'empare de lui. Il voudrait partir. Là, tout de suite. Aller rejoindre Viviane, entrer dans sa chambre sans frapper, lui faire l'amour, la faire valser sur la corde à linge pendant des heures, comme elle dit, et reprendre son métier. Il ne veut plus mourir. Il veut vivre! Avec Viviane. Et avoir un enfant. Des jumeaux peut-être.

Fa, en s'offrant à lui, l'a obligé à se questionner sur son désir. Mais voulait-elle vraiment faire l'amour avec lui? Peut-être qu'elle ne réclamait qu'un peu d'affection... Pourquoi l'a-t-il repoussée aussi violemment? Il se lève et décide de rentrer. Demain, ils parleront. Demain, il écrira à Viviane pour lui demander de hâter son retour. Demain, il fera comme Fa. Il enterrera ses fantasmes de mort dans le sable, juste à côté de la fictive tombe d'Edgar Paris, à peu près là où il se trouve en ce moment.

Pour le plaisir, et rien que pour son plaisir, Ludovic ouvre sa braguette, sort son sexe, depuis un moment en érection, et il se caresse avec une frénésie grandissante. Puis il éjacule sur la tombe du sieur Paris en murmurant:

– À votre santé, mon cher. Puisse mon foutre vous réchauffer le tempérament que vous avez assez froid, paraît-il.

Soulagé, dans sa tête et dans son corps, il s'approche de la marée qui monte et il y lave rapidement ses doigts et son sexe. Puis il revient sur ses pas, escalade le talus et se laisse guider par la lumière de la cuisine, toujours allumée.

Fa a fermé sa porte. C'est la première fois qu'elle fait ce geste depuis qu'ils sont ensemble. Il ferme aussi la sienne. À quoi peut-elle bien rêver? se demande-t-il. À son père défuntisé, comme elle dit, à lui, ou à son premier amant? Pourvu qu'elle ne s'emmêle pas dans ses désirs...

94

Ludovic est sur la plage. Il écrit. Probablement à Viviane. Fa s'approche, gênée et un peu inquiète.

– Tu m'en veux pour hier soir?

Il la regarde et prend son temps avant de répondre:

– Assieds-toi... On va clore le chapitre. Je n'ai aucune

raison de t'en vouloir. Tu as essayé ton charme sur moi. Ça m'a surpris et... ça m'a touché. Si, si... Ça m'a même chamboulé... Après tout, comparé à toi, je suis un vieux croûton et toi un tendron... Et puis ça m'a permis de constater que j'étais encore un homme... Le croûton te dit merci!

Il prévient son geste de protestation et l'attire vers lui. Il y a quelques heures à peine, il la tenait à bout de bras. Et maintenant, il la tient enlacée. Mais elle sent qu'il n'y a rien d'équivoque dans son attitude.

– J'ai pensé à ton geste d'hier. Peut-être fallait-il que tu le fasses. C'est difficile de devenir une femme, on dirait... Et pour toi, ça l'est d'autant plus que la petite fille que tu as été n'a jamais été reconnue, acceptée, câlinée par son père... Bon... Allez, on n'en parle plus. Toi et moi on aura un secret que jamais personne ne saura.

– Et je sais comment on va l'appeler: la tentation de saint Ludovic...

– ...pour instruments à corps... en Fa mineure!

Ils pouffent de rire tous les deux.

– Tu me jures que personne, pas même ma mère, n'en saura rien?

Il lève sa main.

– Croix de fer, croix de bois... train d'enfer et tout le fourbi... tu vois, je suis tellement vieux que je ne me souviens plus des formules magiques de mon enfance... Aide-moi...

– Dis juré craché et crache dans le fleuve. Ça suffira...

95

Son visage, légèrement amaigri, libre de tout maquillage, est paisible. Avec son jean, son chandail rose et ses espadrilles en toile, elle paraît bien différente de la jeune femme en tailleur strict qu'il a rencontrée au début de l'été. Dès le seuil, Amanda cherche sa fille du regard.

Ludovic lui tend la main.

– Elle vous attend sur la plage.

– Comment est-elle?

– Très en forme et très en beauté. Elle a changé... beaucoup, vous verrez.

– La chrysalide est devenue papillon...

– Papillonne! Votre fille m'a injecté une sacrée dose de féminisme. Elle ne m'a rien passé. Et moi, j'ai fait de même. On s'est mutuellement enseigné une foule de choses importantes...

– Je suis contente que l'aventure touche à sa fin... pour vous, pour elle et aussi pour moi.

– Voulez-vous prendre une tasse de café avant d'aller la rejoindre?

– Non... j'ai tellement hâte de la revoir...

– Voulez-vous que je vous laisse la maison pour quelques heures? Je peux très bien aller faire un tour dans les environs... Ça me changera les idées. J'ai cessé de fumer il y a quarante-huit heures à peine et je me sens un peu nerveux.

– Si vous voulez. Mais revenez surtout! Nous irons souper ensemble à Baie-Saint-Paul, après les grandes manœuvres...

Elle lance la note de son nom qui vibre joyeusement dans l'air et atterrit au pied de l'enfant, avec la légèreté d'un ballon. L'enfant? Cette silhouette nouvelle, ce dos un peu cambré, cette nuque nue, ces épaules toutes rondes, ces petits seins neufs, appétissants comme des clémentines, c'est donc cela sa fille, maintenant?

Alertée par le bruit de la terre foulée, Fa se retourne mais elle ne bouge pas. Submergée par un flot d'émotions contradictoires, Amanda descend rapidement la pente qui mène au rivage, tout à coup frappée par la similitude de leur destin. Il y a vingt-cinq ans, c'était elle, à peine un peu plus âgée, qui se retrouvait seule sur une plage avec un homme... Fa se lève et marche vers elle. Amanda accélère son pas. La vision de cette toute jeune femme en marche, bronzée, souriante, éclatante, la renvoie à son premier désir de mère. Après sa déception amoureuse, après sa tentative de suicide, après être devenue médecin, elle a voulu un enfant pour être enfin habitée, pour avoir une raison d'être, pour transmettre le souvenir de ses parents, toujours vivants en elle. Et l'enfant a joué le jeu.

Dans le but de préserver le rituel sacré de la transmission de la vie, Fa a osé rompre le cordon le jour où la dose de poison du non-amour paternel – et de l'incroyable passivité maternelle – menaçait de devenir mortelle pour elle. Le message de sa fugue était on ne peut plus clair. «Tu as voulu que j'existe. Mais commence donc par exister toi-même!» Et elle, Amanda Doré, docteur en médecine et en psychiatrie, exceptionnellement outillée pour évaluer les remous des psychés en détresse, a mis plusieurs années à comprendre que son désespoir et son inertie enfonçaient sa fille dans les limbes de la vie en même temps qu'ils la coupaient, elle, de la vraie vie.

Pour exister, et permettre à sa fille d'exister aussi, sans boulet de souffrance à traîner derrière elle, elle devra aller chercher cette partie d'elle qu'elle a laissée endormie au bord de la Méditerranée. Comme dans les contes, il lui manque une portion du talisman qui lui permettra d'accéder pleinement à son destin. Un destin qui s'accomplira avec ou sans l'homme. C'est de cette vérité qu'elle a eu peur au point de choisir l'apparente sécurité d'un mariage-prison. En s'imposant de rester avec Edgar, elle s'est évité d'aller voir ce qu'il y avait eu de véritablement important – ou futile – dans son aventure provençale... Elle a choisi, pour s'aveugler davantage, un candidat qui était tout le contraire de l'homme...

La mère et la fille s'étreignent avec force. En pleurant et en riant.

Puis Fa emmène sa mère voir la tombe de son père.

– Il est là. Il n'existe plus pour moi. Il me reste toi. Seulement toi.

Amanda raconte à sa fille sa grande et brève histoire

d'amour. Elle prend son temps. Elle dit tout, sans rien omettre.

Fa, les yeux dilatés, pose une seule question, une question qui ressemble à une réponse.

– Si ton amoureux n'avait pas été stérile, il t'aurait peut-être fait un enfant. Ça aurait pu être moi... J'ai raté mon entrée, on dirait...

Amanda lui fait l'aveu ultime:

– Quand je t'ai conçue avec Edgar, c'est à lui que j'ai pensé. Seulement à lui. Il s'appelle Laurent.

– Il est toujours vivant, ton Laurent?

– Oui. Ton arrière-grand-mère Édith, Clara et Catherine Dubost m'ont donné quelquefois de ses nouvelles. Je sais qu'il ne s'est pas remarié. Il a vécu avec une jeune femme pendant trois ou quatre ans... il y a déjà quelques années de ça.

Les deux femmes se taisent. Elles regardent la marée qui commence à ramper vers elles, affamée, tranquille, certaine de trouver des restes à engloutir.

– Ton père et moi...

– Edgar Paris n'est pas vraiment mon père. Et puis il est mort et enterré pour moi, je te l'ai dit.

– Bon... ton géniteur, si tu préfères, et moi, avons convenu de nous quitter définitivement. Je lui ai vendu la maison... Toi et moi, nous allons nous payer trois mois de grande vie. Nous irons en France, à Cassis, voir Laurent. Après, on verra...

– On devrait s'installer à Cassis... Laurent va peut-être te demander en mariage... Alors on habitera sa maison. Ou si tu tiens vraiment à ton indépendance, on en achètera une rien que pour nous...

– Fa... il faut que tu saisisses une chose. Je ne sais pas du tout ce qui va se passer avec lui... C'est pour le savoir que je veux le revoir. Il se peut qu'au bout de quelques jours, ou même de quelques heures, je décide de repartir... Il faut que mes souvenirs affrontent la réalité, la sienne, la mienne. Lui et moi avons vieilli. Nous avons aussi vécu, évolué, souffert. Allons-nous seulement nous reconnaître?

– Ben tiens... qu'est-ce que tu crois?

Amanda enlève ses espadrilles et prend plaisir à enfoncer ses pieds dans le sable.

– Je sais seulement une chose. Je veux retrouver la partie de moi qui est restée dans les bras de cet homme. Je veux savoir pourquoi je la lui ai laissée. J'ai besoin de me sentir entière pour décider de la suite...

Fa se penche et ramasse les chaussures de sa mère.

– J'ai faim. Tu viens à la maison manger de la tarte? Une grosse Tatin bien blonde et bien ronde. Une vraie de vraie. C'est Ludovic qui a roulé la pâte et moi qui ai épluché et cordé les morceaux de pommes. J'ai aussi trouvé un nom plus québécois pour ce bon dessert «cochon»: des pommes en capine!

96

Fa embrasse farouchement Ludovic, sur les joues, le front, les yeux. Lui la saisit par la taille et la fait tournoyer jusqu'à ce qu'elle se mette à crier.

– Espèce de grand fou, arrête! Tu vas me donner la nausée!

– Je ne veux pas que tu oublies le pacha Oumpapa. On va s'écrire, hein? Viviane et moi allons décider où nous allons faire notre nid. Mais que ce soit ici ou en France, on va se revoir, j'y tiens énormément. Viviane a très hâte de faire ta connaissance. Je l'ai prévenue que tu serais la marraine de notre premier enfant... Ah! Au fait... elle veut que tu gardes la clé de la maison.

Fa est émue. Elle sent que les larmes vont bientôt débouler...

– Je suis contente... pour la clé. Parce que c'est mon trophée!

Ludovic essuie les premières larmes qui s'échappent et glissent sur la courbe des joues de Fa. Il ne sait plus quoi dire. Il est très ému, lui aussi. Il ne trouve rien de mieux à faire que de brusquer le départ des deux femmes.

– Regardez-moi cette nigaude. Elle a avalé le fleuve! Espèce d'hydropondriaque! Qu'est-ce que vous en dites, docteur Doré, il va falloir opérer d'urgence. Nous n'avons plus le choix. Allez... montez vite avec la malade et emmenez-la d'ici... L'air de Montréal lui fera du bien.

Il a, pour installer Fa sur son siège, des gestes tendres et paternels. Amanda jette un dernier coup d'œil au fleuve. Il y a vingt-cinq ans, la Méditerranée lui a donné un amant. Aujourd'hui, le Saint-Laurent a offert à sa fille, au rythme de ses marées, un père de remplacement. Des cadeaux qui ne s'oublient pas.

97

De fort mauvaise humeur, Edgar, de ses deux mains, s'appuie sur le bureau et repousse son fauteuil. Amanda et Freudia sont revenues. Elles sont là-haut. Il a très hâte qu'elles aient définitivement quitté la maison. Les meubles sur lesquels elles auront apposé un carton rouge iront au garde-meuble jusqu'à ce qu'Amanda décide où elles habiteront.

Le regard sombre comme un océan tombé en disgrâce, il se tourne vers son ordinateur Macintosh, acheté depuis à peine une semaine. Il allume et, sans attendre l'agréable sonorité de bienvenue, il insère la disquette étiquetée «Curriculum». Il fait lentement défiler sur l'écran l'histoire de sa vie professionnelle. Avec la souris de plastique de couleur mastic, il masque en noir la phrase «marié depuis 1971 avec la Québécoise Amanda Doré, médecin-psychiatre, et père d'une fille, Freudia, née en 1972», choisit «Coupez» dans le menu «Édition» et clique rageusement. En moins d'une seconde, la mémoire de son ordinateur largue un important épisode de sa vie. La prouesse effectuée par la machine lui fait envie. Dans sa mémoire à lui, les souvenirs ne pourront certainement pas se rayer aussi facilement, même s'il le veut. Tant pis. Il faudra pourtant que le nettoyage se fasse, et le plus vite sera le mieux, comme le lui serine sa nouvelle amie, Françoise Leclère. Résolu à tirer un trait sur sa regrettable aventure sentimentale et conjugale, Edgar sort une autre disquette intitulée «Discours». Dans quinze jours, il s'adressera aux membres de la Chambre de Commerce de Montréal et, une semaine plus tard, il prendra la parole devant un important groupe d'hommes d'affaires torontois. Pour lui, le travail est indubitablement le plus sûr et le plus confortable des refuges.

98

Dans sa chambre, Fa fait le tri de ses vêtements. Tout lui paraît trop petit. Tout, surtout, est marqué du sceau d'hier, dévitalisé par les remarques acerbes, les ricanements et les silences acides de son père. Elle s'approche du miroir en pied accroché sur la porte de son placard. Elle se regarde et ne se reconnaît pas. Elle se sent étrangère, à l'intérieur et à l'extérieur. Son nouveau corps de jeune fille accentue son sentiment profond d'être une personne qui n'a encore pas existé. Tous les rires, toutes les odeurs, toutes les aventures, tout l'impossible et tous les possibles sont devant elle.

Elle se regarde encore et encore, s'approche du miroir jusqu'à le frôler avec son nez et sa bouche et recule. Ses cheveux courts lui plaisent infiniment. Instinctivement, elle répète, pour le miroir, le fameux geste capillairement ravageur d'Amanda. Sa main gauche, doigts en éventail, plonge dans la masse compacte de ses cheveux et les laisse filer dans un gracieux mouvement d'ellipse. Non, trop vite. La main d'Amanda glisse beaucoup plus lentement... Mais elle n'est pas Amanda. Elle est Fa. Elle refait le geste, cette fois avec ses deux mains, qu'elle fait se rencontrer, nouées sur sa nuque. Puis elle lève la tête et se sourit, satisfaite enfin de la tournure de sa vie. Et de celle de son corps.

Fa sort de sa chambre en claquant délibérément la porte très fort. Elle sait qu'il est en bas. Elle sait qu'il entend. Qu'il l'entend. Elle se rend dans la chambre de sa mère occupée à boucler ses valises.

– Tu es prête? lui demande Amanda en l'apercevant.

– «Pantoute». Tous mes vêtements sont trop courts, trop petits ou trop *ouache*. Et on n'a pas le temps d'en acheter d'autres puisqu'on part ce soir... Alors j'ai pensé... que tu pourrais peut-être me prêter une ou deux petites bricoles?

Amanda sourit.

– Faites comme chez vous, mademoiselle.

Fa lui rend son sourire. Elle s'agenouille devant la grande commode en pin aux portes larges ouvertes et plonge les mains dans une pile de chandails. Elle tire à elle un grand pull mauve, décolleté en V, très structuré, et garni de poches en cuir brodé. Puis une surblouse en cachemire imprimé.

– Ça pourrait aller, ça, sur mon jean...

Amanda contemple sa fille nouveau-née et hoche la tête.

– C'est un bon choix. Attends... je vais te montrer quelque chose.

Elle ouvre la porte de sa garde-robe, avise une grande housse brune, fait glisser la fermeture et trouve rapidement ce qu'elle cherche.

– Regarde... c'est une jupe provençale qui vient de chez Souleiado. Je l'ai gardée, à cause de la beauté de ses motifs, exécutés au pochoir. Elle est un peu courte, mais il paraît que ça revient à la mode chez les très jeunes femmes... Essaie-la. Si elle te plaît, je te la donne.

– Je parie que c'est le beau Français de France qu'on s'en va retrouver qui te l'a donnée, hein? Celui qui aurait pu être mon père...

– On ne peut rien te cacher. Alors, tu l'essaies ou pas?

Fa enlève vivement son jean et Amanda admire le corps de sa fille qu'elle n'a pas vu depuis quatre mois.

– Tu as de belles jambes, dis donc.

– J'ai «tes» jambes... Je ne pouvais pas espérer mieux. Ludovic m'a dit que j'étais en train de devenir une super nana. C'est vrai que je suis pas mal, finalement... Tiens, regarde, qu'est-ce que tu en penses?

– Oui... tu es vachement mignonne, ma fille. La jupe te va très bien. Attends... j'ai une idée. Essaie donc ça pardessus.

Amanda lance à sa fille une surblouse blanche en coton délavé. Fa enlève son chandail de Face.

– Tu crois que je devrais porter un soutien-gorge maintenant, Mamande?

– C'est vraiment comme tu veux. Esthétiquement, ça n'a pas d'importance. Tous les seins sont beaux et émouvants. Y compris ceux qui tombent. Ils racontent toujours une histoire. Physiologiquement, c'est une question de suspension. Plus ils sont légers, moins ils ont besoin de support. À toi de choisir. Tu as cette chance. Dans mon temps, sais-tu que, petits ou pas, il fallait en porter, pour ne pas exciter la convoitise des hommes, *because* les mamelons qui jouaient aux perce-neige, nous disaient les bonnes sœurs.

– Ouais... je vois. Tant pis pour les mecs. Ils ont qu'à regarder ailleurs si ça les secoue trop.

– *Fafarouche* est devenue *Fas'enfout*, à ce que je vois. Bon. Emporte tout ça dans ta chambre et dépêche-toi de boucler ta valise. Il faut aller au Consulat français pour les visas. Les bureaux ferment à treize heures. Et n'oublie pas d'apporter une photo...

Joyeuse, Fa dégringole l'escalier. Amanda l'emmène en France. Elles divorcent toutes les deux d'Edgar Paris. À Cassis, elle rencontrera l'amoureux de sa mère. Elle verra la maison de Clara où a habité son arrière-grand-mère Édith, morte, comme sa fille et son gendre, dans un accident de la route à Besançon, alors qu'elle était toute petite. La vie est si imprévisible. Tantôt impitoyable et sadique; tantôt magnifique et prodigue.

En arrivant au rez-de-chaussée, elle est heurtée par l'odeur de l'after-shave de son père, «Eau sauvage», de Christian Dior. Mue par un désir subit, elle se dirige vers son bureau, frappe une salve de six coups et entre sans attendre de réponse. Edgar est là. Il tourne la tête vers elle. C'est la première fois qu'il voit sa fille depuis son retour. Fa le dévore des yeux, sans rien dire, immobile, sur le seuil. Elle attend. Pendant quinze ans, elle a attendu qu'il jette sur elle un regard de père, elle peut bien attendre encore quinze secondes... Surtout qu'aujourd'hui, elle est délivrée, elle n'a plus mal.

Le visage d'Edgar est fermé, sans expression. Il la regarde, mais la voit-il vraiment? S'aperçoit-il qu'elle a grandi, que des seins lui ont poussé, que sa peau est dorée comme un pain d'épices, qu'elle a coupé ses cheveux et surtout, surtout, que son cœur, que sa chair ne mendient plus son attention? Amanda lui a raconté qu'il a été profondément choqué par sa fugue. Mais au fond, c'est plus par crainte du scandale qui aurait pu l'éclabousser que par chagrin. Elle imagine la manchette que *La Presse* ou *Le Journal de Montréal* auraient pu publier s'ils avaient appris sa fugue: *La fille du rédacteur en chef de La Petite Patrie est portée disparue.*

Fa observe son père. Sa nuque, ses épaules, sa mâchoire, sa bouche, ses yeux, son front. Elle fait sa tournée d'adieu à cet être de chair qui a joué un rôle de quelques secondes dans son destin, et elle n'éprouve pas d'émotion particulière. Il a vieilli, c'est indéniable. Deux grandes rides forment une affligeante parenthèse de chaque côté de son nez et de sa bouche. C'est ce qui arrive aux gens qui ne rient jamais. Elle est sidérée par l'immobilité totale du visage de son père, plus réussie qu'un masque de cire. Il ressemble vraiment à une statue. Elle imagine une colonne vertébrale en acier inoxydable, un bassin en aluminium, un sexe en bronze, des orteils en étain...

Edgar ne dira rien, elle le sent. Alors elle prend la parole.

– Maman m'a tout dit sur vous deux. Qu'elle était seule à me désirer. Qu'elle ne t'a jamais aimé d'amour. Qu'elle s'est mariée avec toi, qu'elle a couché avec toi uniquement pour m'avoir, qu'elle a voulu que tu restes à la maison, en ayant toutes les apparences d'un vrai père de famille, uniquement pour me donner un foyer stable. Mais toi... toi, tu ne m'as jamais laissé la moindre chance. Tu n'as jamais essayé de m'aimer. Ni avant ma naissance, ni après. Et si je me suis enfuie au mois de mai, c'est que je n'en pouvais plus de toi! Je suis allée t'enterrer dans le sable de Cap-aux-Oies. Je t'ai pleuré longtemps, jusqu'à ce que je ne ressente plus rien. Il y a un homme qui m'a aidée. Un type tout à fait bien. Il m'a désenvoûtée. Et tu sais ce qui est arrivé? Je me suis mise à grandir, à pousser de partout. Pour moi, maintenant, tu es mort. Je suis devenue une orpheline. Une orpheline heureuse. Une orpheline aux yeux secs...

Le visage d'Edgar est impassible. «Comme toujours», se dit Fa. Le seul élément qui la réjouit dans cette rencontre, c'est sa réaction à elle. L'acier du regard paternel qui essaie de la plaquer au mur ne l'atteint plus. Le test est concluant. Elle est vraiment immunisée. Elle n'aura plus jamais mal à son père.

– C'est tout? Si tu n'as que des sornettes d'enfant hystérique à me débiter, tu peux t'arrêter là. Comme tu le vois, je suis très occupé. Va donc raconter tes états d'âme à ton psy. Il est payé pour t'écouter...

– Tu veux vraiment être odieux jusqu'au bout? Je ne sais pas ce que maman avait dans la tête en te choisissant! Il y avait certainement autour d'elle des tas de types mieux que toi pour faire avec plaisir le peu que tu as fait!

– Ce qui s'est passé entre ta mère et moi ne te concerne pas!

– Alors là, c'est la meilleure! Je suis le produit final de votre entente, figure-toi, et j'ai failli en crever de votre connerie d'entente!

Le front d'Edgar s'empourpre, comme si son sang, tout à coup, demandait à se battre contre celui de sa fille. Il repousse la petite table sur laquelle trône son ordinateur et se lève si brusquement que sa jambe droite heurte le coin du bureau.. Fa, l'espace d'une seconde effrayée par la violence inattendue du geste, recule sans le quitter des yeux.

– Ah! quand même! J'ai réussi à piquer une banderille dans ta foutue carapace! Tu peux te rasseoir, je m'en vais. Ne casse rien surtout, ça pourrait abîmer ton palais de glace!

99

Amanda range les billets d'avion dans son sac. Elle passe en revue son programme des prochaines heures. En arrivant à l'aéroport de Roissy, elle prendra tout de suite le volant de la petite Peugeot louée à Montréal, par l'intermédiaire d'un ami de l'hôpital. Elle et Fa fileront vers Avallon et s'arrêteront à l'Hôtellerie de la Poste pour se restaurer et dormir. Le lendemain, elles reprendront la route et elles arriveront probablement à Cassis au milieu de la soirée... Le lendemain matin, elle se rendra, avec ou sans Fa, elle n'est pas encore décidée sur ce point, à la maison de Laurent... Elle jette un dernier regard sur sa chambre. Et en sortant, sur le seuil, elle a le sentiment profond de sortir d'un tombeau...

100

Une estafette de la firme Purolator lui a remis l'enveloppe en mains propres. Avec le lourd coupe-papier en argent que lui ont donné les employés de *La Petite Patrie*, pour marquer son quarante-sixième anniversaire de naissance, Edgar entaille l'enveloppe d'un geste sec et il en extraie le rapport tant attendu. Son regard scrute calmement les chiffres alignés sur cinq colonnes.

La Petite Patrie a franchi le cap des 250 000 copies. Et, chaque samedi, grâce à *Ève*, le tirage frôle 300 000. Les ventes en région progressent et le service de publicité a vendu 27 pages de plus que prévu au cours des trois derniers mois. Edgar est satisfait. Il ne s'est jamais senti aussi fier de lui. Le 15 octobre, il sera admis au sein du conseil d'administration de la société Morgan, Withworth, Malouin et Saint-Jacques qui contrôle, entre autres biens, *La Petite Patrie*.

Pour se récompenser, il estime qu'il le mérite largement, il va enfin s'offrir cette Porsche sport de couleur taupe qui lui fait envie depuis deux ans. Son courtier estime que dans cinq ans, il aura gagné suffisamment d'argent pour pouvoir prendre sa retraite, s'il le désire.

Mais Edgar n'a surtout pas l'intention de se retirer. Il songe à lancer un autre supplément dans l'édition du vendredi: *Maison et Marché*. Il y sera question du marché boursier, du monde de l'immobilier, des franchises et de tout ce qui concerne la maison et la propriété. Il est persuadé que ce sera un grand succès.

Dire subtilement aux gens quoi faire, quoi penser, quoi acheter, quoi négocier, quelle extraordinaire entreprise d'influence. Dès la semaine prochaine, il va commencer à recruter du personnel pour son nouveau supplément.

Désormais, il est très prudent dans le choix de ses rédacteurs et chroniqueurs. Il privilégie ceux dont il sait qu'il pourra contrôler et orienter les écrits. Françoise, sa nouvelle amie, s'occupera peut-être de la gestion du supplément. Elle n'est pas ce qu'on peut appeler une belle femme, mais elle a beaucoup de classe, un remarquable sang-froid et un sens aigu des affaires. C'est elle, finalement, qui a négocié l'achat de la maison d'Amanda. Elle a joué dur et l'a persuadée de céder la propriété à un prix spécial pour compenser le traumatisme brutal de la séparation, le fait qu'Edgar a collaboré à l'entretien des lieux pendant quinze ans, et les ennuis causés par le déménagement des meubles. Elle l'a finalement obtenue pour 180 000 $ et, trois semaines plus tard, elle l'a revendue 240 000 $ à un professeur de droit de l'Université McGill.

Elle et Edgar ont emménagé dans un très beau condominium de l'île des Sœurs. Edgar n'a qu'un regret. Son père n'aura pas assisté à sa lente mais sûre ascension. Son parcours s'est effectué sans erreur. Il s'imagine entendre la voix sarcastique de son père faire objection: «Et Amanda, et ta petite noiraude de fille?» Mais il saurait très bien quoi répondre. Son union avec Amanda a constitué un tremplin. Il a su rebondir au bon moment. Il n'éprouve aucun regret, aucun remords quand il pense à elle et à sa fille. C'est Amanda et seulement Amanda qui a commis une faute en donnant naissance à Freudia. Heureusement, en femme lucide, elle a assumé son erreur et elle l'a débarrassé de Freudia.

Edgar sort de son bureau et jette un coup d'œil sur la salle de rédaction. Une douzaine de journalistes sont assis devant des écrans cathodiques. Le crépitement saccadé et monotone de deux imprimantes et d'un téléscripteur meuble le silence de la salle. Il se dirige vers le grand feutre vert qui occupe le mur du fond et il passe en revue les assignations et les responsabilités de chacun. Puis il traverse dans l'autre pièce, plus petite, où s'affaire le personnel d'*Ève*. On prépare un numéro spécial sur les parfums de la rentrée et les bureaux sont encombrés de flacons et de boîtes de divers formats. Eaux de parfum, eaux de Cologne, lotions, poudres, savons, désodorisants voisinent dans un désordre coloré et sensuel. Les fragrances se baladent et cherchent les nez. Tout est bien... Tout va comme il le désire. La Québécoise est une grande et enthousiaste consommatrice de produits de beauté. Elle apprécie le luxe et elle aime qu'on lui parle la langue de la volupté et de la séduction. Elle est avide de recettes, pour faire la cuisine, pour faire l'amour, pour faire de l'argent, pour faire des enfants surdoués, etc. Elle est toujours prête à essayer ce qu'on lui propose et *Ève* est devenue son maître à penser; et à faire.

Garneau avait raison. Les faims et les soifs des femmes sont là, qui ne demandent qu'à être alimentées et entretenues. *Isis* aura beau dire et beau faire pour contrer ou dénoncer ces désirs, le système triomphera, envers et contre tout. *Ève*, année après année, ronge la clientèle d'*Isis*, fatiguée d'être sermonnée et embrigadée pour des causes perdues d'avance. Edgar a toujours cru qu'il était possible de faire coexister articles de mode et articles de fond. Lorsque les féministes auront compris qu'une pleine page d'annonce de Christian Dior ou de Clinique permet la publication d'un reportage, bien orienté, sur un quelconque problème qui touche l'actualité, les couples ou les enfants, elles accepteront les inévitables et agréables concessions qui jalonnent l'existence d'une grande revue qui a l'intention de grandir et surtout de durer. Elles quitteront la fanatique *Isis* pour se rabattre sur *Ève*, ouverte à tous vents.

101

Amanda l'aperçoit de loin. Il est assis, jambes croisées, sur une chaise pliante en toile jaune, et il lit. La lumière du matin baguenaude dans ses cheveux très gris, presque blancs, et se mire dans le verre de ses lunettes rondes, à montures d'écaille noire. Laurent entend l'auto qui tourne et ralentit au bout de la rue. Il lève la tête et ôte ses lunettes. Maintenant, il est debout et il fixe l'horizon.

Dans son souvenir, il était un peu plus grand et surtout un peu plus large d'épaules. La fragilité de sa silhouette et son élégance naturelle, malgré l'âge, la frappent. Il porte un pantalon et une chemise blanc écru. Sur la chemise, autour de son cou, il a noué les manches d'un grand pull en fin tricot marine qu'elle croît reconnaître. C'est dans ce lainage qu'il l'enveloppait quand ils revenaient tous les deux chez Clara, après leurs grandes virées dans les entrailles parfumées de la Côte...

La gorge serrée, le cœur emporté par une vague d'émotion, Amanda coupe le contact. Elle contemple la mince silhouette sans bouger, les deux mains sur le volant.

– Qu'est-ce que tu attends? Vas-y! Moi je reste dans l'auto... chuchote Fa à sa mère transformée en statue de sel.

Amanda ouvre la portière, sort, secoue sa jupe blanche à plis soleil et elle s'avance à la rencontre de son passé, contenu dans cet homme qui la regarde venir, sans manifester le moindre signe de curiosité, lui semble-t-il. Elle a l'impression d'être dans un de ces rêves où les choses et les êtres reculent insidieusement au fur et à mesure qu'on avance. Quatre-vingts mètres la séparent maintenant de son premier amant. Il est toujours immobile. Maintenant, elle distingue parfaitement ses yeux qui la fouillent par le dedans et le dehors, comme jadis...

– Je fais souvent ce rêve étrange et pénétrant d'une Amanda noire, et que j'aime et qui m'aime... Je savais. Je savais que tu reviendrais un jour. Les amandes des grands festins sont longues à mûrir, dit-on.

Sa voix est un peu plus rauque, un peu plus basse, un peu plus cassée, son visage un peu plus grave que dans son souvenir. Les deux rides verticales qui encadrent la racine de son nez sont profondes. Elles montent à l'assaut de son front, étonnamment lisse. Les paupières, lourdes et froissées, font penser à un vieil œillet de poète qui flaire la fin de l'été. Le nez est toujours beau, droit, mince, et nerveux des narines. Les émotions s'y bousculent, s'y réfugient et vibrent en même temps que frémissent les commissures de ses lèvres. Sur la tempe gauche, une petite veine violette saille et bat la chamade, comme jadis, lorsqu'il s'emportait en lui racontant des histoires qui lui tenaient à cœur.

Amanda est maintenant tout près. Il tend ses deux mains vers elle, paumes à plat. Elle y dépose les siennes avec précaution. Elle a un peu peur de ce premier contact. Il y a vingt-cinq ans, tout a commencé par une foudroyante poignée de main, en apparence innocente et sans conséquence.

– Je suis venue reprendre ma vie là où je l'ai laissée choir. Je ne sais pas ce qui peut m'arriver maintenant. Je suis ici pour voir, comprendre et décider.

– Commence par te rappeler... Tu te souviens de ce qui s'est passé ici, dans cette maison, entre toi et moi, le roi des peureux, le prince des lâches, le duc des maladresses...

– Arrête...

Amanda ne peut rien dire de plus. Elle est trop bouleversée. Les mains de l'homme, leur chaleur, rallument dans sa chair le brasier qui a fait flamboyer ses 17 ans. Les yeux de l'homme la convoitent avec un tel appétit impudique qu'elle a l'impression qu'il va la consommer sur place, tout habillée, passé, présent et futur confondus.

Les mains de Laurent accrochent ses épaules et la tirent vers lui avec un doux gémissement.

– J'ai tellement voulu ce moment, je l'ai tellement rêvé, qu'il a fini par arriver. J'étais prêt à vivre jusqu'à 150 ans pour ne pas le rater...

Amanda se laisse aller et ferme les yeux. Dans son corps, dans son cœur, c'est la débandade... Elle imagine un chronomètre affolé en marche arrière... Elle n'a pas 44 ans... elle est jeune à nouveau. Elle enfouit son visage dans le vieux pull et son nez, instinctivement, cherche un coin de chair nue... Maintenant, c'est elle qui gémit.

Dans l'auto, Fa pleure. Le spectacle de sa mère passionnément étreinte par un homme est nouveau pour elle.

Jamais Edgar n'a tenu Amanda de cette manière. Jamais elle n'aurait imaginé que sa mère soit capable de s'abandonner avec une telle ferveur.

– Mamande, mamande, je voudrais tellement que tu sois heureuse. Ne triche plus, je t'en prie.

Incapable de rester plus longtemps emprisonnée, elle ouvre la portière, sort et reste là, debout, à contempler sa mère et l'homme, dans leur désir enlacés.

– C'est ta fille? demande-t-il, en posant sur Fa un regard doux, timide et curieux tout à la fois.

Amanda hoche la tête.

– Oui. Tu lui dois nos retrouvailles. C'est elle qui m'a donné la clé pour sortir du labyrinthe...

Fa est contente. Laurent ne lui sert pas les plates banalités d'usage: «Enchanté de faire votre connaissance, Mademoiselle...» Il ne s'empêtre pas dans les compliments de circonstance: «Comme vous ressemblez à votre mère... Vous êtes charmante.» Il se contente de lui sourire, avec les yeux. Il prend ses deux mains et y pose légèrement ses lèvres, sans rien dire. Fa se coule dans cet authentique et très charnel signe de bienvenue. L'homme est sincèrement heureux de sa présence. Il l'accepte, comme elle est, sans même la connaître. Symboliquement, elle a l'impression de renaître. Cet étranger lui offre plus que ne lui a donné Edgar à sa naissance. Elle le sent et, en elle, la dernière digue de chagrin saute. Elle est libre d'être elle, enfin.

102

Amanda et Fa se sont installées à l'hôtel Les Jardins du Campanile, rue Auguste-Favrier, à 800 mètres de la mer, au grand dam de Laurent qui aurait voulu les héberger dans sa maison. Mais Amanda a tenu bon. Elle veut explorer son passé à petites bouchées, lentement, le déguster, le digérer, tout en respirant l'air du pays, tout en regardant fleurir sa fille. En acceptant l'invitation de son amant, elle aurait plongé trop vite dans une ardente fournaise...

Peut-être finira-t-elle par habiter, un jour, un mois ou un an, dans la maison de Laurent. Elle ne sait pas. Elle ne veut pas savoir. Pour l'instant elle renoue avec cette partie d'elle qui s'est incrustée en un lieu habité par un étranger, et elle savoure chaque minute comme si elle allait mourir avec la fin du jour...

Fa passe ses journées dehors, tantôt seule, tantôt avec sa mère et Laurent. Chaque fois qu'il pose son regard sur elle, elle réagit en souriant de toutes ses dents. Le regard l'enveloppe, la réchauffe. Elle se sent comme protégée. Et lorsque Laurent prononce son nom, c'est la même chose. Le même émoi joyeux, le même bonheur.

Chaque matin, elle a pris l'habitude d'aller faire un tour dans un petit parc pour enfants rempli de sculptures-jouets. On dirait des moules à pâtisserie pour géants, des coquilles d'escargots revues et corrigées par la caricaturiste Claire Bretécher... Elle regarde s'amuser les gosses du quartier, fait des croquis et revient à l'hôtel à l'heure du déjeuner, l'estomac dans les talons. L'après-midi, quand elle n'accompagne pas Amanda et Laurent, elle joue à la touriste solitaire: elle flâne sur le port, assiste au départ et au retour des petits bateaux qui font faire le tour des calanques aux touristes. Elle écume les musées locaux et, avant de rentrer, elle s'arrête à la fontaine de la Place Baragnon pour regarder les hommes jouer à la pétanque. Le soir, elle refuse farouchement d'accompagner sa mère qui fait la tournée des bons restaurants de Cassis avec Laurent.

Certaines nuits, Amanda ne rentre pas. Ou plutôt elle arrive pour le petit déjeuner, avec une mine ravie d'être fatiguée. Fa fait alors les frais de la conversation et s'amuse à remplir l'assiette de sa mère avec les confitures du jour en lui rappelant que le sucre convient à merveille aux fanas de l'exercice physique et mental. Amanda ne répond rien, mais elle dévore le contenu de son assiette, pendant que sa fille explore sur sa peau les jeux de nuit auxquels elle s'est livrée avec Laurent.

Le deuxième samedi qui suit son arrivée à Cassis, Fa entre dans une minuscule librairie, La Canaille, en hommage à *l'oppidum ligure* du cap Canaille, s'arrête devant un carrousel de cartes postales, jette son dévolu sur une reproduction très romantique d'En-Vau, la plus belle, dit-on, des calanques de Cassis, et elle va se réfugier dans son petit parc, non loin d'une fontaine entourée de massifs fleuris. Assise sur un vieux banc de bois, elle attend que l'inspiration chante en elle et, dès les premières notes, elle se met à écrire avec une joyeuse fébrilité.

Victoire de l'antique Chevalier
Reine de cœur, dans bras tendres enlacée
Et choc fatal au Roi solitaire
Femme et fille, pour lui sont à jamais perdues
Un sceptre de cendre lui reste...

Elle relit une dernière fois la carte postale qu'elle a décidé d'envoyer à Edgar Paris. Elle espère qu'il comprendra le message. Les mots lui sont venus de si loin. De l'autre côté d'elle. D'un lieu secret où sa vie et sa mort se touchent.

La voix intérieure qui les lui a dictés s'élève encore, impérieuse et moqueuse cette fois. Elle ferme les yeux pour mieux l'écouter. «Le poème est beau et lourd comme une épithaphe. Il convient à un mort. Mais... écrit-on aux morts?»

Fa ouvre les yeux. Elle tourne la carte postale entre ses doigts. Elle a tué, pleuré et enterré son père. Il ne lui reste plus qu'à déchirer et à brûler l'épitaphe. La voix a raison. On n'écrit pas aux morts... Pour immoler son poème, il lui faudrait une allumette. Si Ludovic était là... ce serait vite fait.

Elle se lève et sort du parc à petits pas. Ludovic... Elle se remémore le dernier entretien qu'elle a eu avec lui, la veille de l'arrivée de sa mère. Ensemble, ils ont parlé de la mort.

– Quel bruit crois-tu qu'elle fait quand elle entre en nous? lui a-t-elle demandé

Il a répondu:

– La mort est silencieuse. J'ai vu des gens mourir à l'hôpital et je n'ai jamais rien entendu d'autre que leurs râles désespérés à la recherche d'oxygène.

Elle a réagi vivement.

– Ce n'est pas vrai! C'est seulement qu'on n'entend pas la mort venir, prendre et partir. C'est comme la vie. Quand nos cellules commencent à se multiplier... C'est peut-être seulement une légère vibration, la mort...

– Tu veux dire des ultra-sons? Ce n'est pas bête ton hypothèse...

Là-dessus, il a ri. Il lui a parlé d'elle. De sa force. Il lui a dit qu'elle était riche. Riche et forte. Fa s'engage dans une rue étroite et voit l'enseigne d'une boutique d'artisanat. La porte est ouverte. Elle entre. Une jeune femme rousse lui fait un amical signe de tête.

– Bonjour... Vous cherchez quelque chose?

– Pas vraiment. Je veux juste regarder...

– Nous avons de jolis bracelets en argent moulé avec une plaque sur laquelle nous pouvons inscrire un nom ou un prénom... C'est au goût du client.

Fa s'approche de l'étalage et admire les échantillons que lui tend la vendeuse.

– C'est vraiment joli. Et délicat. J'aime beaucoup. C'est long pour faire écrire quelque chose?

– Non. Un petit quart d'heure. Je travaille sur une plaque qui doit cuire pendant cinq minutes.

– Je vois. Ce modèle-là me plaît énormément... On dirait un cercle paresseux... Je vous l'achète.

– Et qu'est-ce que je dois inscrire, mademoiselle?

– Fa Doré. C'est mon nom. Je peux vous payer tout de

suite? J'ai d'autres courses à faire. Je vais repasser un peu plus tard.

– Mais oui, mademoiselle... Ça sera 125 francs.

– Ah oui... vous n'auriez pas un carton d'allumettes?

La vendeuse lui désigne un grand plateau rempli de petites boîtes.

– Servez-vous, je vous en prie...

Fa retourne au parc, s'approche de la fontaine, dépose la carte postale sur la pierre de la margelle et l'enflamme. Puis, avec le bout d'une branche, elle pousse les débris calcinés dans l'eau. Dans quelques minutes, elle glissera à son poignet le symbole de sa nouvelle vie.

Elle arrive à l'hôtel en même temps que stationne la Mercedes de Laurent. Ce soir, elle accompagnera exceptionnellement les amoureux de l'année – comme elle les appelle – chez Gilbert, un restaurant réputé pour sa bonne table. Ensuite, elle et Amanda se rendront à la maison de Laurent. Il veut leur faire lire le scénario d'un film dont il sera le réalisateur. «La caméra m'a fait voir pendant 22 ans. Maintenant mon tour est arrivé de lui en faire voir», leur a-t-il dit pour expliquer son glissement de carrière...

– Qu'avez-vous visité de beau aujourd'hui? lui demande-t-elle.

Laurent passe un bras autour de ses épaules, se penche et dépose un léger baiser sur sa frange.

– Ollioules, un village situé tout près de Toulon. Un de mes cousins, faïencier-décorateur, vient d'y ouvrir une boutique. Il y avait vernissage, avec le maire, le curé et le gratin de la place.

Amanda les rejoint et propose qu'ils prennent tous les trois une grande eau minérale dans les jardins de l'hôtel. Elle tend un paquet à Laurent.

– Nous avons pensé à toi, Fa. Ou plutôt à un de tes vices, selon Amanda...

Fa laisse Laurent prendre ses mains et y déposer le présent. Elle déchire fébrilement le papier d'emballage et découvre un bol à café garni de trois notes de musique, *Fa, do, ré,* encadrées de guirlandes de violettes.

– Nous avons été frappés, Amanda et moi, par le programme musical que comporte ton nom. C'est plutôt joli comme début de mélodie...

Fa, surprise qu'ils aient eu la même pensée qu'elle, leur tend son poignet où brille le petit bracelet qu'elle s'est offert. Elle chante les notes de son nom *FA-DO-RÉ* et lance:

– Vous avez raison. Ce qu'il y a de difficile dans l'écriture d'une chanson, c'est le début. Après, le reste coule de source...

Montréal – Paris – Saint-Didace
1987-1988